비뚤어진 내가 빚은 고통받는 세상

비뚤어진 내가 빚은 고통받는 세상

발 행 | 2023년 12월 28일
저 자 | 이승천
펴낸이 | 한건희
펴낸곳 | 주식회사 부크크
출판사등록 | 2014.07.15(제2014-16호)
주 소 | 서울특별시 금천구 가산디지털1로 119 SK트윈타워 A동 305호
전 화 | 1670-8316
이메일 | info@bookk.co.kr

ISBN | 979-11-410-6246-0

비뚤어진 내가 빚은 고통받는 세상

이승천 지음

이승남 님, 이승원 님, 이승권 님께
이 책을 헌정합니다.

목   차

들어가는 말

들어가는 말

성서인문학의 지향점

이 책은 "하늘과 땅이 만나는 성서인문학"(2021)의 후속편입니다. "인본주의자 오디세우스는 없다"(2021), "온전한 나를 찾아가는 순례자"(2021) 및 "내면의 자산으로 풍요로운 인생소풍길"(2021)을 이은 네 번째 작품입니다. "성서인문학"은 전통적인 가치관, 근대적인 세계관 및 탈근대적인 시각들이 중첩된 현 시대적 상황 속에서, 인간의 근원적 문제를 연구하는 인문학과 하나님의 계시가 기반이 된 성서가 만나는 접점에서 펼쳐진 대화의 장입니다. 시발점이 된 그 책에서는 그 대화의 방향과 토의할 요소들을 밝히면서 그 각각의 요소들과 연관된 사례들을 간략하게 다루었지만, 그 후속편들을 통해서 좀 더 본격적으로 그 대화의 폭과 깊이를 더했습니다. 사실상 이 대화는 장차 "땅과 하늘이 언젠가 하나가 될"(And earth and heaven be one) 때를 고대하는 심정으로 마련되었습니다. 톰 라이트가 지적한 대로, 장차 언젠가 "땅과 하늘은 서로 겹칠 것입니다. (...) 완벽하고 영광스럽게 전적으로 서로 겹칠 것입니다." [Earth and heaven were made to overlap with one another, (...) but completely, gloriously, and utterly.] ["톰 라이트와 함께하는 기독교 여행"(Simply Christian, 2006)] 이 표현은 "바다에 물이 가득하듯이, 주의 영광을 아는 지식이 땅 위에 가득할 것이다."(하박국 2:14)라는 약속이 대표하는 성경 전체 메시지의 영광스러운 결말을 라이트 식으로 푼 것입니다. 예수 그리스도께서 다시 나타나시어 '새 하늘과 새 땅'을 여시는 그 결말 말입니다.

그렇지만 그때가 되기까지 하늘과 땅 사이에 벌어진 간격을 연결하는 시도가 의미 있다고 보았습니다. 라이트가 언급한 대로 "하나님과 세계는 서로 다르지만, 서로 멀리 떨어져 있지 않기"(God and world are different from one another, but not far apart) 때문입니다. 한 발 더 나아가 지난 역사상 혹은 현재에도 하늘과 땅이 서로 겹치고 맞물리는 순간들이 있었을 뿐만 아니라, 미래와 현재가 중첩되고 맞물리기도 했기 때문입니다. 무엇보다도 성경이라는 하나님의 계시와 성육신하신 예수 그리스도에게 주목해 보세요. 이 두 대상을 통해 하늘과 땅이 만나는 길이 열렸습니다. 먼저 하늘에서 땅으로 향하는 길이 열려, 땅에서 하늘로 향하는 길을 내내 안내하게 될 것입니다. 그리하여 하늘과 땅이 하나가 되는 날, 첫 창조 세계를 부패시킨 것들은 죄다 제거되겠지만, 첫 창조 세계에서 선했던 것들은 모두 다시 회복될 것입니다. 그래서 "현재 부패한 창조 세계의 갱신"(the renewal of the presently corrupt creation)이라는 "순례의 길"(pilgrimage)에 들어선 그리스도인들에게는 포기할 것들과 재발견할 것들이 각각 존재합니다.

이 시점에서 특히 라이트가 주목한 것이 세 가지입니다. 즉 "정의에 대한 재검토"(Justice Revisited), "관계의 재발견"(Relationship Rediscovered) 및 "아름다움의 재탄생"(Beauty Reborn)입니다. 어떻게 보면 부패한 세계 속에서 손상된 진선미(眞善美)의 전반적인 회복처럼 보이는 대목입니다. 우선 첫째 측면은 하나님의 세상이란 반드시 공정하고 바르게 일이 처리되고, 정직하고 참되며 고결한 곳이 되어야 한다는 전제에서 비롯됩니다. 그러므로 폭력이나 도덕적 무정부 상태를 통해서가 아니라, 기도와 설득과 정치 행위를 통해 치유하고 "회복하는 정의"(restorative justice)를 위해 일하는 것이 일차적인 그리스도교적 소명이라는 것입니다. 둘째 측면은 그리스도교 공동체가 인간관계를 형성하는 새로운 패턴과 기준의 모델이 되라는 부르심을 받고 있다는 전제를 기반으로 하고 있습니다. 그러므로 새 창조 세계에 속한 기쁨과 겸손의 정신으로, 서로에게 절대적으로 친절하고, 분노하되 분노가 대인 관계를 지배하지 못하게 하는 방식으로 장차 새로운 세계 속에서 행하게 될 삶을 예견하며 구현해야 한다는 것입니다. 셋째 측면은 현 창조 세계에서 일별하는 아름다움은 장차 이루어질 새 하늘과 새 땅의 편린이라는 전제에서 시작됩니다. 그러므로 그리스도 교회는 모든 수준에서 아름다움에 대해 다시 굶주림을 느끼게 됨으로써, 미술, 음악,

문학, 댄스, 연극 등을 새로운 방향에서 탐구하여 그것들이 "실재의 중심으로 들어가게 해주는 고속도로"(highways into the center of a reality) 역할을 감당할 수 있도록 주도권을 쥐어야 한다는 것입니다. 예술이란 것이 실존적이고도 즉각적인 아름다움을 넘어 서서, 장래 이루어질 새로운 창조의 영광스러운 면모들을 일견할 수 있도록 도와 주기 때문입니다. 그 영광스러운 장래를 바라보며 그 장래의 일들이 완전히 현실화할 것이라는 약속에 비추어 현재를 살아가야 한다는 것이 현재 그리스도인들에게 주어진 부르심입니다. ["톰 라이트와 함께하는 기독교 여행," 2006 참조]

돌이켜 보면 "하늘과 땅이 만나는 성서인문학"에서 다룬 다섯 가지 항목[심(心), 아(我), 도(道), 시(時), 학(學)]을 중심으로 펼친 내용들은 라이트가 언급한 대로 '부패한 창조 세계의 갱신'을 위한 '순례의 길'이라고 볼 수 있습니다. 우선 기도와 설득과 정치 행위를 통한 정의 회복에 방점을 찍은 논의가 적지 않았습니다. 새 하늘과 새 땅에서 전개될 인간관계에 걸맞은 삶과 인격의 패턴을 다양한 실례들로 제시해 보였다는 자평도 해 봅니다. 이에 덧붙여 아름다운 역사적 사건들이나 선한 인물들의 행적을 통해서 새롭게 창조될 세계의 편린을 현시하고, '하부 창조'라고 불리는 문학 작품들을 독해해 가면서 인간들이 생래적으로 품고 있는, 새 하늘과 새 땅에 대한 갈망과 영적 각성을 열어 밝히는 면에서도 어느 정도 주목할 진전이 있었다고 생각됩니다. 그렇지만 예술적인 아름다움을 직접 현시해 주는 미술과 음악 분야에 대한 논의는 부족했습니다. 앞으로 이런 분야에 대해서도 기회가 되는 대로 연찬의 과정을 밟을 마음이 얼마든지 있지만, 이 분야에 전문성을 가진 그리스도인들이 '성서인문학'의 취지를 좇아 의미 있는 논의를 풍성하게 펼쳐 가기를 고대합니다.

이 작품 속에는 서양 소설가 7명의 작품과 1편의 희곡이 소개되어 있습니다. 지극히 선하고 아름다운 존재로 창조된 우리 인간의 됨됨이를 다각도로 모색하는 데서 시작하여, 우리의 비뚤어진 면모가 어떻게 자신과 가족 공동체, 사회, 국가 및 온 세계에 악영향을 끼쳐 지극한 고통을 안겨주게 되었는지 그 과정을 열어 밝힙니다. 이 작품들은 한결같이 인간이 고귀한 존재인 점은 이론의 여지가 없지만, 인간 본성은 조금도 개선되거나 진전되지 않았다는 점을 천명합니다. 우리나라 사회에 만연한 온갖 무도하고 무리한 일들은 우리 각자가 품고 있는 내면의 집단적 반영입니다. 지금도 진행 중인 국가 간의 전쟁들과 국지전들도 그 당사자들의 비인간적 면모의 발현입니다. 조지프 콘래드의 "어둠의 속"의 주인공인 커츠의 기행에 놀라지 마세요. 그가 상징하는 레오폴드 2세의 만행에 비하면 새 발의 피니까요. 그 비인간의 행태는 소설이란 세계의 벽도 뛰어넘을 만큼 사악함의 끝장판이었습니다. 누구나 자신이 가진 권력과 왜곡된 욕망에 비례하여 얼마든지 타락할 수 있다는 방증입니다. '인류에 대한 범죄'(Crimes Against Humanity)까지도 감행할 수 있지요. 우리 인간 내부에는 구원의 길이 없습니다. 우리를 창조해주신, 살아 계시고 참되신 하나님의 계시로 돌아가야 할 시간입니다.

이승천
(이메일: ljs051@naver.com
블로그: hubil-centre.tistory.com)

1. 우울한 날의 청량제 오 헨리

-우울한 날의 독서-

"나는 우울할 때 오 헨리(O Henry)를 읽는다."라고 언급한 전기 작가가 있습니다. 오 헨리의 탁월한 해학성과 유머를 높이 산 표현으로, 그의 전기를 쓴 로버트 데이비드가 한 말입니다. 가슴을 울리는 감동을 주는 문학 작품은 많이 있지만, 가슴 터지는 환한 웃음까지 함께 선사해 주는 문학 작품은 찾기 힘들지요. 제게는 이 두 가지를 겸하여 선사해 주는 작가로 오 헨리가 가장 먼저 떠오릅니다. "오 헨리는 미국의 단편 소설을 휴머나이즈했다."고 말한 이도 있지요. 그의 또 다른 전기 작가인 알폰소 스미스입니다. 동료 '인간 가족'의 소중한 구성원에 대한 가슴 따뜻한 인간애와 그들의 한계와 약점을, 깊은 동정과 애정의 시선으로 이해하는 것을 지향하는 오 헨리 문학의 본질을 꿰뚫은 적절한 평가였습니다.

전통과 계급이 존재한 유럽과는 달리 자유와 평등의 민주주의 세계를 표방한 미국에서는 사회적 신분이나 경제적 지위가 별다른 의미를 띠지 않아야 마땅했지만, 자본주의 물결 속에 표류하고 있던 19세기 말부터 20세기 초의 미국 사회는 경제력이라는 지표가 새로운 지위나 신분을 만들어 내고 있었습니다. 빈부격차가 하늘을 찌르던 시기였던 것이지요. 바로 이 시기에 오 헨리는 부유한 이들보다는 그들에 의해 억압당하고 무시당하던, 평범한 소시민이나 저임금 노동자(예컨대, 화가, 타자수, 경리 직원, 세탁소 아가씨들, 백화점 점원 아가씨들) 및 사회 밑바닥을 떠도는 부랑자나 범법자들에게 깊은 관심을 기울였습니다. 오 헨리를 "보잘것없는 점원 아가씨들의 기사(騎士)"라고 부른 시인(베이첼 린지)이나 "뉴욕 백화점 카운터마다 오 헨리의 그림자가 드리워져 있다"라고 일컬은 문학비평가(아서 B. 모리스)가 있을 정도였으니까요. 예컨대, "마지막 잎새"(The Last Leaf)의 수나 존시는 잡지 삽화를 그리면서 생계를 이어가는 젊은 화가들입니다. "채광창이 있는 방"(The Skylight Room)의 미스 리슨과 "식탁에 찾아온 봄"(Springtime a la Carte)의 사라는 타자수입니다. 그리고 "손질 잘한 램프"(The Trimmed Lamp)의 루와 낸시는 백화점 상점 아가씨들이지요.

오 헨리 시대로부터 무려 100여 년이 흐른 이 시대를 살아가는 제게 그가 더욱 그리워지는 것은, 그의 시대보다 더한 경제지상주의가 이 땅을, 이 세계를 지배하고 있다는 점과 무관하지 않습니다. 오 헨리는 빈부격차가 극명한 사회에 살아가면서도 그 사실에 대해 분개하거나 울분을 토하지 않고, 부유한 자들과 가난한 자들의 삶의 실상을 사실적으로 담담하게 기술해 냅니다. 특히 빈한한 이들의 사정을 구체적인 숫자와 세밀한 상황 묘사로 설득력 있게 전달하고 있다는 점은 놀랄만한 일입니다. 당시의 물가나 집세나 급료 등을 자세하게 기록해 둔 덕에 당시 미국의 사회상을 이해하는 데 큰 도움을 주고 있지요. 이렇게 사실에 근거한 탄탄한 전달력이 기반을 이룬 수백 편의 단편 소설을 통해 오 헨리는, "돈이 전부가 아니라는 것"[Money isn't everything. ("마음과 손"⟨Hearts and Hands⟩)]과 "금전상의 풍족함보다 더 나은 어떤 것"[something better than prosperity("손질 잘한 램프")]이 존재한다는 점을 온 세상에 천명하고 있습니다.

그의 작품 속에 등장하는 가난한 주인공 중에서 부유해지는 일에 목숨을 거는 인물은 거의 찾아보기 힘듭니다. 범죄를 통해 돈을 벌려는 이들이 있긴 하지만, 어설프게 범죄를 시도했다가 도리어 돈을 잃는 경우로 끝나거나[예: "붉은 추장의 몸값"(The Ransom of Red Chief)] 그동안 해오던 범죄를 그만두려고 결심한 상황에서 그 범죄 실력을 발휘해야 하는 난감한 경우가 있을 뿐입니다[예: "되살아난 개심"(A Retrieved Reformation)]. 부유한 사람들이 누리는 여유롭고 품위 있는 삶을 동경한 나머지, 일정 기간 돈을 모아 잠시라도 그러한 사치를 누려보려는 인물은 등장해도[예: "낙원에 들른 손님"(Transients in Arcadia)], 그러한 삶 자체를 우상시하는 인물은 찾아보기 힘듭니다. 종종 사치스러운 것을 좋아해서 돈을 낭비하는 가난한 인물이 눈에 띄긴 하지만(예: "손질 잘한 램프"의 루), 그들의 삶의 방식과는 대조적으로 살아가는 다른 주연(낸시)의 삶의 방식을 더 돋보이게 하는 역할을 감당할 뿐입니다. 돈만을 고려해서 결혼하려는 인물은 찾기 힘들지만, 부유하지 않으나 견실한 배우자를 찾고 기다렸다 만나는 경우는 적지 않습니다[예: "손질 잘한 램프"의 낸시, "현자의 선물"(The Gift of the Magi)의 짐과 델러].

그의 작품에 등장하는 부유한 사람들도 당시나 현재의 세태와는 결을 달리 하는 인물들이 많이 등장합니다. 물론 그들 중에는 가난한 이들을 멸시하는 이도 눈에 띄지만(예: "채광창이 있는 방"의 파커 부인), 가난한 연인과 결혼해서 여생을 보내겠다는 이들이 얼마든지 존재합니다[예: "구두쇠 연인"(Lickpenny Lover)의 어빙, "마녀의 빵"(Witches' Loaves)의 미스 마아더, "5월은 결혼의 달"(The Marry Month of May)의 쿨슨 영감]. 자기 재산으로 남을 돕는 부자나[예: "물방앗간이 있는 예배당"(The Church with an Overshot-Wheel)의 에이브럼], 자기 몫이 될 수 있는 재산을 다른 사람에게 양도해 주는(혹은 양도해 주는 것을 기뻐하는) 인물도 종종 등장합니다[예: "1천 달러"(One Thousand Dollars)의 길리안, "악운의 충격"(The Shocks of Doom)의 아이드와 밸런스]. 심지어 "악운의 충격"의 두 주인공은 심지어 돈을 많이 갖는 것을 악운(doom)으로 여기고 있지요.

결국 오 헨리는 자신의 단편 소설을 통해, 돈이 인생에 있어 주요한 환경상의 요소로서 영향력을 행사하는 것은 인정하면서도, 그 영향력의 한계가 엄연히 존재한다는 점과 그것보다 더 중요하고 의미 있는 인간애와 진실의 힘이 존재한다는 점을 온 세상에 증거하고 있는 셈입니다. 100년 전 그 암울했던 시기를 사랑의 실천과 진정성 있는 삶으로 대결하려 했던 오 헨리의 작중 인물들의 해학과 유머 넘치는 삶의 방식이 그렇게 도전이 되면서도 그리울 수가 없습니다. 2020년에 갑자기 불어닥친 코로나바이러스 광풍 속에서 우울하고 신산한 시기를 통과하는 우리 모두에게, 심금을 울리는 감동과 가슴을 시원하게 해 주는 웃음을 선사해 줄 오 헨리를 권합니다. ['비채'의 번역(김욱동 역)을 인용함]

-오 헨리와 결말의 의외성-

오 헨리의 독특한 면모는 한 마디로 유머와 위트와 페이소스이지만, 그의 작품을 읽는 독자들이 한결같이 경탄하는 점은 기발한 착상과 교묘한 플롯입니다. 김욱동 교수가 오 헨리가 단편소설에 끼친 가장 큰 영향으로 꼽는 것이 바로 이 지점이지요. 플롯 중심의 프랑스 문학 전통을 계승하고 발전시켰다는 것입니다. 플롯보다 작중 인물의 미묘한 성격이나 내적 갈등 묘사에 더 무게를 두는 러시아 문학 전통(예컨대, 투르게네프나 체호프나 고골리의 경우)과는 대조적으로, 이 프랑스 전통(예컨대, 플로베르나 모파상이나 포)은 작중 인물의 외적 행동에 관심을 기울이면서 "예리한 관찰, 생생한 세부 묘사, 명료하고 적확한 표현" 등을 무엇보다 강조하였습니다. 전자를 주관적 전통으로 부르고 후자를 객관적 전통으로 부르는 이유가 여기에 있습니다. 그런데 오 헨리가 바로 이 객관적 전통을 완성한 단편소설의 대가로 꼽힌다는 것이지요.

확고한 플롯을 형성할 수 있는 구상력(構想力)의 바탕에다 풍부한 상상력을 가미할 수 있는 작가만이 발휘할 수 있는 비상한 면모에서 "결말의 의외성"(Twist ending 혹은 Unexpected ending)이라는 기교가 등장하게 됩니다. 잔잔하게 이야기를 전개해 가다가 마지막에 가서 독자의 예상이나 기대를 뒤엎고 결말을 역전시켜 제시하는 기법이지요. 특히 작가로서의 그의 입지를 다져준 "4 백만"(The Four Million)이라는 단편 소설집에서 이 기량을 유감없이 보여주었습니다. 서툴게 사용하면 진부해지고 기계적으로 보이기 십상인 이 기교가 오 헨리의 작품 속에서는 거의 언제나 개연성이 있고 논리적이며 자연스럽게 부각되어 있기에 많은 독자들이 환호하는 요소가 되었습니다.

많은 이들에게 사랑받는, "경찰관과 찬송가"(The Cop and the Anthem)를 예로 들어 보겠습니다. 뉴욕 노숙자인 소피는 엄동설한 석 달을 블랙웰스 섬의 형무소에서 보내기를 계획합니다. "정신적 굴욕"(humiliation of spirit)을 선사하는 자선기관보다는 "신사의 사생활을 간섭하지 않는"(not meddle unduly with a gentleman's private affairs) 곳이니까요. 그런데 문제는 그 감옥으로 가려면 적당한 범죄를 저질러야 한다는 것입니다. 그래서 고급 레스토랑에서 값비싼 식사를 한 후 돈 한 푼 없다고 하면 경찰관에게 인도될 것이라고 생각했으나, 그곳에 들어서자마자 그곳 웨이터에게 거절당합니다. 6번가 모퉁이 상점에 돌을 던져 유리창을 깬 후, 자기가 그 범인이라고 생각하지 않느냐("Don't you figure out that I might have had something to do with it?")며 경찰에게 도전하지만 말도 안 되는 상황이라며 그 경찰관은 다른 사람 뒤를 쫓아 가 버리지요. 평범한 식당에서 커다란 비프스테이크, 핫케이크, 도넛, 파이를 먹어치우고는 경찰을 부르라("Now, get busy and call a cop. And don't keep a gentleman waiting.")고 했지만, 두 웨이터가 그를 길바닥에 내동댕이쳤을 뿐입니다. 심지어 경찰관 앞에서 어떤 여자에게 "비열하고 아주 혐오스러운 '치한' 역할"(the role of the despicable and execrated 'masher')을 감행했으나, 도리어 그 여자가 자기에게 찰싹 달라붙는 일이 벌어졌을 뿐입니다. 마지막이라고 여기고 "풍기 문란"(disorderly conduct)이라는 카드를 시도했습니다. 술주정뱅이 노릇을 감행하면서 목청껏 고함을 지르고 온갖 추태를 다 부렸던 것이지요. 그것도 허사로 돌아갔습니다. 이번엔 어떤 신사의 실크 우산을 집어 들고 가는 "가벼운 절도죄"(petit larceny)에 그 신사를 '모욕하는 죄'(insult)까지 범하면서 감옥행을 시도했으나 헛수고였습니다. 그래서 할 수 없이 매디슨 광장을 향해 돌아가는 도중에 낡은 교회 건물을 지나칠 때, 주일날 반주할 찬송가를 연습하는 오르간 연주자의 건반 소리를 듣게 되었습니다. 그가 어린 시절에 익히 알고 있던 그 찬송가는 소피의 영혼에 놀라운 변화를 일으켰습니다. 이제부터 새로운 삶을 살아가자는 각오와 함께 "이 세상에서 떳떳하게 인간 구실을 하기"(be somebody in the world)로 한 것입니다. 바로 그때 자기 팔을 붙잡는 이가 있었지요. 경찰이었습니다. "아무것도 하지 않고 있다"(Nothin')는 그의 말에도 불구하고 이튿날 아침 "즉결 재판소"(the Police Court)로 보내져서 판사의 판결을 받게 되었습니다. "섬에서 3 개월간 금고형에 처함."(Three months on the Island.)

　무엇보다 인생의 끝이 중요하다는 점에 이의를 달 사람이 이 세상에 있을까요? 자주 회자하는 말처럼 "끝날 때까지는 아직 끝난 게 아니지요."(It's never over till it's over.) 이생의 마지막 날까지 체념하지 말 일입니다. 그렇지만 다른 한편으로는, 오 헨리가 자신의 비기로 활용했던 "결말의 의외성"을 통해, 지금까지 어떠한 삶을 살아왔더라도 새로운 전기를 마련할 수 있다는 희망의 끈을 발견하게 됩니다. 그는 어떤 인물들의 삶의 한 시기에 대한 평가를 의외의 결말이라는 스냅숏으로 역전시키는 경우가 많습니다. 우리 인생은 시기마다 역전이 가능하다는 의미일 뿐 아니라, 성공했다고 여겨 방심하지 말라는 뜻으로 제게는 읽힙니다. 60 세쯤 살아보면 누구나 동감할 수 있는 시각이 아닐까 합니다. 긍정적인 의미이건 부정적인 의미이건, "그런 일이 일어날 줄 몰랐다.", "그 사람이 그렇게 될 줄 몰랐다."는 말을 해야 했던 때가 한두 번이 아니었으니까요. 의외의 결말을 지어낸 이가 오 헨리라는 소설가인데 왜 난리냐고요? "진실이 들릴 수 있는 거의 유일한 기회가 소설 속에 존재한다."(about the only chance for the truth to be told is in fiction.) 라는 말도 그가 했다는군요. 소설(fiction)과 신화(myth)가 역사적인 기록보다 더 많은 진실을 계시한다는 명제는 많은 인문학자들의 확신입니다. 소설가의 말은 거짓부렁이가 아닙니다. 초자연적인 영감의 산물로 존중하는 게 지혜입니다.

-오 헨리와 작품의 개연성-

오 헨리의 작품 속에 행운(luck)이나 우연스러운 일(chance)이 너무 자주 등장하는 것을 비판하는 평론가들이 있다고 합니다. 그의 작품들이 플롯의 우연성에 의존해서 전개될 뿐, 그 속에서 소설의 필수 요소인 개연성을 찾아보기 힘들다는 것입니다. 어느 정도는 일리가 있다고 봅니다. "채광창이 있는 방"과 같은 예가 있으니까요. 돈벌이가 되지 않아 탄광 갱도처럼 생긴 좁은 꼭대기 방에 세를 들어 지내고 있던 프리랜서 타자수인 미스 리슨이, 일감을 찾기 힘들었던 기간 중 어느 날 저녁도 먹지 못한 채 그 방으로 돌아와 쓰러진 상황에서, 신고받고 출동하여 살려 준 앰뷸런스 의사 이름이 윌리엄(혹은 빌리) 잭슨, 즉 그녀가 자기 방 채광창을 통해 본 별에 지어준 이름과 동명이인이었다는 이야기입니다. 개연성이 떨어지긴 해도 우리가 요즘 접하는 극적인 현실만큼 개연성이 없지는 않습니다. 미국 North Carolina 주 사람들이 얼마 전 우리나라 KBO 리그 개막전을 보는 것은 물론 그 경기에서 "창원 NC 다이노스"를 응원하리라는 개연성을 어느 누가 추측이나 했겠습니까? NC 다이노스와 두 머리글자가 같다는 것 외에도, 미국 그 동네가 공룡 화석이 많이 발굴되는 지역으로 유명하다니 할 말이 없지요. 구단주인 엔씨소프트가 NC 라는 이니셜을 'Next Company', 'Next Cinema', 'Never-ending Change', 'New Changwon' 중 어디에서 따왔든지, '단디'('단디 해라'=야무지게 해라)와 '쩨리'('쩨리라'=때려라)라는 공룡 마스코트와 함께 더불어 우연히 지은 이름 'NC 다이노스'는, 태평양 건너 저쪽 편에서 'NC 다이노스'의 팬으로 자부하는 이들의 화답과 응원 세례를 받는 상황이 전개된 것입니다.

이런 극적 현실을 접하면서도 오 헨리 작품 대부분에 개연성이 결여되어 있다고 보는 것은 지나치다고 봅니다. 이런 주장을 펼치는 평론가들이 예로 드는 작품 중 하나가 "백작과 결혼식 초대 손님"(The Count and the Wedding Guest)입니다. 그 작품 속에서 여주인공인 미스 콘웨이가 죽은 연인의 사진이라고 가지고 다니는 것이 앤디 도너번의 친구 사진일 가능성이 아주 희박하다는 것입니다. 뉴욕시에는 4백만이나 되는 사람이 존재하는데 어떻게 그럴 수 있겠느냐는 것이지요. 그렇지만 이런 지적을 하는 평론가는 그 작품을 겉핥기로 읽은 것에 불과합니다. 앤디의 친구인 마이크 설리번은 "뉴욕시에서 제일가는 거물"(the most important man in New York)로 소개되고 있습니다. 미스 콘웨이가 그 사진을 산 곳은 사진관이었으니, 그곳에서 "키도 크고 몸집도 좋을"(a mile high and as broad as the East River) 뿐 아니라 정치적으로도 지대한 영향력을 미치고 있던 그 사람의 사진을 당시에 구할 수 있다는 것이 개연성이 희박한 일일까요? 그는 뉴욕 4백만 인구 중의 장삼이사로 살아간 무명인이 아니었습니다.

또 다른 예로 드는 것이, "물방앗간이 있는 예배당"입니다. 컴벌랜드산맥에 있는 레이크랜즈라는 휴양지에서 에이브럼이라는 노신사가 20여 년 전에 잃어버린 딸을 우연히 다시 만나게 된다는 내용입니다. 상기한 평론가들이 지적하는 문제점은 이 부녀가 서로 만나는 것은 확률적으로 볼 때 거의 불가능할 뿐 아니라, 딸인 미스 체스터가 4살 때 들은, 아래와 같은 아버지의 방아타령을 기억하고 있다는 것도 믿기 어렵다는 점입니다.

▪아버지의 방아타령: "물레방아 돌고 돌아(The wheel goes round.) / 곡식을 찧고(The grist is ground.) / 가루 쓴 방아꾼은 즐겁기만 하네(The dusty miller's merry.) / 하루 종일 콧노래 흥얼거리고 (He sings all day,) / 귀여운 아가 생각하노라면(While thinking of his dearie.) / 고달픈 하루 일은 즐거운 놀이가 되네. (His work is play,)"
▪딸의 응답: "아빠, 덤스[어릴 때 미스 체스터가 자기를 부른 이름]를 어서 집으로 데려다줘요. (Da-da, come take Dums home.)"

과연 그럴까요? 먼저 캠벌랜드에 있는 레이크랜즈라는 그 휴양지가 유명한 피서지의 안내서에는 들어 있지 않지만, 그곳은 "적은 돈으로 시원한 산 공기를 마시려고 찾아오는 방문객들"(visitors who desire the mountain air at inexpensive rates)이 애용하는 곳이었습니다. 그곳은 "유흥만을 위해서가 아니라 휴양이 꼭 필요해서 온 사람들"(those who seek recreation as a necessity, as well as a pleasure)을 위한 적지였습니다. 미스 체스터가 일하던 애틀랜타의 백화점 지배인 부인이 그곳에서 한여름을 보낸 후에 그녀가 평소 좋아하던 미스 체스터에게 삼 주간 휴가를 보내도록 권하면서 보내 준 곳이 바로 그곳이었습니다(애틀랜타에서의 거리=194마일=312킬로미터=부산과 서울 간 거리). 그 휴양지 숙소 주인에게 소개장까지 써 주어 편안한 쉼의 기회가 될 수 있도록 배려하기도 했습니다. 미스 체스터가 건강이 좋지 않다는 것["not very strong (...) pale and delicate from an indoor life"]을 알고 평생 처음 휴가를 얻은("the first vacation outing of her life") 그녀에게 추천해 준 곳이었기 때문입니다. 그런데 그녀가 그곳을 방문했을 때, 그곳이 가장 아름다워지는("at their greatest beauty") 계절인 가을이 되면 해마다 그 숙소를 찾아온 에이브럼과 만나게 된 것이지요. 이런 상황을 극적인 해후라고 일컬을 수 있을지언정 개연성을 찾아볼 수 없다니요?

더구나 개연성 운운하는 그 평론가들은 자신들의 심리학 지식이 일천한 점도 깨닫지 못하고 있습니다. 발달심리학자인 김근영 교수에 의하면, 유아기 기억상실에 관한 연구를 종합해 볼 때 자신에 대한 '최초의 기억'이라고 회상하는 나이가, 서양인들은 평균적으로 약 3.5 세, 동양인의 경우는 약 4 세 정도라고 합니다. 미국인인 미스 체스터가 4 살 때 아버지 에이브럼에게 들은 그 방아타령을 기억할 수 있다는 게 왜 개연성이 없다는 말입니까? 더구나 그 방아타령은 날마다 방앗간에서 일하던 에이브럼이 하루를 마감하는 의식과도 같았습니다. "아내가 머리를 빗기고"(brush her hair) "예쁜 앞치마를 입혀"(put on a clean apron) 자기를 데리러 보낸 외동딸이 방앗간 문간에 나타나면, "온몸에 새하얀 밀가루를 뒤집어쓴"(all white with the flour dust) 그가 딸을 향해 "손을 흔들며 늘 읊조렸던 노래"(wave his hand and sing an old miller's song)였으니까요. 바로 그때 어글레이어(미스 체스터의 어릴 적 이름)가 웃으면서 달려와, "아빠, 덤스를 어서 집으로 데려다줘요."(Da-da, come take Dums home.)라고 소리쳤던 것이지요. 날마다 사랑하는 아버지를 만나러 방앗간으로 올 때마다 아버지가 즐겁게 부르던 그 노래를 미스 체스터가 잊어버렸다는 게 도리어 개연성 없는 일이 아닐까요?

결국 이런 평가는 소설이라면 마땅히 갖추어야 한다고 그 평론가들이 주관적으로 인정하는 개연성 수준이라는 잣대로 그의 작품을 재단한 것이라고 봅니다. 작품을 꼼꼼하게 충실히 읽는 기본 작업은 등한히 한 채, 그저 주관적이기만 한 자신의 잣대로 작가들의 작품을 판단하는 평론가들을 주의해야 한다는 말이 여기서도 적용되지요. 더구나 그들이 오 헨리 작품의 개연성에 대해 언급하면서, 우리 인생에서 인과관계가 분명한 것들보다 그 관계가 불분명한 것들이 얼마나 더 많은지 알고 있었을지도 궁금해집니다. 인과관계 판정에 대해 그렇게 자신감이 넘친다면, 그들이 앞으로, 잘 들어맞지도 않는 미래를 들먹거리는 미래학자들을 대신해서 미래에 대해 예언할 수도 있겠습니다. 짧은 지면의 한계 속에서 살아 숨 쉬는 상상력으로 독자들의 심령을 위무하는 것을 보람으로 삼는 단편 작가에게, 과연 얼마만큼의 개연성을 요구해야 만족스럽다는 말일까요? 정도의 차이에 그치는 단편 소설의 개연성 수준을 두고, 개연성 결여를 운운하는 것은 오 헨리나 그의 작품 내용이나 형식에 불만을 품고 그의 인기와 명성에 흠집 내기 위한 시도가 아닐까 합니다.

이 세상에 일어나는 모든 일의 원인과 결과를 족집게처럼 집어낼 수 있는 사람은 이 세상에 아무도 없습니다. 실험실과 같은 극히 제한적인 상황 속에서만, 그것도 실험집단(experimental group)과 통제집단(control group)을 운용하는 여건하에서만 특정 원인과 특정 결과와의 연관성을 추측할 수 있을 뿐입니다. 이런 입장이 바로 근대 과학의 시발점이자 과학이 지켜야 할 자리입니다. 그런데 과학자라면서 혹은 과학에 근거해서 사고한다면서 이 자리에서 벗어나는 이들이 이 세상엔 적지 않습니다. 사이비 과학자들이고 미숙하고 경솔한 과학주의자들에 불과하지요. 과학의 장점과 함께 그 한계를 인정하면서, 겸허하게 자신이 무지한 인문학적 영역과 초자연적 세계의 가능성에 대해 열린 마음을 유지하는 진정한 과학자 혹은 과학인들이 그립습니다. 문학의 세계가 마치 과학의 세계인 것처럼 착각하면서도 그 과학의 기본 원리조차 준수하지 않은 채 아무말 대잔치를 벌이는 문학인들의 행태가 가관이기 때문입니다. 그런데 문학의 개연성과 예술성은 과학으로 재단할 수 있는 영역일

수가 없습니다. 작가의 상상력과 영감의 세계이고, 그 상상력과 영감의 근원은 초자연적인 영역입니다. 속지 맙시다.

-오 헨리와 습관의 힘-

오 헨리는 문학 사조로 보자면 자연주의나 사실주의 전통 위에 서있습니다. 그렇지만 당대에 에밀 졸라의 자연주의 영향을 받은 작가들과는 달리 훈훈한 인간미와 낭만주의적인 요소를 많이 담고 있습니다. 그렇다고 해서 인생을 장밋빛으로 묘사한 것은 아닙니다. 오히려 인생 속에는 각자가 제어하기 힘든 요소가 있다는 점을 다각도로 묘사하면서 작중 인물들이 직면한 이런 비극적 상황을 '쥐덫'이라고 표현할 정도였습니다. 이 표현은 인간의 행동이 생물학적인 요인 및 사회, 경제적 요인들에 지대한 영향을 받는다는 의미가아니라, 각자가 자기의 운명을 품고 있는 상태에서 자신의 습관이나 인습의 힘에 좌우되는 경우가 다분하다는 점을 가리킨다고 합니다(김욱동 교수). 이미 앞에서 살펴본 대로 오 헨리의 작품은 생물학적 결정론이나 사회 경제적 결정론에 반하는 인물들로 가득 차있습니다. 외적인 환경보다 습관이나 인생관이나 세계관과 같은 내적인 자질이 인생에 미치는 영향력이 더 강력하다는 것을 웅변적으로 계시해 주고 있다고 하겠습니다. 두 작품만 예로 들어 보겠습니다.

"손질 잘한 램프"에는 결혼에 성공하는 연인 한 쌍과 견실한 결혼의 기회를 차버린 한 아가씨가 각각 다른 습관과 사고방식을 소유하고 있음이 드러나 있습니다. 백화점 상점 직원인 낸시가 결혼하게 된 댄이라는 청년은 원래 세탁소에서 다리미질하는 친구 "루의 애인"(Lou's steady company)이었습니다. 주급 30 달러를 받는 "전기 기사"(an electrician)로서, "도시에서 흔한 경박함이 없이"(escaped the city's brand of frivolity) "기성복"(ready-made suit)에 "기성 넥타이"(a ready-made necktie)를 매는 성실한 청년입니다. 일정한 길을 걸어가고 절대로 옆 골목으로 빠지는 일이 없는 젊은이이지요. 그런 댄의 "단정하지만, 멋없는 복장"(neat but inelegant apparel)을 짜증스러운 듯이 곁눈질하는 이가 바로 애인 루입니다. 루는 주급 18달러 50센트를 받으며 편안하고 여유 있게 삽니다[6불은 방세와 식비, 나머지는 주로 치장에 씀]. 화려하고 멋있는 것을 사고 고급 옷을 구입하는 것을 즐기지요. 당장 결혼하자는 댄의 말을 귓등으로 듣고 자유롭게 즐기며 사는 편을 고집합니다.

그녀와는 대조적으로 낸시는 주급 8달러와 조그만 침실로 만족하면서 그 대신 많은 것을 배울 수 있는 백화점 점원 역할을 고집합니다. 그곳에서 훌륭한 물건을 접하면서 근사한 사람들과 어울리며 배우는 편을 택한 것이지요. 급료가 적으니 16달러짜리 드레스를 입고 다니는 루와는 달리, 1달러 50센트를 들여 직접 만든 옷을 입기도 합니다. 낸시의 주관은 확고합니다. "에서처럼 자기를 팔거나 타고난 권리를 내놓지 않겠다는 것입니다."[She is no traitor to herself, as Esau was; for she keeps her birthright (...)] "그것 대신 얻어먹는 죽이 언제나 시원찮았다는 것"(the pottage she earns is often very scant)을 알았기 때문입니다. "어느 날엔가 바라는 남편 사냥감을 쏘아 맞히게 되겠지만, 다만 그 사냥감은 최고, 최상으로 여겨지는 것이어야 하며, 그 이하는 절대로 갖지 않겠다고 맹세하고 있었습니다."(Some day she would bring down the game that she wanted; but she promised herself it would be what seemed to her the biggest and the best, and nothing smaller.) 그러면서 "힘차게 조촐한 음식을 먹고, 견실하고 흡족한 기분으로 싸구려 드레스의 디자인에 머리를 짜내면서도"(ate her frugal meals and schemed over her cheap dresses with a determined and contented mind), 그녀는 "언제나 신랑이 나타날 때를 대비하여 맞이할 준비를 게을리하지 않았습니다."(kept her lamp trimmed and burning to receive the bridegroom when he should come.) "내가 바라는 건 진짜야, 아니면 하나도 필요 없어."(Give me the real thing or nothing, if you please.) 그녀의 다부진 고백입니다.

그런데 어느 날 루는 댄을 버리고 어떤 남자와 떠나버리고 말았습니다. 그 이후에 낙담한 댄과 만나 교제하던 중, 낸시는 댄이야말로 "이 세상에서 가장 근사한 사냥감"(the biggest catch in the world)이라고 확신하며 그와 결혼하기로 합니다. 떠난 지 석 달 만에 돌아온 루는 낸시와 만나 그녀와 댄이 결혼하기로 했다는 말을 듣게 되지요. "비싼 털가죽 외투를 입고 다이아몬드 반지를 낀 루"(a woman with an expensive fur coat, and diamond-ringed hands)가 "심하게 흐느끼고"(sobbing turbulently), 그 옆에서 "여위고 검소한 옷차림을 한 낸시"(a slender, plainly-dressed working girl)가 루를 달래는 것으로 이 작품은 끝을 맺습니다.

화려하고 사치스러운 것을 좋아하고 배움의 기회보다는 돈을 더 선호하는 습관으로 길든 루는, 이미 자기 품으로 들어온 견실한 청년 댄의 가치를 인식하지 못한 채 허영에 들떠 있다가 그 정체를 알지도 못하는 남자와 돌연 잠적해 버렸던 것입니다. 이와는 대조적으로 검소한 생활과 확고한 삶의 가치와 원리를 실행할 뿐 아니라 늘 배우기에 힘쓰는 습관으로 자기를 가꾸어 온 낸시는, 자기 기준에 미달하는, 부유하지만, 미숙한 청혼자들을 물리칩니다. 그 대신 부유하지는 않지만, 충실한 자세로 인생을 영위해 가는 청년 댄의 진정성을 알아보고 선택합니다. 루와 낸시는 각자가 선택한 대로, 허영에 들뜬 사치스럽고 향락적인 습관과 확고한 가치관에 근거한 검소하고 견실한 습관이 맺은 열매를 곧바로 목도하게 되었습니다. 즉 각자의 습관이 결국엔 각자의 운명으로 변한 것이지요.

다른 한 작품인 "구두쇠 연인"에서는 메이지라는 여주인공이 자신의 좁은 세계관과 편견으로 굴러들어 온 복을 차 버리는 이야기가 소개됩니다. 그녀는 유명 백화점 신사용 장갑 매장에서 일하는, '예쁘고'(beautiful) 머리도 '금발'(deep-tinted blonde)인 데다 '빈틈없고'(shrewdness) '약삭빠른'(cunning) 아가씨였습니다. 마침, 그 매장을 들른 백만장자이면서 화가이기도 하고 여행가인 어빙의 마음에 쏙 들어 그의 데이트 제안을 받게 되지요. 가능한 한 빨리 만나고 싶다면서 그가 그녀의 집이라도 방문하겠다는 의사를 밝히자,

자기 집은 다섯 식구가 살고 있다면서 난감해하고는 자기 집 근처 길모퉁이에서 만나자고 응대합니다. 그렇지만 데이트가 진행되고 만남이 이어지면서 급기야 어빙이 메이지에게 청혼을 하면서, 결혼 후에 "일이나 사업 따윈 모두 잊어버린 채 인생을 긴 휴가처럼 살기로 하자"(forget work and business, and life will be one long holiday)고 제안합니다. 그러면서 자기가 여행한 곳들을 죽 읊으면서 세계 곳곳을 다니며 "외국의 진기한 풍경"(all the queer sights of foreign countries)을 모두 보자고 메이지에게 설명을 덧붙이지요. 그런데 이런 제안을 쌀쌀맞게 받으면서 집으로 돌아가겠다던 메이지가, 이튿날 "그 근사한 친구"(your swell friend)와 어떻게 되어 가냐고 묻는 백화점 친구 직원에게 한 말이 아래와 같습니다.

"아, 그 사람? (...) 이제 나하고는 끝장났어. 룰루, 그런데 말이야, 너 그 사람이 나더러 뭘 하자고 그랬는지 아니? (...) 나하고 결혼해서 말이야, 이 근처 코니아일랜드 유원지로 신혼여행을 가자는 거지 뭐야!" [Oh, him? (...) He ain't in it any more. Say, Lu, what do you think that fellow wanted me to do? (...) He wanted me to marry him and go down to Coney Island for a wedding tour!]

청혼하면서 멋진 결혼 생활 계획을 펼쳐 보인 백만장자 애인의 말을, 결혼한 후에 코니아일랜드(미국 뉴욕시 브루클린 구 남쪽에 있는 유원지)로 신혼여행 가자는 구두쇠의 말로 이해한 메이지의 문제가 무엇일까요? 그녀가 갖추고 있다고 자부하는, "인간에 대한 폭넓은 지식"(this wide knowledge of the human species)과 빈틈없고 약삭빠른 본성 때문이었습니다. 그 지식이란 이 세상에는 백화점에서 자기 장갑을 직접 사는 신사들과, 불행한 신사들을 위해 대신 장갑을 사주는 여인들이라는 두 부류의 인간만 존재한다는 세계관이었고, 자기는 장갑 사는 남자들에 대해 잘 알고 있다고 자부했지요. 그 결과 그녀는 백만장자의 호의를 구두쇠의 술책으로 간파하고는, 넝쿨 채 굴러들어 온 복을 힘껏 차 버린 것입니다.

미국에서 실용주의 철학을 주도하면서 심리학 이론을 펼친 윌리엄 제임스(William James)는 오 헨리의 작품을 좋아했는데, 자기의 저서인 "심리학 원리"(The Principles of Psychology)의 한 장인 습관에 관해 쓸 때 오 헨리 작품의 영향을 받은 것으로 알려져 있습니다(김욱동 교수). 그 저서의 요약본 중에 등장하는 한 난외주가 바로 그 유명한 아래의 문장입니다. "Sow an action, and you reap a habit; sow a habit and you reap a character; sow a character and reap a destiny."(행동을 심어라, 그러면 습관을 거둘 것이다. 습관을 심어라, 그러면 인격을 거둘 것이다. 인격을 심어라, 그러면 운명을 거둘 것이다.) 자아와 인격에 대해 윌리엄 제임스가 품고 있던 심리학의 요체이자 그의 인생관을 밝혀주는 문장입니다. 이 문장은 또한 그가 어릴 때 겪은 우울함(melancholy)과 "따분한 자기중심주의"(tedious egotism) 상태에서 벗어나 "자기 실재를 명확히 드러냄"(asserting of his own reality)으로써 인류 역사에 "흔적을 남기게 된"(leaving a trace) 제임스 자신의 개인적인 발전 과정을 요약한 것이기도 합니다.

지난 세월을 돌이켜 보면, 습관이 인격이 되고 그 인격이 자신의 운명이 된다는 원리에 동감하지 않을 수 없습니다. 어떤 습관은 저를 구원해 주었지만, 어떤 습관은 저를 퇴보시켰습니다. 어떤 습관은 제가 주인이었지만, 어떤 습관은 제가 그 노예였습니다. 얼마 전 동네 근처에 있는 산에서 산보하던 중에, 운동기구가 있는 장소에서 평행봉을 하는 데 여념이 없는 노인(?) 한 분을 접하게 되었습니다. 지나가던 한 부부가 그분을 쳐다보자, 옆에 있던 그 노인의 친구분이 한마디 거들었습니다. "저 형님은요, 나(72 세)보다 나이가 8살이나 많은데요. 나보다 나이도 훨씬 젊어 보이고요. 병원에도 한 번 안 가고요. 뱃살 하나 없고 근육이 모두 딴딴해요. 젊은 사람들보다 평행봉이나 팔굽혀펴기도 더 잘합니더. 저 하는 거 한 번 보이소!" 그 말을 듣고 멋쩍었는지 그 노인은 힘차게 발을 뻗어대던 평행봉에서 내려와, 자기를 쳐다보던 부부에게 한 마디 더 건넸습니다. "지금도 날마다 새벽에 저 산꼭대기까지 올라갔다 오지요. 여기서 평행봉하고 팔 굽혀 펴기도 하고. 병원에는 안 갑니다." 그분을 부럽게 바라본 게 저나 그 부부뿐이겠습니까? 지금이라도 제임스가 선언한 원리를 삶 속에 적용해 감으로써 제 여생이 이전보다 더 보람 있고 가치 있게 전개되길 바라는 마음 간절합니다.

-연극과 극작가-

오 헨리의 작품을 읽다 보면, 꼭 괄목할 성공을 거두지 못해도 사랑과 진실이 우리 인생을 관통하고 있다면 인생은 살만하다는 직관이 생깁니다. 버먼 영감이 예순이 넘도록 걸작 한 편 그리지는 못했어도 마치 실제와 같은 "마지막 잎새"(The Last Leaf) 한 장을 그림으로써 존시의 생명을 구하고 자기 생애를 마감했다면, 그 잎새가 바로 그의 인생 대작이고 그의 인생은 더없이 영광스러웠던 게 아닐까요? 그리고 서로 사랑하고 각자가 가치 있는 일을 도모하는 진정성 있는 삶을 추구하기만 한다면 조금 불편하고 궁색한 것쯤이야 얼마든지 감내해 갈 수 있지 않을까 합니다. 각자에게 가장 소중한 것을 팔아 서로에게 가장 필요한 선물을 마련해준 "현자의 선물"의 짐과 델러는, 바로 희생적인 선물을 나눈 그날이 있었기에 평생을 용기와 소망을 품고 살아갔을 것입니다. 어차피 우리 인생의 시기마다 결말은 열려 있고 그 결말도 외적 조건보다 내적 조건에 더 영향받고 있다면, 더욱 치열하게 실천적인 사랑과 진정성 있는 삶을 추구해 갈 일입니다. 게다가 인생의 시기마다 어떤 결말이 전개되더라도 우리에게는 궁극적인 해피엔딩이 기다리고 있다는 것보다 더 위로되는 건 없을 것입니다. 모든 작가와 예술가들에게 당신의 영감을 허락해 주시는 하나님께 감사합니다.

인생이 연극이라면 극작가는 하나님이십니다. 그렇게 길지 않은 48년 동안 파란만장한 삶을 영위한 오 헨리가 구상한 인생도 이렇게 인간애와 희생과 감동이 넘치는 연극의 장인데, 영겁의 세계를 아우르시고 은혜와 진리가 충만하신 하나님께서 연출하시는 우리 인생은 얼마나 사랑과 기쁨과 감격이 넘치는 연극의 장으로 진행될까요?

2. 품위 있는 인생의 향연, 윌리엄 사로얀의 "인간 희극"(1943)

-인간과 공동체-

인간을 정의하는 데에는 반드시 공동체가 포함됩니다. 두 경우를 살펴보겠습니다. 고대 그리스의 아리스토텔레스는 인간을 "사회적 동물"(a social animal)로 규정했습니다. 영국 신학자 존 스토트는 성경적인 인간관을 소개하면서 인간은 "공동체 속에서 영육을 가진 존재"(a body-soul in a community)라고 주장했습니다. 먼저 아리스토텔레스의 언급은 그의 "정치학"(Politics)에 등장합니다. 그 문맥은 이러합니다.

"인간은 본성적으로 사회적 동물이다. 자연적이고도 본질적으로 비사회적인 개인은 우리가 주목할 필요가 없거나 인간 이상의 존재이다. 사회는 개인을 앞서는 어떤 것이다. 일반적인 삶을 영위할 수 없거나 그렇게 할 필요가 없을 만큼 자족할 수 있어 사회의 일원이 되지 않는 존재는 동물 아니면 신이다."(Man is by nature a social animal; an individual who is unsocial naturally and not accidentally is either beneath our notice or more than human. Society is something that precedes the individual. Anyone who either cannot lead the common life or is so self-sufficient as not to need to, and therefore does not partake of society, is either a beast or a god.)

이 인용문에서 '사회적 동물'에 해당하는 그리스 원어가 '*zoon politikon*'이기 때문에 '정치적 동물' 혹은 '폴리스를 구성하며 살아가는 동물'이라고 번역하는 게 더 정확하다고 하지요. 그래서 김홍중 교수는 이 표현이 가리키는 바가 인간들이 단순히 함께 모여 군집 생활하면서 상호 부조하는 사회적 측면을 가리키는 것이 아니라, 공동의 과제나 비전을 함께 나누면서 논의하고 토론하는 정치적 측면이라고 지적합니다. 그리스인들이 전자의 삶을 '조이'(*zoē*)

로, 후자의 삶을 '비오스'(*bios*)라고 부르며 이 둘 사이를 구분한 이유가 여기에 있다는 것이지요. 더 흥미로운 점은 아리스토텔레스의 정치학이 그의 윤리학의 연장이라는 것입니다. 김용석 교수가 지적한 대로 "니코마코스 윤리학"의 결론에서 그가 "이제 입법과 국가 체제에 관한 연구를 함으로써 우리의 힘이 미치는 데까지 인간성에 대한 철학을 완성하자"라고 지적했기 때문입니다. 즉 인간을 이해하려면 윤리학을 고찰하는 것은 물론이고, 그것과 연관하여 정치학을 연구하는 것이 필수적입니다. 그리하여 그의 윤리학의 핵심 개념이 '행복'(eudaimonia)이었기 때문에 정치학을 통해 "어떤 삶이 좋은 삶, 행복한 삶인가?"라는 질문이 제기되면서, 그러한 삶을 형성해 줄 수 있는 "'좋은 국가' 혹은 '좋은 공동체'란 무엇인가"라는 물음으로 곧장 이어집니다.

스토트의 정의는 그의 책인 "Issues Facing Christians Today"에 소개됩니다. 인간이란 그 영원한 구원이 필요한 영혼을 가진 존재만도, 그 의식주와 건강을 돌보아주어야 할 신체를 가진 존재만도, 그 공동체 문제에 몰두해야 할 사회적인 존재만도 아니라면서, 그 세 가지 층위를 모두 품은 존재라는 것을 주장하는 문맥에서 나온 정의입니다. 성경적인 시각으로 볼 때 하나님께서 태초에 인간을 그런 삼중적인 층위를 가진 존재로 만들었다는 것입니다. 그래서 우리가 참으로 우리 이웃을 자기 몸처럼 사랑하고 그들의 무한한 가치 때문에 섬기려 한다면, 그들의 "총체적인 복지"(total welfare), 즉 그들의 영혼과 신체와 공동체의 복지 전체에 주의를 기울여야 한다는 것이지요. 즉 복음 전도(evangelism), 구제 활동(relief) 및 개발 사업(development)과 같이 서로 다른 층위에 있는 영역들에 대한 특별한 프로그램들이 마련되어야 한다고 역설했습니다. 스토트의 이런 발언과 주장은 지난 세월 동안 세계의 기독교계에 큰 영향력을 미쳐, 영적인 복지에만 전력투구하던 교회들과 기독교인들이 이웃들의 육체적 필요와 사회적인 필요들을 채워주는 일에 주의를 기울임으로써 기독교 사역의 균형을 이루는 데 크게 기여했습니다.

이상에서 그리스 철학과 기독교 사상 모두 인간성의 요건으로 공동체성에 방점을 찍고 있음을 확인했습니다. 한편으로 행복한 인생은 좋은 공동체 속에서 꽃 피웁니다. 다른 한편으로 좋은 공동체는 행복한 인생을 추구하는 이들로 형성됩니다. 아리스토텔레스가 행복이란 최고선을 이룰 방도로 제시하는 것이 '아레테'(*arete*)라는 탁월성, 그 탁월성 중에도 '성격적 탁월성'이라는 점을 고려해 보면, 각 개인이 이런 탁월성을 추구하며 살 때 그들이 속한 공동체가 좋은 공동체로 형성될 것이기 때문입니다. 행복한 삶과 좋은 공동체라는 두 가지 화두를 감동적으로 그리고 있는 소설 한 가지를 독해해 보려 합니다. 윌리엄 사로얀의 "인간 희극"(The Human Comedy)입니다. 미국 캘리포니아주에 있는 가상 도시 한 곳에서 살고 있는 다양한 인물들과 그들의 다양한 삶의 여정들과 사건, 사고들을 중심으로 엮은 소설입니다. 특정한 주인공을 중심으로 뚜렷한 기승전결이 전개되지 않는 대신, 그 도시 곳곳에 사는 사람들의 이모저모와 그들이 서로 어우러져 사는 일상적인 모습이 모자이크처럼 연결된 독특한 작품입니다. 일반적인 관례와는 달리 이 작품은 먼저 영화를 위한 각본으로 집필되었지만, 그 내용이 너무 길어 난색을 보이는 제작사의 반응을 접한 후에 사로얀이 소설로 발전시킨 경우이기도 합니다.

이 작품을 읽는 내내 제 마음을 사로잡은 단어 하나가 있었습니다. '품위'(decency 혹은 nobleness)라는 단어였습니다. 그 마을 공동체 곳곳에 사는 사람들이 서로를 배려하며 말하고 행동하는 가운데 은연중에 드러나는 품위였습니다. 어른은 어린이들을 존중해 주고 아이들은 어른들을 존경할 뿐 아니라 그 마을 사람들은 낯선 사람들에게도 기꺼이 마음을 열고 도움의 손길을 내밀고 그들을 위로해 줍니다. 물론 악한 의도를 가지고 말하고 행동하는 이들이 전혀 없는 것은 아닙니다. 그들의 존재가 너무 작아 보일 만큼 마을 공동체 속에는 서로 간의 신뢰와 사랑이 넘치고 거짓은 진실의 광휘에 가려지고 맙니다. 도시 밖에서 진행되는 세계 대전이 그 마을을 비껴간 것도 아닙니다. 매일 전사자를 알리는 전보가 속속 도착

합니다. 그렇게 숱한 죽음이 날마다 가까이 다가오는 와중에도 그들은 인생의 아름다움과 삶의 진실을 포착하고 그것들을 누리며 하루하루 살아갑니다.

작고한 이병주 작가가 이 작품을 읽고 나서 이런 평을 남긴 것도 무리가 아닙니다. "착한 악인, 악한 선인, 착한 선인들이 갖가지로 등장하여 인간으로서의 희극 또는 희극으로서의 인간을 엮어나가는 때론 경묘한 듯도 하고 때론 주먹으로 가슴을 맞은 충격 같기도 한 기분"을 느꼈다는 것입니다. 선인 가운데 악한 선인이 있고 착한 선인이 존재한다는 말이 무슨 의미일까요? 그리고 악인 가운데도 착한 악인이 있다는 말은 어떤 의미일까요? 이 소설 독해를 통해 고찰해 보시기 바랍니다. 모쪼록 인간의 공동체성에 주목하면서 이상적인 공동체를 아름답게 그리고 있는 이 소설을 통해, 품위 있는 인생의 향연을 맛보시길 기원합니다. 이번 글에서는 작품 속에서 품위를 지키며 사는 사람들과 품위를 잃은 사람들의 면모를 일별한 후에 품위 있는 삶을 영위하는 열쇠를 차례로 살펴보겠습니다.

-"인간 희극" 줄거리(호머 이야기)-

호머 매콜리는 이차세계대전 중 미국 캘리포니아의 산호아퀸 밸리에 있는 도시 이타카에서 아버지(매튜) 없이 자라 가고 있는 14세 소년이다. 나이는 아직 어리지만 그의 형 마커스가 집을 떠나 전쟁에 참여하고 있기 때문에 집안의 가장이 될 필요를 강하게 느끼고 있다. 그래서 주급 25달러나 되는 돈을 벌기 위해 저녁 시간을 활용하여 전보를 전해 주는 일감을 맡게 된다. 지역 전신국에서 근무하는 스팽글러 사무국장과 전신 기사인 그로건 씨의 사랑과 신뢰를 힘입어 날마다 보람 있게 근무한다. 곤혹스러운 점은 행복한 어떤 가정에 그 집 아들이 전쟁 중 사망했다는 소식을 전해주어야 한다는 것("taking the message of death into the happy home")이다. 그런 상황이 생길 때마다 슬퍼하고 고뇌하지만, 그는 자기의 일상적 삶을 계속 영위해 나간다. 학교에 가서 헬렌을 두고 짝사랑도 하고 2백 미터 장애물 달리기 경기에서 휴버트와 경쟁하기도 하고,

친구들과 사귀고, 교회에 가며, 영화 보러 가기도 하는 것이다. 이에 덧붙여 그는 사랑하는 자기 가족들의 격려와 그 공동체 구성원들의 사랑과 기대를 누리며 자란다. 하프를 연주하는 엄마(캐이티)와 아주 젊은 형(마커스)과 피아노 치는 누나(베스)와 호기심 많은 남동생(율리시스)이 바로 그의 가족들이다. 자기 가정의 기품 있는 전통에 흠뻑 물든 그는 거의 본능적인 분별력으로 선악을 파악하여 정직하고 희망찬 삶을 영위해 간다. 그런데 어느 날 호머는 형의 전사 소식을 전보로 접하게 되어 충격을 받는다. 그렇지만 형이 전장에서 만난 친구 고아 출신 토비가 이타카에 도착하여 자기 집 앞에 와 있는 것을 보고 가족들을 불러 그를 집안으로 초대해 들어간다.

-품위 있는 인간-
(1) 호머 매콜리

품위 있는 인간 소개는 먼저 호머 매콜리부터 시작하겠습니다. 그는 이 작품에서 자주 등장하는 인물 중 하나입니다. 매콜리 가정의 둘째 아들로 14 세이며 야간 전보 배달원으로 일하면서 가계를 돕고 있지요. 모든 사람들이 "이타카 고등학교에서 가장 똑똑한 학생"(the smartest guy at Ithaca High)으로 꼽는 소년입니다. 작가 사로얀이 그가 꿈속에서 장애물 달리기에 임하는 모습을 묘사하면서, "캘리포니아주 이타카에서 가장 훌륭한 인간인 호머 매콜리"(Homer Macauley, perhaps the greatest man in Ithaca, California)로 부르는 소년입니다.

학교 교실에서는 여느 아이들처럼 장난도 치고, 수업 중에 방해도 하지만, 집에서는 엄연한 가장 노릇을 하면서 정직하고 성실하게 하루하루 살아갑니다. 집안의 경제적 사정을 돕기 위해 대학 다니는 누나가 직장을 알아보려고 하자, 집에서 필요한 돈은 자기가 벌어 올 테니 걱정하지 말라고 합니다. "제발 일을 찾겠단 생각은 그만둬!"(Never mind finding a job)라고 만류하면서, "이 동네에서 해야 할 일은 어느 것이나 남자들이나 하는 일이야. 아가씨들은 집에서 남자들을 돌보아주면 된다고. 피아노 연주하고 노래 부르다가 남자가 귀가하면 그가 보기에 예쁘게 보이면 돼. 그게 아가씨가 할 일이야."(Any work that has to be done around here, men can do. Girls belong in homes, taking care of men, that's all-just play the piano and sing and look pretty for a fellow to see when he comes home. That's all you need to do.)라고 제지합니다. 세계에서 전쟁이 일어났다고 해서 모든 사람이 정신 나갈 이유는 없다고 하면서 그냥 집에서 엄마를 도우라고 덧붙입니다. 남성 우월주의에 사로잡힌 말을 하고 있지만, 당시의 사회상을 암시해 주는 주장일 것입니다. 어린 그가 최근에 전보를 배달하면서 호텔에서 베스 또래의 아가씨들이 남자들과 함께 시시덕거리는 것을 접한 적이 있었기 때문에, 사실상 누나를 걱정하는 마음에서 내뱉은 말일 소지도 큽니다.

14살인 그가 4살짜리인 동생 율리시스를 높이 평가해서 칭찬하는 것은 단연 돋보입니다. 대개 막내는 집에서 무시당하기 쉬운 존재인데, 호머는 율리시스가 다른 모든 사람들을 좋아하고 그들에 대해 무한한 호기심과 관심을 두고 있는 어린아이다운 측면을 높이 삽니다. 그래서 그의 아이다움을 간직하며 성장하고 싶다고 이야기합니다. 동생을 주의 깊게 관찰하고 그의 어린 면모를 사랑 어린 안목으로 존중해 주지 않으면 도저히 나올 수 없는 말이지요. 이런 호머가 다른 사람의 아픔에 연민과 동정심을 느끼는 것은 당연할 것입니다. 샌도벌 부인 집에 그 아들이 전사했다는 전보를 전달하러 갔을 때 그는 그 부인의 슬픔과 아픔을 목격하고 깊은 연민을 느낍니다. 특히 그녀가 자기를 앞에 앉힌 후에 자기를 물끄러미 쳐다볼 때 "그는 사랑이나 미움도 아니고 메스꺼움에 가까운 감정을 느끼면서 그 가련한 부인뿐 아니라 모든 것들과 그것들이 견디고 죽어가는 터무니없는 방식에 대해 깊은 연민을 느낍니다."(He felt neither love nor hate but something very close to disgust, but at the same time he felt great compassion, not for the poor woman alone, but for all things and their ridiculous way of their enduring and dying.) 그의 감정을 전해 들은 엄마가 언급한 대로 그는 연민을 느낄 줄 아는 진정한 인간이었던 것입니다.

호머가 꿈꾸는 미래에 대한 아이디어는 "다른 세상, 더 나은 세상, 더 나은 사람들, 일하는 더 나은 방식"(a different world, a better world, a better people, a better way of doing things)입니다. 자기나 자기 가족은 "행복하고"(happy) "강인하지만"(tough), 강인하지 않아서 외로워하고 아파하는 다른 사람들을 호머는 아낍니다. 그에게는 이 세상이 그런 사람들로 가득 차 있다고 느낍니다. 야간 전보를 돌리며 여러 곳의 집들을 둘러보며 깨닫게 된 사실이었기 때문입니다. 그래서 이제는 헬렌이 자기를 좋아해 주지 않는 것쯤은 상관없다고 하면서, 세련된 태도를 가진 헬렌이 훌륭한 태도를 지닌 휴버트를 좋아하게 되어도 자기는 괜찮다고 술회합니다. 그러면서 자기가 수업 시간에 쓸데없는 우스갯말을 하는 이유를 설명합니다. 모두가 슬퍼하고 혼란스러워하고, 모든 상황이 너무 느리고 잘못 돌아가고 있으니 자기가 가끔 우스갯소리라도 해야 하지 않겠느냐는 것이지요. 그러면서 자기 지론을 소개합니다. "저는 우리가 살아 있다는 사실 자체에서 즐거움을 좀 찾아야 한다고 생각해요."(I guess we ought to have some fun out of being alive.)

자기는 별다른 매너를 가지고 있지 않다고 생각하지만, 자기는 그저 자기가 옳다고 생각하는 것과 자기가 해야 하는 일을 할 뿐이라고 지적합니다. ("I just do what I think is right and what I've got to do.") 그러면서 세련되거나 예의 바른 태도를 취하게 되는 것은 자기가 원한다고 해서 의도적으로 되는 것은 아니라고 역설합니다. 진정으로 임하지 않는다면 예의 바른 사람이 될 수 없다는 것이지요. ("I don't suppose I could be refined or polite on purpose even if I wanted to be. I couldn't be polite if I didn't mean it.") 결국 호머가 주장하는 것은 예의나 품위라는 성격적 탁월함에 대해 아리스토텔레스가 지적한 것과 궤를 같이합니다. 즉 진정성을 품고 반복해서 실행할 때 자기의 삶 속에 자리 잡게 된다는 것이지요. 이리하여 자기는 품위를 갖고 있지 않다는 호머의 고백은, 옳은 일이라면 해내고야 마는 그의 태도와 예의를 취할 때 진정성 있게 접근하려는 그의 매너로 인해 도리어 그의 겸허한 자세를 돋보여 줍니다.

(2) 마커스

마커스는 매콜리 가의 장남이자 호머의 형으로서 참전 중인 군인입니다. 그의 품위 있는 모습은 고아 출신 전우인 토비와의 대화에서 빛을 발합니다. 토비는 학교에서 다른 아이들이 엄마, 아빠에 대해 말하는 것을 듣고 나서야 아이에게는 부모가 존재한다는 걸 알았던 외톨이 중 외톨이였습니다. ["I didn't know kids had mothers and fathers until I went to school and heard the other kids talk about them."] 이름도 보육원에서 지어주었고 국적도 오리무중인 상태여서 자신의 정체성 때문에 괴로워하던 전우였습니다. 그런 토비에게 마커스는 자기 가족을 소개하면서 그를 고향 이타카로 초대합니다. 여동생 베스의 사진을 선사해 주며 나중에 이타카로 와서 베스와 결혼한 후에 함께 살자고 초대하기도 하지요. 서로 가정을 꾸린 후에 서로 왕래하며 음악을 즐기고 노래도 부르며 인생을 함께 보내자("we'll visit each other once in a while, have some music and songs—pass the time of life.")고 통 큰 제안을 합니다. 이 말을 듣고 감동한 토비는, 베스가 자기를 좋아하지 않거나 이미 결혼해 있더라도 나중에 이타카로 가서 그곳에서 살겠다고 고백합니다. 이타카가 이제 자기 고향으로 느껴져 생애 처음으로 자기가 어딘가에 속해 있다는 것을 절감했기 때문입니다. ("Ithaca seems to be my home now, too. For the first time in my life I feel that I belong somewhere.") 그리고 자기 가족이 이제 매콜리 가라는 것을 느낍니다. 왜냐하면 자기가 선택할 수 있다면 자기가 원하는 가족이 바로 그러했기 때문이지요. ("I feel that my family is the Macauley family, because that's the kind of family I'd want for myself if I could choose.")

고아인 전우에게 이런 통 큰 제안을 할 수 있는 품위가 어디서 비롯된 걸까요? 일반적으로 군대에서는 자기 여동생 사진을 보여주는 것도 삼갈 판인데, 근본도 모르는 천애의 고아 출신 전우에게 그 사진을 선사하면서 여동생과 결혼해서 고향에서 함께 살자고 제안하는 기품 말입니다. 이 질문에 대한 해답의 일단을 시사해 주는 마커스의 편지 한 통이 있습니다. 호머에게 마지막으로 보낸 편지입니다. 그 속에 보면 마커스의 가치관이 잘 드러나 있습니다. 자기는 전쟁의 가치를 믿은 적이 없기 때문에 그것이 필수적인 경우라도 어리석다고 보지만, 이타카라는 자기 고향과 가족을 품은 자기 나라를 위해 싸우는 것을 자랑스럽게 여긴다고 언급합니다. 그는 누구도 적으로 여기지 않고 친구로 인식한다는 점을 덧붙입니다. "그가 누구든, 어떤 피부색을 갖고 있든, 믿는 바가 아무리 잘못되었든"(Whoever he is, whatever color he is, however mistaken he may be in what he believes), "그는 자기와 다를 바 없기"(he is no different from myself) 때문이라는 것이지요. 이런 태도가 바로 토비와의 우정 속에 고스란히 드러나 있습니다. 출신 가정이나 피부색이나 심지어 신조의 차이까지도 개의치 않고 단지 서로 인간이라는 한 가지 조건 때문에 누구나 수용할 수 있다는 품위를 발휘하고 있는 것입니다. 그러면서 의미 있는 문장을 하나 남깁니다. "내가 싸우는 상대는 그가 아니라 그 안에 있는 어떤 것, 즉 내가 먼저 내 안에서 파괴하려고 애쓰는 것 바로 그거야."(My quarrel is not with him, but with that in him which I seek to destroy in myself first.)

마커스의 이 문장을 접하며 마음이 멍해졌습니다. 무릇 전쟁이나 투쟁은 상대를 먼저 악한 존재로 설정해 두고 그 대상을 제거하거나 약화시키는 것을 목표로 하기 마련인데, 마커스의 생각은 이런 입장과 판이하였습니다. 타인의 오점과 악한 면모를 바라보면서 먼저 자기 속에 있는 동일한 결점과 해악의 요소를 파악하여 처단하는 것이 자신이 참여하는 투쟁의 본질이라는 것입니다. 이런 투쟁은 세상 시류를 따라서는 이룩되지 않습니다. '적과 우리'(them and us)를 확연하고 구분 지은 후 적을 절대 악으로 우리를 절대 선으로 규정해 두고 진행되는 싸움이기 때문이지요. 마커스가 고백한 대로 "자기 마음의 명령 외엔 어떠한 명령에도 순종하지 않겠다."(I shall be obeying no command other than the command of my own heart.)라는 각오 없인 시작도 할 수 없는 처연한 투쟁입니다. 이런 소신을 지킨 그가 안타깝게도 전쟁 중에 산화해 버렸지만, 생애 마지막 순간까지 그는 이런 자신의 신념을 실천에 옮겼을 것입니다. 그리고 자기의 삶을 대신할 전우 토비를 자기 고향으로 파송합니다.

(3) 매콜리 부부: 매튜와 케이티

다음으로 살펴볼 품위 있는 사람은 호머와 마커스를 낳고 키운 매콜리 부부인 매튜와 케이티입니다. 이 작품의 축을 이루고 있는 가족을 이끄는 이 두 사람 중 매튜는 이 년 전에 먼저 세상을 떠난 상태입니다. 그의 품위 있는 면모는 직접 접할 수는 없지만 마커스의 회고를 통해 그 단면을 읽을 수 있습니다. 자기 전우인 고아 토비에게 마커스는 가족을 소개하면서 먼저 아버지를 언급합니다. 무척 훌륭하신 아버지는 사회적으로 성공을 했다거나 중요한 직책을 가지고 있지는 않았습니다. 변변한 직업도 없고 자기가 소유한 가게도 없이 생계를 위해 열심히 일해 식구들의 양식을 댔습니다. 주로 포도밭이나 통조림 공장, 양조장에서 일한 탓에 길에서도 다른 사람들 눈에 띄지도 않았습니다. 그에게 가장 소중한 존재는 그의 가족들뿐이었습니다. 그들을 위해서라면 무엇이라도 해주려고 했습니다. 그중 극적인 경우는 어머니가 하프를 꼭 갖기를 원하자, 몇 달간 번 돈으로 첫 달 할부금을 지불하고 하프를 사 왔고 그 할부금을 갚는 데 오 년이 걸렸다는 사실입니다. 그리고 유일한 딸인 베스를 위해서는 피아노를 사 주었습니다. 자신의 희생으로 사랑하는 아내와 딸이 악기를 즐기는 모습을 보며 그는 행복하게 살았을 것입니다. 그런 아버지가 얼마나 훌륭한 분이었는지는 나중에 마커스가 다른 아버지들을 만나보며 다시금 확인할 수 있었습니다.

일찍 남편을 잃은 케이티 부인은 슬픔을 감추고 네 남매를 키우는 데 열과 성을 다합니다. 포장 회사에 다니며 돈을 벌어 딸을 대학에서 공부하도록 배려합니다. 남편이 피땀 흘려 사준 하프와 딸이 연주하는 피아노로 그 가정에서 노랫소리가 끊어지지 않도록 합니다. 이 하프를 연주할 때마다 케이티는 자기보다 일곱 살 많은 훌륭한 남편 매튜에 대한 그리움을 달랬을 것입니다. 케이티는 마커스가 죽었다는 소식을 접한 날에도 베스와 옆집 메리와 더불어 노래를 부르지요. 이 작품의 마지막 장면이기도 합니다. '자기 집'으로 여기며 찾아온 마커스의 전우인 토비를 집 밖에서 만난 호머가 슬픔일랑 다 잊어버린 채 그를 집 안으로 인도하면서 목소리를 높여 외칩니다. "엄마! 베스! 메리! 곡 좀 연주해 봐. 그 군인 토비가 귀가했단 말이야! 그를 환영해야지!"(Bess! Mary! play some music. The soldier's come home! Welcome him!) 그러자 집 안에서는 음악이 시작됩니다. 그러자 토비는 거기 잠깐 서서 듣고 싶다고 합니다. 함께 음악을 듣는 중에 토비는 부드러운 고통을 느끼고 호머는 아직은 이해할 수 없는 행복을 느끼며 미소를 짓지요. 그때 율리시스가 집에서 나와 토비의 손을 잡습니다. 노래가 끝나자, 케이티 부인, 베스 및 함께 있던 옆집 메리가 나와 문을 열어 줍니다. 그리고 작품의 대단원은 그녀가 토비를 자기 아들로 맞아들이는 것으로 막을 내립니다.

"어머니는 서서 지금은 죽은 아들을 아는 군인이자 낯선 청년의 양옆에 서 있는 남은 두 아들을 바라보며 미소 지으며 이해했다. 그녀는 그 군인에게 미소 지었다. 그녀의 미소는 이제 그녀의 아들이 된 그(him who was now himself her son)를 위한 것이었다. 그가 마치 마커스인 것처럼 그녀는 미소 지었고, 그 군인과 그의 두 남동생은 문 쪽으로, 따뜻하고 빛나는 집 쪽으로 움직였다."

호머가 훌륭한 인격을 가진 아이로 성장한 데는 이 두 부모의 역할이 큽니다. 아버지 매튜는 기품 있고 성실한 삶의 본을 그에게 아낌없이 보여 주었습니다. 남편을 존경한 어머니 케이티는 아이들이 아빠를 닮아 품위 있는 사람으로 자라 가도록 배려해 줍니다. 우선 그들을 하나하나 존중하면서 그들이 훌륭한 사람으로 성장하도록 격려해 줍니다. 호머가 동생 율리시스를 칭찬하면서 그가 앞으로 아주 훌륭한 사람이 될 거라며 엄마의 동의를 구하자, 케이티는 이렇게 답변하지요. "어쨌든 세상의 눈으로 보면 그러지 않다고 생각하지만, 당연히 율리시스는 훌륭한 사람이 될 거다. 지금도 훌륭한 사람이니까."(No, I don't think so—not in the eyes of the world at any rate—but he is going to be great of course, because he's great now.) 즉 나중에 율리시스가 훌륭한 사람이 될 거라는 게 아니라 이미 그가 훌륭한 아이라는 인식을 품고 있는 것이지요. 그 아이의 모습 속에 남편 평소의 모습이 그대로 각인되어 있었으니까요. ("Ulysses is like your father as your father was all his life.") 남편을 존경하고 존중하지 않았다면 이런 인식이 형성될 리 만무합니다. 이런 대화 중에 케이티는 넘치는 행복감으로 가득 찹니다. 그 행복은 지금까지 발생한 적 있는 모든 일이 어떠했고 앞으로 발생할 수 있는 모든 일이 어떠할지라도 그것들과는 무관한("in spite of anything that had ever been, or anything that ever could be") 만족과 기쁨이었습니다. 그러면서 이렇게 고백합니다. "오, 나는 운이 아주 좋았어. 그래서 감사해. 내 아이들은 단지 어린이일 뿐 아니라 훌륭한 인간이기도 하니까."(Oh, I've had good luck, and I'm thankful. My children are human beings, besides being children.)

이에 덧붙여 케이티는 세상 사람들의 슬픔에 대해 함께 가슴 아파하는 호머의 고뇌를 접하며 자신이 깊이 성찰한 내용을 나누기도 합니다. 그를 울게 한 건 연민이었다고 전제하면서, 그 연민은 "고통당하는 이 사람이나 저 사람에 대한 연민이 아니라 모든 것들, 즉 모든 것들의 그 본질에 대한 연민"(Pity, not for this person or that person who is suffering, but for all things—for the very nature of things)이었음을 일깨워 줍니다. 연민을 느끼지 못하는 사람은 진정한 인간이라고 할 수 없다고 덧붙이면서, 만일 사람이 세상의 고통에 대해 울지 않는다면 그는 자기가 밟고 다니는 흙만도 못한 사람이라고 역설합니다. 왜냐하면 흙은 식물의 씨부터 시작해서 꽃에 이르기까지 식물의 전모를 배양해 주지만, 연민 없는 사람의 영혼은 불모의 상태여서 아무것도 맺지 못하거나 선한 것과 인명까지도 죽여 버리는 교만만 낳을 뿐이라는 것이지요. 세상사에는 항상 고통이 따를 텐데, 이 고통에 대한 태도가 선한 사람과 어리석은 사람 및 악한 사람을 구분 짓는다고 부연합니다. 선한 사람은 좌절하는 대신에 세상에서 고통을 경감하려고 애쓸 것이고, 어리석은 사람은 자기 안에 있는 고통 외에는 그 고통을 깨닫지도 못할 것이며, 악한 사람은 세상에 고통을 더 밀어 넣어 자기가 가는 곳이 어디든 그것을 퍼뜨릴 거라는 것이지요.

이러한 논의의 결론이 더욱 심오한 차원이어서 읽다가 깜짝 놀랐습니다. 그 결론은 이 세 부류의 사람들 모두 죄가 없다는 것입니다. 우리 중 아무도 이 세상에 태어나겠다고 요청한 바 없었고, 우리 각자는 무(無)에서 비롯된 게 아니라 많은 세상과 많은 사람으로부터 태어난 존재("did not come alone, from nothing, but from many worlds and from multitudes")이기 때문입니다. 일리가 있지 않나요? 돌이켜 보면 우리 각자가 무에서 창조된 것은 맞지만 이전 오랜 시대에 걸쳐 수많은 조상들의 삶이 얽히고설켜 형성된 생명체라는 점을 부인할 수가 없지요. 우리 각자는 홀로 존재하지만, 수많은 세계와 사람들의 흔적이 남아 있는 존재라는 것입니다. 선한 사람이라도 그 속엔 악한 요소가 존재하고 악한 사람이라도 그 속엔 선한 요소가 존재하는 법이지요. 그래서 자신의 자유로운 삶의 선택과 결정에 대해선 스스로 책임을 져야겠지만, 남의 선택과 결정에 대해선 관대한 자세로 그들의 처지를 읽고 이해하고 용서해 주는 게 필요할 것입니다. 다른 사람들과 그들의 허물을 대할 때 늘 기억해야 할 바람직한 시각입니다. 케이티는 여기서 한 발 더 나아가 "우리 중 누구도 어떤 다른 사람에게 분리되어 있지 않다."(None of us is separate from any other.)고 말하면서, "농부의 기도가 내 기도이고 암살자의 범죄가 내 범죄야."(The peasant's prayer is my prayer, the assassin's crime is my crime.)라고 천명합니다. 그러면서 어젯밤 호머가 운 것은 이러한 것들을 알기 시작했기 때문이라고 말을 맺지요.

매튜와 케이티의 삶과 사상을 고려해 보면, 그로건 씨가 호머의 늠름한 모습을 보고 한 말에 대한 단서를 찾을 수 있습니다. "너는 열네 살 먹은 위대한 인간이란다. 누가 너를 위대하게 만들었는지는 모르겠다만, 그건 엄연한 사실이니 너는 그것이 참이라는 걸 알고 그 앞에서 겸손하고 그것을 지켜야 해. 내 말이 무슨 뜻인지 알겠니?"(You are a great man, fourteen years old. Who has made you great, nobody knows, but as it is true, know that it is true, be humble before it, and protect it. Do you understand?) 호머가 위대하게 자란 배후에는 우선 바로 그러한 부모가 있었기 때문입니다.

(4) 스팽글러

다음으로 고찰해 볼 인물은 스팽글러입니다. 호머가 일하는 전신국의 사무국장이지요. 그는 우선 전신국의 전보 배달원의 연령 자격이 16 세이지만 14 세인 호머를 직원으로 받아들입니다. 나이에 비해 더 어른스럽고 책임감이 넘치는 호머의 면모도 높이 샀겠지만, 그가 주급 25 불을 벌어 자기 가정의 경제적인 면에 도움을 주어야 하는 사정을 더 깊이 이해한 것으로 보입니다. 호머의 아버지는 사망했고 어머니는 여름에 포장회사에서 일하고 형은 군 복무 중이며 누나는 주립 대학에 다니고 있는 사정인 것을 헤아린 것이지요. 저녁 먹지도 못하고 야간에 일하는 호머에게 자기 돈으로 파이를 사먹이는 아량도 베풉니다. 그가 돌아보는 사람은 호머만이 아닙니다. 아직 신문을 다 팔지 못해 집으로 돌아가지 못하고 있는 오거스트의 신문을 다 사주기도 합니다. 오거스트가 사람들이 잠시 후에 저녁 먹고 시내로 들어와 극장으로 몰려들 때 남은 신문을 팔아 그날 벌어야 할 돈 75 센트 중 25 센트를 벌 작정이라고 말하자, "아이고, 극장에 버글거리는 사람들 생각만 해도 지겹구나. 남은 신문을 나

한테 다 주고 이제 너는 집에 들어가라. 자, 여기 이십오 센트다." 라면서 돈을 건네고 그 신문을 죄다 사버린 것이지요.

다음으로 그는 전신국을 찾는 고객들의 깊은 사정을 이해하는 면에서 탁월성을 발휘합니다. 한 번은 스무 살쯤 된 청년이 자기 집으로 전보해달라고 찾아온 적이 있습니다. 전보 내용이 어머니에게 돈을 30불 보내 달라는 요청인 점을 확인하고, 스팽글러는 전보 값도 자기가 대신 내주고 그에게 동전 한 줌과 지폐 한 장과 삶은 계란 한 개를 선물로 주면서 격려해 줍니다. 자기 어머니에게 돈이 도착하면 그때 갚으라고 하면서, 그 계란은 일주 전에 술집에서 가져온 건데 자기에게 행운을 가져다주었다며 정답게 말을 건넵니다. 그런데 집으로 돈 보내달라는 전보를 보내던 그 청년이 나중에 다시 전신국으로 돌아온 적이 있습니다. 예상외로 권총 강도로 돌변한 상태였습니다. 스팽글러를 향해 사무실에 있는 모든 돈을 내놓으라고 권총으로 위협했던 것입니다. 그런 상황에서도 스팽글러는 당황하지 않고 그 모든 돈을 내주면서, 그것은 자기에게 위협해서 내어주는 것이 아니라 그에게 필요하기 때문에 주는 것이라고 하면서 권총을 자기에게 주고 이제 어머니가 기다리고 있는 집으로 돌아가 새로운 삶을 살라고 권면해 줍니다.

이 말을 들은 권총 강도 청년은 권총을 자기 주머니 속에 넣더니, 자기가 그런 행동을 취하게 된 사정을 설명해 줍니다. 이전에 스팽글러의 호의에 놀란 그는 이타카를 떠나기 전에 한 번 더 전신국을 찾아가, "자기가 알고 있는 사람 중에 오직 품위 있는 태도 그 자체를 위해 다른 사람에게 품위 있게 대한 유일한 그 한 사람이 참으로 품위 있는 사람인지"(if the only man in the world I have ever known who has been decent to another man just to be decent -just for itself-was truly so.) 마지막으로 확인해 보고 싶었다고 합니다. 자기가 지금까지 경험한 사람들은 죄다 두려움에 떨고 있거나 불친절했는데("Everybody in the world is afraid or unkind."), 참으로 인간적이면서도 품위 있는 사람을 접한 후에 그는 혼란에 빠졌던 것입니다. 이 세상에는 진실하지 않은 것투성이고 인간이란 존재는 희망을 품을 수 없을 만큼 썩어 빠져 다른 사람의 존중을 받을 만한 사람은 단 한 명도 없다는 게 자기가 품고 있던 가치관이었다는 것이지요. 그런데 자기에게 친절과 사랑을 베풀어 준 스팽글러를 만나 어찌할 바를 모르게 되었습니다. 그처럼 타인을 품위 있게 대하는 사람을 만나 본 적이 없었으니까요. 그래서 다시 한번 스팽글러의 참모습을 시험해 보기로 결심합니다. "이 세상에 의해 부패하지 않은 사람 한 명을 찾아내자. 그러면 나도 타락하지 않을 수 있고, 신뢰하며 살아갈 수 있을 거야."(Let me find one man uncorrupted by the world so that I may be uncorrupted, so that I may believe and live.)라는 것이 자신의 소신이었으니까요.

스팽글러의 품위를 다시 확인한 그 청년은 자기에게 더 이상 다른 선물을 줄 필요가 없다고 하면서 자기는 고향으로 갈 것이라고 합니다. 그것이 스팽글러에게 하는 마지막 작별 인사가 된 셈이지요. 그러면서 이제부터 자기 걱정은 하지 말라고 부탁합니다. 자기가 있어야 할 곳인 고향 집으로 돌아가서 열심히 살겠다고 합니다. 비록 당장은 병든 몸이지만 죽지는 않을 테고 어떻게 사는 게 좋을지 공부도 하겠다고 선언하면서 정말 고맙다는 인사를 남기고 떠납니다. 만일 그날 스팽글러가 그에게 불친절하게 굴었다면 어떻게 되었을까요? 그 청년은 그를 쏘았을 것이라고 했습니다. 지속적이고 일관된 스팽글러의 성격적 탁월함이 자기도 살리고 그 좌절한 청년도 살린 셈입니다. 이 작품을 읽으며 가장 감명 깊게 다가온 장면이었습니다.

스팽글러를 접하며 마음속에 든 생각이 있습니다. 세상에 믿을만한 사람 없다고 말하는 대신 먼저 저부터 믿을만한 사람이 되어 보자는 생각이었습니다. 세상 사람들은 기본적으로 이기적이라고 말하는 대신 먼저 저부터 이타적인 사람이 되어 보자는 생각이었습니다. 세상 사람들은 사랑을 모른다고 말하는 대신 먼저 저부터 사랑을 베푸는 사람이 되어 보자는 생각이었습니다. 세상 사람들은 인사할 줄 모른다고 말하는 대신 먼저 저부터 인사를 나누는 사람이 되어 보자는 생각이었습니다. 세상 사람들은 미소 지을 줄 모른다고 말하는 대신 먼저 저부터 미소 짓는 사람이 되어 보자는 생각이었습니다. 혹시 이렇게 먼저 제가 시도한 것으로 인해 다른 사람들이 세상을, 세상 사람들을, 그리고 자기 인생을 바라보는 시각이 달라질 수 있지 않을까요? 그래서 삶에 지쳐 인생을 포기하려는 사람이나 거친 세상에 복수하겠다며 다른 사람들을 해치려는 사람들이, 이렇게 제가 먼저 시도한 것으로 인해 새로운 인생의 길을 발견하게 될 수도 있지 않을까요?

-품위 잃은 인간-
(1) 바이필드 선생

품위를 잃은 인물의 대표로는 바이필드를 필적할 자가 없습니다. 그는 이타카 고등학교 육상부 코치입니다. 어디를 가나 문제만 일으키는 코치로 묘사되어 있습니다. 그에게 가장 부각되는 면모는 사람 차별입니다. 부잣집 도령인 휴버트에게는 사근사근한 목소리로 대하며 장애물 달리기 연습을 마친 후 "샤워하고 오후까지 쉬라"(Go to the shower now and take it easy until this afternoon.)고 배려해 주면서도, 가난한 집 아이들에게는 태도가 표변하지요. 휴버트에게 사용했던 말투와는 "완전히 다른 어조로"(in an altogether different tone of voice) 이렇게 외칩니다. "야, 이 녀석들아, 계속 움직이라고. 너희는 그렇게 우두커니 서서 자부심 느낄 만큼 잘하는 게 아냐. 너희들 위치로 돌아가서 다시 시도해 봐."(O.K., you guys—keep moving. You're not so good you can stand around and be proud of yourselves. Get to your marks and give it another try.) 휴버트는 오후까지 푹 쉬도록 해 주고 다른 아이들은 더 연습시켜 힘 빠지게 해서 휴버트가 그 경기에서 이기게 하려는 코치의 교묘한 작전인 셈이지요.

나중에 힉스 선생의 고대사 수업 시간에 호머와 휴버트가 서로 언쟁을 벌인 탓으로 수업 후에 교실에 남게 되었을 때도 바이필드는 편파적인 방식으로 개입합니다. 교장 선생을 찾아가 힉스 선생에게 요청해서 휴버트가 장애물 달리기 경기에 참여하도록 해달라고 압력을 넣습니다. 사실상 호머도 그 경기에 참여하기를 원하는 상태였지만 휴버트에게만 신경을 씁니다. 호머와 비교하면서 휴버트는 결코 "버릇없는 아이"(an unruly boy)가 아니라 도리어 "완벽한 작은 신사"(a perfect little gentleman)라고 변호해 줍니다. 힉스 선생이 자기 은사이기도 하고 그 선생의 공정한 면모를 익히 알고 있는 교장이 난감해 하자, 그는 힉스 선생 교실로 와서 마치 교장 선생이 휴버트를 해방할 수 있는 권한을 자기에게 부여해 주었다는 듯이 말하고는 휴버트만 데리고 나가 버립니다.

이런 상황을 접한 힉스 선생은 처음엔 할 말을 잃었다가 결국엔 바이필드의 전모를 밝혀줍니다. 그는 자기 같은 "얼간이들"(jack-asses)에게나 운동을 가르치기에 적합한 인물이라면서, 무지할 뿐 아니라 거짓말쟁이라고 지적합니다. 마커스와 베스도 이전에 가르친 적 있던 힉스 선생은 그들과 바이필드 같은 인간들을 비교합니다. 즉 마커스와 베스는 정직하고 덕성을 갖추었지만, "단지 바보에 불과한 이 세상 속의 바이필드류(類)는 열등한 인간들"(these infe-rior human beings, these Byfields of the world who were never anything but fools)로서 힉스 선생 같은 사람을 늙은 여자로 여기고 속이기나 한다고 비판합니다. 바이필드는 이전에 자기 교실에서 공부할 때도 몇 번이고 자기에게 거짓말을 해댔으며, "자신보다 우월하다고 생각하는 사람들에게 파렴치하게 아첨하는 외에는 아무것도 배운 게 없다"(He has learned nothing except to toady shamelessly to those he feels are superior.)고 공박합니다.

바이필드가 패악질하는 끝장판은 장애물 달리기 경주 때 일어났습니다. 호머가 휴버트를 앞서서 달리는 것을 확인한 그는 호머를 제지하기 위해 달리고 있는 그에게 달려듭니다. 그래서 둘 다 땅바닥에 나동그라지고 말지요. 바로 그때 휴버트의 품위가 드러납니다. 달리기를 멈추더니 다른 세 명의 주자에게도 그 "자리에 멈추어 있으라."(Stay where you are.)고 소리친 후에, 호머를 일으켜 세워 계속 달리게 해 줍니다. 그래서 모두 합류해서 마지막 순간을 질주한 결과, 호머와 휴버트가 비슷한 순간에 결승선에 들어오게 되지요. 화가 머리끝까지 난 바이필드 코치가 호머를 훈계하려고 교무실에 가 있으라고 하자, 옆에 있는 호머 친구 조 테라노바가 호머 편을 듭니다. 그때 바이필드가 "이 더러운 이탈리아 녀석, 입 다물어!"(You keep your dirty little wop mouth shut!)라고 조에게 외치며 그를 밀쳐 대자로 드러눕게 합니다. 조가 기가 막혀 "이-탈-리-아놈이라구요?"(w-o-p?)라고 반박하자 옆에 있던 호머도 자기 친구에게 욕하지 말라("You can't call a friend of mine names.")고 합세하며 그에게 태클을 걸지요. 그때 교장이 달려와 말리면서 결국엔 바이필드 코치를 향해 조에게 사과하라고 요청합니다. 그러자 누구에게 하는 말인지 알 수도 없게, "사과합니다."(I apologize.)라고 속삭이고는 황급히 사라지지요.

(2) 중국 선교사

다음으로 품위 없는 인물로 거론해야 할 사람은 다소 의외입니다. 이 작품 속에는 교회 예배 장면을 묘사하는 곳이 있습니다. 헌금 시간이 되자 라이어널(Lionel)이 헌금을 거두고 있습니다. 이 라이어널은 네 살짜리 율리시스의 가장 친한 친구이자 "동네 바보"(the neighborhood half-wit)로 불리지만, '신실하고'faithful), '대하고'generous), '상냥한'(sweet-tempered) "위대한 인간"(a great human being)으로 묘사되고 있는 소년입니다. 나이도 여덟 혹은 아홉 살 정도밖에 되지 않았습니다. 그런데 이 라이어널은 헌금을 거두면서 "전도지"(a religious pamphlet)를 나누어줍니다. 그냥 나누어주는 것이 아니라 꼭 질문 한 가지를 던집니다. "구원을 받으셨나요?"(Are you saved?) 먼저 율리시스에게 이 질문을 하고 소책자를 전달해 준 그는 통로 맞은편에 앉아 있는 노신사에게도 똑같은 질문을 던집니다. "구원을 받으셨나요?"(Are you saved?) 그러자 그 노신사의 반응이 흥미롭습니다. 우선 "그는 라이어널을 매섭게 노려보다가 성급하게도 저리 가라고 중얼거립니다."(The man looked at the boy severely and then whispered impatiently.) 하지만 라이어널이 이에 굴하지 않고 순교자의 자세로 그에게 소책자 한 부를 들이밀자, 그가 또 '짜증을 내면서'(irritated) 라이어널의 손에서 소책자를 "조용히 홱 쳐내는 바람에"(quietly slapped the pamphlet out of Lionel's hands) 그것이 바닥에 떨어져 버렸습니다. 그렇게 "라이어널을 겁주니 그는 더 위대한 순교자 중 한 사람이 된 듯한 기분이 들었습니다."(scaring the boy and making him feel like one of the greater martyrs) 그때 옆에 앉아 있는 그 노신사의 아내가 무슨 일이냐고 속삭이자, 그는 라이어널이 자기에게 구원을 받았느냐고 물으며 전도지를 주더라고 말합니다. 그러면서 바닥에 내동댕이쳐진 그 소책자를 집어 들어 아내에게 내밀지요. "그놈이 내게 이것을, 이 소책자를 건네주는 거야!"(He handed me this-this pamphlet!) 또다시 그 노신사는 "짜증을 내면서"(with some irritation) 거기에 적혀 있는 문구를 읽었습니다. "구원받으셨나요? 결코 너무 늦은 게 아닙니다."(Are you saved? It is never too late.) 바로 그때 아내는 남편의 손을 토닥이며 한 마디 덧붙입니다. "아무것도 아니에요. 당신이 (   )는 걸 그 아이가 어떻게 알겠어요?"

이 괄호에 무슨 표현이 들어갈까요? 그가 과연 누구이기에 이렇게 8-9세 된 어린이가 헌금함을 돌리는 망중한을 타서 전도지를 권하는 것을 이렇게 타박하고 있을까요? "구원을 받으셨나요?"란 질문이 그렇게 실례되는 질문이었을까요? 그것도 교회 안에서, 예배 중에 받은 질문인데 그렇게 연소한 전도인을 매섭게 노려보다가 무례하게 짜증 내며 응답하고, 건네주는 소책자를 홱 쳐서 땅에 내동댕이치고고 기막히다는 듯이 또 짜증을 내며 전도지에 적힌 문구를 읽어대는 이 남자의 정체는 과연 무엇일까요? 괄호 안에 들어갈 정답은, "중국에서 삼십 년 동안 선교사였다"(you've been a missionary in China for thirty years)입니다.

이 선교사는 "구원을 받으셨나요?"라는 질문이 정말 필요했던 사역자였습니다. 30년 중국 선교 사역을 제외하고는 그에게서 구원받은 증거를 찾아볼 수 없기 때문입니다. 그 어린 말씀 사역자에게 대하는 그의 매서운 표정과 무절제한 감정과 과격한 행동과 정제되지 않은 말투를 보세요. 사실상 그 중국 사역이란 것도 그 자체만으로는 구원의 조건이나 증거가 될 수 없지요. 구원은 어떠한 선행으로도 얻을 수 없고 구원받은 증거도 어떠한 선행 자체만은 아니기 때문입니다. 구원은 하나님과 새로운 관계가 마련되어야 하고 그 선행은 내적인 사랑의 발현이어야 합니다. 하나님을 사랑하고 이웃을 사랑한 결실이어야 한다는 것이지요. 정용섭 목사가 "목사 구원"이란 책을 집필한 것도 바로 이런 사역자가 존재할 수 있다는 가능성 때문이 아닐까요? "구원의 과정으로서의 목회" 혹은 "구원의 과정으로서의 선교 사역"이란 개념을 파악하는 게 목회자나 선교사의 중차대한 과제입니다. 사도 바울조차도 고민한 문제가 바로 이것이었으니까요. "내가 내 몸을 쳐 복종하게 함은 내가 남에게 전파한 후에 자신이 도리어 버림을 당할까 두려워함이로다"[but I discipline my body and make it my slave, so that, after I have preached to others, I myself will not be disqualified. (고린도전서 9:27)] 즉 다른 사람들에게 구원의 도를 전하고 다니면서도 정작 자신은 구원받을 자격에서 실격될(disqualified) 가능성이 있다는 경고입니다.

-품위 있는 인생의 비결-

품위 있는 인생은 어디에서 비롯되는 것일까요? 이 작품 속에서 그 단서를 찾기란 그다지 어렵지 않습니다. 마커스와 호머는 그 부모인 매튜와 케이티의 품위 있는 삶의 자세에서 자연스럽게 배울 수 있었습니다. 그리고 그 마을에 살고 있는 다른 품위 있는 어른들에게서도 그 본을 받을 수 있었을 것입니다. 그 어른들 중의 한 사람이 바로 힉스 선생(Miss Hicks)입니다. 호머의 고대사 선생이지요. 이타카 고등학교에서 35년 동안 고대사를 가르치면서 수많은 학생을 지도하면서 그들의 인생관과 가치관에 영향을 끼친 교사였습니다. 호머의 형이나 누나뿐 아니라 바이필드 코치와 에크 교장 선생까지도 가르친 노장이었습니다. 수업 중에 서로 티격태격하던 호머와 휴버트를 수업 후에 남으라고 한 힉스 선생은 바이필드 코치가 2백 미터 장애물 달리기 경기를 위해 휴버트만 데리고 나가자 남아 있던 호머에게 자기가 해 주고 싶었던 조언을 나눕니다. 그 조언의 핵심은 고대사 공부에서 학생들이 배울 수 있는 교훈, 즉 품위 있는 삶을 사는 길이었습니다.

우선 힉스 선생은 자기 학생들이 참된 인간성, 즉 "따뜻한 마음씨를 품고"(has a heart) "진리와 명예를 사랑하며"(loves truth and honor), "하급자를 존중하고 상급자를 사랑하기"(respects his inferiors and loves his superiors)를 갈구하고 있습니다. 그녀는 자기 학생들이 이 세상에 살고 있는 모든 사람은 각자 어떤 특정한 측면에서 다른 사람들보다 뛰어나지만, 다른 측면에서는 다른 사람들만큼 훌륭하지는 못하다는 현실에 주목하기를 바라면서, 그들이 무엇보다도 "선을 행하고 품위 있게 자라기"(to do good and to grow nobly) 위해 노력해 주기를 간절히 원합니다. 그녀는 그들이 자신들의 외모나 외적인 행동거지보다는 그것들의 배후에 있는 내적인 태도에 더 관심을 두어야 한다고 역설합니다.

둘째로 힉스 선생은 자기 학생들이 각자 "자기 자신이 되길"(to be himself) 원합니다. 각자가 '독립된'(separate) 존재, '특별한'(special) 존재, 그리고 "모든 다른 사람 중에서 유쾌하고 흥미진진하며 독특한 사람"(each one a pleasant and exciting variation of all the others)이 되기를 원한 것이지요. 학생들이 그저 자기를 기쁘게 해 주기 위해서나 자기 일을 수월하게 해 주기 위해 다른 누군가를 닮길 그녀는 원하지 않습니다. 만일 그렇게 된다면 교실은 완벽한 작은 신사 숙녀들로 가득 차게 될 텐데 자기는 그런 상황에 곧 싫증이 날 거라고 말합니다. 이런 측면이 그녀와 바이필드류를 구분 짓습니다. 바이필드가 휴버트를 가리켜 '완벽한 작은 신사'라고 했듯이, 후자는 그 작은 신사 숙녀들, 즉 부잣집 자녀들로 구성된 교실을 선호할 테니까요. 반면에 힉스 선생은 학생들이 도덕적으로 타락하지 않고 인간다운 존재이기만 하다면, 각자가 본질적으로 타고 난 개성과 그 다양한 면모는 인생을 즐기고 다른 사람에게 유익을 끼치는 데 혁혁한 역할을 할 것이라고 보지요.

셋째로 힉스 선생은 자기 학생들이 "각자 다른 학생을 자연스럽게 좋아하지 않더라도 여전히 서로를 존중할"(in spite of your natural dislike of one another, you still respect one another) 때 각자가 "참된 인간이 되기 시작할"(begin to be truly human) 거라는 점을 깨닫기를 원합니다. 서로를 좋아하지 않는 것은 지극히 자연스러운 일이라는 점을 지적하면서도, 서로를 존중하는 것이 중요하다는 점을 천명한 것이지요. 그러면서 "그것이 바로 덕성을 갖춘다는 것, 즉 우리가 고대사 공부에서 배워야 할 것의 의미야."(That is what it means to be civilized-that is what we are to learn from a study of ancient history.)라고 덧붙입니다.

결국 그녀가 품위 있는 삶으로 이끄는 요소들로 꼽은 것은, 진실과 사랑이 충만한 내적인 자질, 자신만의 고유한 개성, 그리고 다른 사람에 대한 존중심입니다. 이러한 자질들이 바로 예부터 사람들이 추구해 온 미덕이요 교양의 핵심이라는 것입니다. 힉스 선생은 호머의 형인 마커스와 누나인 베스에 대해서 언급하면서 그들이 "정직하고 덕성을 갖추었다"(honest and civilized)고 말합니다. 그러면서 인간적이고 윤리적이며 합리적인 교양이나 덕성을 갖춘 상태를 가리키는 'civilized'라는 단어에 꽂혀서 그것을 아주 주의 깊게 강조합니다. 고대인들은 태어날 때부터 자기들이 품위 있고 교양 있는 사람들로 성장하기 위해 애썼다는 점을 다시 일깨워주지요. 이런 논의는 아리스토텔레스가 윤리학에서 역설한 것과 같은 맥락에 있습니다. 지금까지 논의된 품위라는 단어가 아리스토텔레스가 윤리학에서 역설한 '아레테'와 같은 범주에 속하는 용어일 것입니다. 즉 성격적 탁월성은 좋은 습관의 반복으로 형성되는 것으로서 우리 품성이 '중용'의 원칙과 일치할 때 확연히 드러나기 때문입니다[예컨대 '만용'과 '비겁'이라는 양극단의 중용은 용기]. 이 중용이 바로 품위와 같은 범주에 속한 단어입니다. 과연 힉스 선생의 이런 품위 있는 교육 철학이 우리나라 교실에서 메아리치고 있을까요?

-이타카 마을 공동체-

이 작품에 등장하는 도시 이름이 이타카입니다. 기억이 나시는지요? 이타카는 오디세우스가 집을 떠난 지 20 년 만에 돌아가는 고향 이름입니다. 호머의 남동생 율리시스는 오디세우스의 라틴어식 이름이기도 합니다. 사실상 호머를 비롯한 품위 보유자들은 죄다 이타카라는 도시 공동체에서 빚어졌습니다. 지난 1996 년에 당시 미국 대통령 부인이었던 힐러리 클린턴이 책을 한 권 냈습니다. 그 제목은 "It Takes a Village (To Raise a Child.)"[(아이 하나를 키우려면) 온 마을이 필요하다]였습니다. 아프리카 속담이라고 하지요. 클린턴의 요점은 어린이를 성공적으로 키우려면 사회가 서로 책임을 나누어져야 한다는 것입니다. 가정뿐 아니라 조부모, 이웃, 교사, 목회자, 의사, 고용인, 정치인, 비영리기관, 사업가 및 국제 정치 그룹들을 포함하여 아이들을 키우는데 어떤 식으로든 책임을 지는 기관들에 주목하면서, 정부 주도의 사회 개혁과 보수적인 가치관의 통합을 아이 교육의 바람직한 방안으로 역설합니다. 사로얀의 "인간 희극"을 읽고 나니 클린턴의 주장이 더욱 설득력 있게 들립니다.

매튜와 케이티가 자기 자녀들을 훌륭한 인격을 가진 아이들로 아무리 잘 키웠다고 하더라도, 그 됨됨이를 알아주고 격려해 주는 성숙한 이웃들이나 교사들이 없었다면 어떻게 되었을까요? 부모들을 꼰대로 여기고 적당히 시류를 따라 살아가는 인물들로 변모했겠지요. 집안의 도덕과 교훈이 사회 속에서 거부당하거나 조롱당하는 것을 지속적으로 경험하면서도 그것들을 소중하게 간직하며 지속해 가기란 수월한 일이 아닙니다. 예컨대, 힉스 교사 같은 이는 존재하지 않지만 바이필드 코치 같은 이가 학교를 장악하고 교장도 그의 편에 서 있다면, 어떻게 호머나 마커스 같은 이가 부당한 대우를 받지 않고 제대로 자랄 수 있겠습니까? 14 세 소년의 처지는 고려해 주지 않고 냉대하며 4 세 어린이는 무시하고 학대하는 분위기가 지배하는 공동체라면, 호머가 어떻게 일하며 돈을 벌어 가계를 돕고 율리시스는 어떻게 마을을 자유롭게 오가며 많은 것들을 배울 수 있었겠습니까? 작품 중에 커빙턴 스포츠용품점에 율리시스가 구경하러 갔다가 그만 동물 잡는 덫에 갇혔다가 간신히 풀려나는 장면이 등장하는데, 아이들을 존중하지 않는 사회였다면 실제로 그와 같은 일이 생겨 유괴되거나 학대당하는 것은 시간문제였을 것입니다. 결국 가족 공동체뿐 아니라 보편적인 가치를 지향하는 사회 공동체가 품위를 갖춘 다음 세대를 낳은 것이지요.

그래서였을까요? 이 작품을 읽으며 계속 고개를 드는 물음이 있었습니다. 우리가 사는 동네, 도시 및 나라는 과연 이런 보편적 가치를 갖추고 실행하는 공동체인가? 우리는 과연 품위 있는 다음 세대를 계속 낳고 있는가?

3. 20 세기 코헬렛, 니코스 카잔차키스의 "그리스인 조르바"(1946)

우리나라 사람 중에 자기 인생의 책으로 "그리스인 조르바"(Zorba the Greek, 1946)를 거론하는 이들이 많습니다. "나는 아무것도 바라지 않는다. 나는 아무것도 두려워하지 않는다. 나는 자유다."라는 카잔차키스의 묘지명에 감동한 이들도 적지 않습니다. 이런 상황이니 그 책 저자인 니코스 카잔차키스를 자기 영웅으로 여기는 이들이 눈에 띄는 것도 전혀 이상한 일이 아니지요.

"그리스인 조르바"에서 조르바는 65 세, 화자는 35 세로 제시되어 있습니다. 인생의 산전수전을 다 겪은 조르바가 자기보다 30 세 연하의 백면서생인 화자에게 자신의 인생론을 다각도로 나누어준 내용이 실려 있습니다. 그 화자는 그와 대화하고 함께 삶을 나누는 짧은 기간 동안 자신의 인생관에 대격변이 일어나는 것을 경험합니다. 매 순간을 치열하게 살아가면서 아무것도 얽매이지 않은 채 자유를 구가하며 살아가는 조르바의 모습이 종이와 먹물에 파묻혀 살아온 자신에게 신세계를 열어준 것이지요. 실제 인물이었던 조르바는 사실상 작가 카잔차키스의 일생에 지대한 영향을 미친, 호메로스, 베르그송, 니체와 같은 반열에 놓인 사람입니다. 그만큼 조르바는 카잔차키스의 일생에 지대한 영향력을 미쳤던 것이지요.

-"그리스인 조르바" 줄거리-

이 책은 바람이 거센 어느 가을 아침 동트기 직전에, 아테네 근처의 항구 도시 '피레우스'의 한 카페에서 시작합니다. 젊은 그리스 지성인인 화자는 자기 친구인 스타브리다키스가 헤어지며 던진 '책벌레'라는 말에 자극을 받아, 원고 나부랭이를 던져 버리고 행동하는 삶의 여울 속에 뛰어들 구실을 찾던 중, 크레타섬에 있는 갈탄 폐광 한 곳을 빌리게 됩니다. 그의 친구는 위험에 처한 동포 그리스인들을 돕기 위한 명분을 품고 캅카스 지방으로 떠나버린 상태입니다. 반면에 그는 크레타섬 리비아 해안에 위치한 갈탄 광산으로 가서, 책벌레 무리와 떨어진 채 노동자들과 소작 농부들 같은 사람들과 함께 살아보기 위해 그곳으로 떠날 예정입니다.

그가 단테의 신곡을 읽기 시작하려는데, 누군가 자기를 바라본다는 것을 느낍니다. 주위를 둘러보니 약 60대의 남자가 유리문을 통해 그를 보고 있습니다. 그는 바로 들어와서 화자에게 다가와서는 일자리를 청합니다. 자기는 요리사이자 광부이자 산투리(이슬람 문화권에서 사용되는 전통 현악기) 연주자이기도 하다면서, 마케도니아에서 태어난 알렉시스 조르바라고 자기를 소개합니다. 화자는 조르바의 도발적인 의견과 다양하게 표현하는 방식에 매료되어, 그를 갈탄 광산의 일꾼 감독으로 고용하기로 결심합니다. 화자는 이 조르바가 자신이 오랫동안 찾았지만 찾지 못했던 바로 그 사람이란 것을 직감합니다. "살아서 팔딱거리는 심장, 따스한 온기가 느껴지는 목소리, 대지에서 아직 탯줄이 끊어지지 않은 거칠고 야성적인 영혼, 가장 단순한 인간의 언어로 이 노동자는 내게 예술, 사랑, 아름다움, 순수, 정열의 의미를 뚜렷하게 일깨워 주었다."

크레타섬에 도착하자 그들은 조르바의 제안대로, 마담 오르탕스의 호텔로 향합니다. 호텔이라고 해봤자 그저 오래된 해변 탈의장을 길게 이어 붙여 만든 건물 말고는 볼 것 없는 곳이었지만, 화자와 조르바는 그 탈의장 오두막 한 곳을 함께 쓰게 됩니다. 화자는 하루 동안 섬 주위를 둘러보며 보냈는데, 그곳 경치는 "마치 한 편의 훌륭한 산문과도 같았습니다. 산뜻하게 다듬어지고, 과묵하고,

불필요한 표현 없이, 힘차고, 절제되고, 가장 단순한 방법으로 핵심을 표현하고, 장난을 치지 않으며 요령을 부리거나 과장하지 않은 채 강건한 간결함으로 꼭 하고 싶은 말을 적은 그런 산문"과 닮았습니다. 그날 저녁을 먹으려고 호텔로 되돌아오자마자 화자와 조르바는 마담 오르탕스를 식탁으로 초대해서, 귀족들의 애첩으로 지내온 그녀의 과거에 관해 이야기를 듣습니다. 조르바는 그녀에게 부불리나(그리스 해군 여성 사령관 이름)라는 애칭을 붙여주고, 자기는 카나바로(카나바로 제독이라는 실제 인물)라는 애칭을 취합니다.

그 이튿날, 광산은 작업을 시작하게 됩니다. 사회주의적인 이상을 품고 있는 화자가 그 노동자들을 개인적으로 알려고 시도하지만, 조르바가 가까이 오지 말라고 경고합니다. "인간은 야수란 말이오. 당신이 사납게 대하면 당신을 존경하고 두려워해요. 하지만 잘 대해 주면 결국 당신을 잡아먹고 말 거요." 조르바는 일에 자기를 던지는 타입입니다. 무슨 일을 하든지 그 일에 온전히 몰두하고 누구와 함께 있든지 그 순간에 몰두하는 삶의 태도를 견지합니다. 오랜 시간 동안 일하면서 방해하지 말라고 요구하는 경우도 자주 발생하지요. 화자와 조르바는 다양한 인생사에서부터 종교에 이르기까지 온갖 것들에 대해 긴 대화를 많이 시도합니다. 서로의 과거사와 어떻게 각자가 현재의 위치에 오게 되었는지에 대해 이야기를 나누는 중에, 화자는 인간과 인생에 대해, 종이와 먹물에 파묻혀 살아온 자기 삶에서는 발견하지 못한 것들을 많이 배우게 됩니다. 자신의 지난 삶이 허비된 삶이라고 여기며 '진리를 발견한' 조르바를 부러워하면서 이렇게 속으로 외치기도 합니다.

"스펀지 행주를 꼭 쥐고 그동안 내가 읽고 보고 들었던 것들을 모두 말끔하게 닦아낸 후, 조르바의 학교에 입학하여 위대하고 진실한 문자를 새로 배울 수만 있다면 얼마나 좋을까! 그러면 내 삶은 얼마나 달라질까! 적어도 오감을-온 피부로 말이다-한껏 사용하여 모든 걸 즐기고 모든 걸 이해할 수 있을 게다. 달음박질치고, 씨름하고, 헤엄치고, 말에 올라타 질주하고, 배를 젓고, 자동차를 몰고,

소총 쏘는 법을 배울 게야. 내 영혼을 육신으로 채우고, 내 육신을 영혼으로 채우며 결국 태곳적부터 앙숙이었던 이 둘을 내 안에서 서로 화해시킬 수 있을 게다."

게다가 화자는 조르바와 주위에 있는 사람들과의 경험을 통해, 인생에 대한 새로운 활기를 흡수하게 되지요. 그러나 예기치 않았던 비극 사태가 연이어 크레타섬에 발생하게 됩니다. 화자와 하룻밤 함께 지낸 아름답고 열정적인 과부 소르멜리나가, 사모하던 그녀로 인해 자살한 한 청년 때문에 마을 사람들의 미움을 받던 중 공격을 받아 참수를 당하게 됩니다. 게다가 조르바와 교제하고 있던 마담 오르탕스도 독감이 들어 갑자기 세상을 뜨게 됩니다. 그 후에는 이전에 섬 안의 수도원을 방문했을 때 알게 되었던 자하리아스 신부가, 수도원에 등유로 불을 지른 후에 숨을 거두는 사건도 발생하게 되지요. 마을 사람들의 비정하고 부도덕한 태도 때문에 소원함을 느끼던 중, 엎친 데 덮친 격으로 화자와 조르바가 계획한 목재 운송 사업이 처참한 실패로 돌아갑니다. 화자는 가진 돈을 깡그리 날려 버렸지만, 조르바와 함께한 생활이 자기 가슴을 넓혀 주고, 조르바의 모든 말이 자기 영혼에 안식을 주고, 복잡한 인생사를 해결할 수 있는 지름길로 인도하여, 문제 해결의 정상에 이르게 했다는 것을 절감합니다. 화자는 결국 육지로 되돌아가게 되지만, 크레타섬을 떠나기 전에 친구인 스타브리다키스가 급성 폐렴으로 사망했다는 전보를 받게 됩니다.

조르바와는 헤어졌지만, 그 두 사람은 각자의 여생 가운데 서로를 기억하지요. 비록 조르바가 여러 해에 걸쳐 아토스산, 루마니아, 시베리아 등지에서 보낸 자기의 여행 과정과 일거리, 그리고 25살짜리 과부 여인과 결혼한 것과 같은 내용을 화자에게 알리는 편지를 보내곤 하지만, 화자와 조르바는 서로 다시 만나지 못하게 됩니다. 자기를 방문해달라는 조르바의 초대도 화자는 수락하지 않습니다. 결국 어느 날 화자는 세르비아 스코피아 근처에 있는 한 학교 교장에게서, 조르바의 죽음을 알리는 편지를 한 통 받게 됩니다. 그

교장은 화자에게 그에 대한 조르바의 유언["(...) 내 평생 이 짓거리 저 짓거리 별짓 다 해 봤지만 아직도 못 한 게 있소. 아, 나 같은 사람은 천년을 살아야 하는데. 그럼 잘 자시오!"]을 알려주면서, 미망인이 죽은 남편의 소원에 따라 화자가 그녀의 집을 방문해서 하룻밤 묵은 후 조르바의 산투리를 가지고 가면 좋겠다고 말합니다. [작품의 한글 번역문 인용: "그리스인 조르바"(김욱동 역, 민음사), "위대한 성자 프란체스코"(오상빈 역, 애플북스), "영혼의 자서전"(안정효 역, 열린책들)]

-조르바와 실존주의-

"그리스인 조르바"는 1946 년에 출판된 이후에 많은 이들의 사랑을 받았습니다. 영화화되기도 했을 뿐 아니라, 영원한 자유인의 표상으로 전 세계 독자들의 가슴속 깊이 남아 있는 인물이기도 합니다. 지난 세월 동안, 이 책을 다룬 평론가 중에는 이 책과 실존주의와 연관 짓는 시도를 한 이들이 많습니다. 실존주의 철학자인 하이데거나 사르트르나 카뮈가 반색할 내용을 많이 담고 있다고 여겼기 때문일 것입니다. 조르바라는 작중 인물은 이 황량한 우주에 홀로 내던져진, 혹은 "피투"(被投) 된 존재인 인간이 지향해가야 할, "기투"(企投)하는 삶을 영위한 전범으로 여길 만한 존재입니다. 20 세기 실존주의 철학은 인간이란 "자신이 선택하지도, 만들지도 않은 세계에 자의와 상관없이 내던져진 존재"로 보면서, "인간은 피투성(被投性=내던져져 있음)이다"라고 주장했습니다(하이데거). 이러한 선언을 들은 서구인들은 한동안 어찌할 바를 몰랐습니다. 신의 분노에 의해 인간이 내던져진 것이 아니라, 신이 죽어버린 상태에서 인간이 마치 고아처럼 이 세상에 내버려진 것을 의미한다고 이해했기 때문입니다.

이렇게 비참하게 내던져져 있는 상태에서 비롯된 존재적인 불안을 극복하기 위해, 남들이 말하거나 행동하는 대로 말하고 행동하는 삶의 양태가 드러납니다. 이런 삶의 방식을 하이데거는 "퇴락"(頹落)이라고 하고, 그 방식을 채택하는 사람을 "세인"(世人)이라고 불렀습니다. 참된 자기 자신으로서 사는 "본래적 삶"이 무너져 내린 경우이지요. 그 해결책은 우선 자신이 퇴락한 삶을 영위하고 있다는 "양심의 부름"에 응답하여 "양심을-가지려고-원함"으로써 이룩됩니다. 그때야 비로소 참된 자신의 "본래적 삶"을 회복할 수 있다는 것이지요. 다른 해결책은 자신이 언젠가 반드시 죽게 되어 이 세상을 떠날 수밖에 없다는 사실을 자각하고 수용하는 것입니다. 즉 "죽음에 대한 선구적 각오성" 혹은 "죽음을 향해 미리 달려가 봄"의 상태이지요. 실존주의가 지향하는 "실존"(實存)이 바로 이런 상태입니다. 피투 된 유한한 삶을 수용하고 세인의 퇴락한 삶의 방식 대신 양심에 따라 자신만의 진정한 존재 가능성을 인식한 상태지요. 이 실존이란 개념은 서구 사회에서 르네상스 이후 낭만주의에 이르기까지 줄기차게 언급된 "자기실현"(自己實現)이란 개념과 다르지 않습니다. 실존주의 철학은 여기에서 한 발 더 나아가도록 독려합니다. 하이데거는 "기획투사"(企劃投射)를, 사르트르는 "앙가주망"을 천명하지요. 전자는 자신의 "존재 가능성"을 스스로 선택한 후 그것을 향해 스스로 자기를 던진다는 것을 의미하고, 후자는 역사적, 사회적 현실에 스스로를 잡아매는 것을 뜻합니다. (김용규의 "철학카페에서 시 읽기" 참조)

조르바가 이런 실존주의의 이상적 측면을 구현한 인물이라고 보는 것은 타당하다고 봅니다. 우선 조르바는 자신이 피투 된 존재임을 인식하고 있습니다. 예기치 않게 마담 오르탕스가 독감 탓에 죽은 후 극한 슬픔에 빠진 조르바는 오랫동안 공부 많이 한 화자에게, 인간이 어디에서부터 와서 어디로 가는지, 왜 창조되었고 왜 죽음을 맞이해야 하는지 질문을 던집니다.

■"보스 양반, 이 모든 일에 무슨 의미가 있는 건지 어디 한번 들어 봅시다. 도대체 누가 창조했소? 누가 창조했건 왜 만들었을까요? 그리고 무엇보다도....." 여기서 조르바의 목소리는 분노와 공포로 가득 찼다. "..... 왜 우리는 죽는 걸까요?" (...) "우리가 어디에서 와서 어디로 가는지 듣고 싶소. 보스는 오랫동안 청춘을 불사르면서

모르긴 몰라도 몇 트럭 분량의 종이에서 마법의 주문을 읽으며 뭔가 정수를 얻어 냈을 테지요. 그래 무슨 정수를 찾아냈소?" 조르바의 목소리는 너무 고뇌에 찬 나머지 그만 숨이 막힐 정도였다. (…) "나도 늘 죽음을 내려다보고 있소. 죽음을 응시하지만 무섭진 않아요. 하지만 '나는 저게 좋아!'라고는 결코 말하지 않소. 그렇소, 난 죽음을 좋아하지 않소. 눈곱만큼도요. 나는 자유인이지 않소이까? 그래서 동의할 수가 없는 거요!"

피투 된 존재임을 인식하면서도, 조르바는 결코 다른 세인들이 가는 길을 걷지 않습니다. 기본적으로 그는 인간이란 존재가 사악하다고 보고 인간을 신뢰하지 않습니다. 자기뿐 아니라 모든 인간이 짐승이나 야수와 같은 존재라고 인식합니다.

■"화내지 마쇼, 보스 양반. 난 그 어떤 것도 믿지 않소. 인간의 본성을 믿었다면, 하느님도 믿고, 또 악마도 믿겠지. 그건 엄청나게 골치 아픈 일이오. 그랬다간 모든 게 뒤죽박죽이 되어 문제를 일으킬 거요, 보스. (…) 그래, 없소. 아무것도 믿지 않아. 도대체 몇 번을 말해야 합니까? 난 아무것도 믿지 않고, 이 조르바를 제외하고는 그 누구도 믿지 않아요. 조르바가 다른 사람들보다 더 나아서가 아니요.-결코, 결단코 더 낫지 않지! 조르바란 녀석 또한 같은 야수에 지나지 않으니까."

■"(…) 우리는 바지를 입고 셔츠에 칼라를 달고 모자를 쓰고 있지만 여전히 노새, 늑대, 여우, 돼지 같은 짐승과 다를 바 없어요. 인간이 하느님의 형상을 하고 있다고들 하죠. 누가요, 우리가요? 난 그 더러운 인간의 면상에 침을 탁 뱉겠소이다!"

그가 세인으로 여긴 이들 중에는 종교인들도 큰 몫을 차지합니다. 수도원이라는 성채 속에 거하면서도, 온갖 욕심과 일탈로 십자가 복음을 짓밟는 명목상 종교인들 말입니다. 한번은 화자와 조르바가 수도원을 방문하는 길에서 그 수도원을 떠나려고 하는 자하리아스 수도사를 만나게 되는데, 그는 예배드리러 수도원에 간다는 그 두 사람에게 돌아가라고 말하고는, 그곳은 "성모의 정원이 아니라 사탄의 정원"이라면서, "돈, 젊은 사내들, 다음 수도원장은 누가 될 것인가, 이 세 가지가 바로 수도사들의 삼위일체요!"라고 외칩니다. 그 말이 참이라는 것을, 그 수도원을 방문해서 그곳 수도사들을 만나면서 확인하게 됩니다. 조르바의 일갈이 떨어지지요.

■"맙소사, 뭐 이런 놈들이 다 있소?" (...) "사내놈들도 아니고 계집들도 아니고 말이야. 그래, 노새 새끼들이구먼! 지옥에나 어울릴 망할 놈들!" (...) "놈들이 죄다 몸 안에 악마를 하나씩 품고 있소. 이놈은 계집을 원하고, 이놈은 소금에 절인 대구를 원하고, 이놈은 돈을 원하고, 또 이놈은 신문을 원해요. 오, 저런 멍청한 놈들을 봤나! 저놈들 대갈통 속을 씻어 내리려면 속세로 내려와서 원하는 걸 신물 나게 진탕 누려 봐야 하오."

바로 이런 연유로 조르바가 나중에 자하리아스 수도사가 등유로 그 수도원을 불태울 계획을 밝히자, 그 구체적인 방안을 그에게 제안해 주게 됩니다.

세상 여러 곳을 전전하면서 이런 인간의 사악한 모습과 부당한 일들이 발생하는 것을 접한 조르바는, 자신도 갖가지 범죄를 저지르며 살아왔다는 점을 인정합니다. 심지어는 마케도니아 혁명대의 유격대원으로서 조국을 위한다는 명분으로 테러를 감행하면서 다른 가족이 파괴되는 것도 경험하게 되지요. 그 후에 그는 자기가 대의명분으로 삼은 조국, 종교, 재물 등과 결별하고 그것들로부터 해방된 자유를 선택합니다.

■"보스 양반, 내 말 좀 들어 보쇼. 이놈의 세상에서 일어나는 일은 어쩌면 그렇게 하나같이 부당하고, 부당하고, 또 부당한 거요! 난 이놈의 세상이 하는 짓거리를 인정할 수가 없어. (...)"
■"(...) 나는 뱃사람 신드바드요. 뭐 그렇다고 해서 세상을 다 돌아다녔다는 건 아니오. 절대로 그렇지 않아. 하지만 난 도둑질도 해

봤고, 사람도 죽여 봤고, 거짓말도 해 봤고, 계집도 한 트럭은 데리고 자 봤소. 계명이라는 계명은 깡그리 어긴 인간이란 말이오.

■"그렇게 해서 난 해방됐소." 그가 말했다. "아저씨의 조국으로부터 해방됐다는 말인가요?" "그렇소, 내 조국으로부터 해방됐소." 조르바는 단호하지만 담담한 목소리로 대답했다. 조금 뒤 그가 다시 말을 이었다. "내 조국으로부터, 신부들로부터, 그리고 돈으로부터 해방되었소이다. 이제 체로 치는 행위는 더 이상 하지 않아. 사물을 체로 치는 행위는 이제 손 뗐소. 모든 일을 단순하게 생각하려 하오. 당신에게 이걸 어떻게 설명할 수 있을까? 난 지금 나 자신을 해방하고, 한 인간으로 거듭 태어나는 중이오." (...)

이런 조르바에게도 끝까지 내내 해방될 수도 없고 자유로울 수 없었던 현실이 엄존했습니다. 그것은 바로 죽음이었습니다. 그는 죽음을 야기하는 절대자를 인정할 수 없었습니다. 그는 죽을 때조차도 죽음을 받아들이지 않으려 했지요. 침상에 누워 유언을 던진 그가 마지막으로 취한 행동이 뭘까요?

■"유언이 끝나자마자 그는 침대에서 일어나 시트를 걷어붙이며 일어서려고 했습니다. 우리는-부인인 류바, 저(교장), 그리고 이웃의 장정 몇 사람은-달려들어 그를 말렸습니다. 그러나 그분은 우리 모두를 한쪽으로 밀어붙이고는 침대에서 뛰어내려 창가로 갔습니다. 거기에서 그분은 창틀을 거머쥔 채 두 눈을 크게 뜨고 먼 산을 바라보며 웃다가 말처럼 힝힝거리고 울기 시작했습니다. 이렇게 창틀에 손톱을 박고 서 있는 동안 죽음이 그를 찾아왔습니다."

그래서 그가 택한 삶의 방식이 바로 언제 죽을지 모르는 것처럼 사는 것이었는지도 모릅니다.

■"어느 날 내가 작은 마을을 지나고 있었어요. 아흔 살 먹은 고루한 영감탱이 하나가 아몬드 나무를 심고 있습니다. '저기요 할아버지.' 내가 물었죠. '정말로 아몬드 나무를 심고 계신 건가요?' 그러

자 허리가 땅속으로 기어들어 갈 것 같은 그 영감탱이가 돌아서서 나를 보고 이렇게 말하는 겁니다. '젊은이, 난 영원히 죽지 않을 것처럼 행동한다네.' 그래서 내가 이렇게 대꾸했죠. '전 언제 죽을지 모르는 사람처럼 살고 있는걸요.' 보스 양반, 이 두 사람 중 누구 말이 더 맞을까요?"

언제 죽을지 모르는 것처럼 사는 방식이란, 한 번에 한 가지씩 순서대로 삶을 영위해 가는 것입니다. 지금 당장 우리 앞에 음식이 있으면, 우리 마음을 그 음식이 되게 하는 것입니다. 그리고 이튿날 우리 앞에 갈탄 광산 작업이라는 일감이 있으면, 우리 마음을 갈탄 광산이 되게 하는 것이라고 그는 설명을 덧붙이지요. 이렇게 매일 매 순간 자기 앞에 주어진 현실을 그대로 인식하고 수용하면서, 조르바는 그것을 누리며 그것에 자기의 전 생애를 걸었던 것입니다.

그렇지만 죽음을 수용하고 죽음에서 해방되는 길을 몰랐기에, 조르바가 정작 두려워한 것은 죽음보다도 늙는다는 것이었는지도 모릅니다. 그래서 나중엔 늙지 않게 보이려고 머리 염색까지 감행하지요. 여러 가지 고민 끝에 염색하지 않기로 결심하고 살아가는 제 눈이 휘둥그레지게 한 사건입니다. 아니 이 머리 염색이란 게 그 천하의 자유인 조르바도 고민 끝에 굴복할 문제였단 말인가?

■"이왕 이야기가 나왔으니 말이지만, 내가 두려워하는 게 있어 물어보겠소, 보스. 나는 다른 건 하나도 두렵지 않아요. 그런데 이 문제를 생각하면 밤낮으로 마음을 안정할 수가 없소. 보스, 늙는다는 것, 나는 이게 두렵소. 하느님, 제발 우리를 보호하소서! 죽는 건 아무렇지도 않아요. 바람 한 점에 촛불이 꺼지듯 한 방에 그저 훅! 가는 거지요. 하지만 늙는다는 것은 엄청난 수치요."
■"염색했소이다, 보스 양반! 하도 재수가 없길래 염색해 버렸소." "왜요?" "뭐, 자존심 때문이라고나 할까. 하루는 롤라의 손을 잡고 길을 걷고 있었소. 정확히 말해서 손을 잡은 건 아니고...... 이렇게, 손이 거의 닿지도 않았소. 그런데 우리 뒤에 망할 놈의 애새끼가 하나 따라오는 거 아니겠소. 이 쪼그만 꼬마 녀석이 말이오. '거기,

할배.' 이놈의 망할 올챙이 같은 녀석이 계속 부르는 거요. '헤이, 할배, 손녀랑 어디 가세요?' 그러자 불쌍한 롤라가 창피해하지 않겠소. 그래서 염색했소이다. 롤라가 창피하지 않도록 바로 그날 저녁 이발소로 달려가 염색을 했어요."

결국 조르바가 본래의 자기를 발견하게 되는 것은 자신이 퇴락한 삶을 영위하고 있다는 "양심의 부름"에 응답함으로써 이룩될 수 있었지만, "죽음에 대한 선구적 각오성" 혹은 "죽음을 향해 미리 달려가 봄"이라는 차원은 거치지 못한 것으로 이해됩니다. 자기가 누구인지 발견해서 깨달은 조르바는 다른 사람은 누구라도 믿지 못해도 자기만은 믿는다고 역설합니다.

■"내가 조르바를 믿는 이유는, 유일하게 내 마음대로 할 수 있고, 유일하게 내가 아는 존재이기 때문이오. 그 외의 존재들은 죄다 유령이오. 조르바는 이 눈으로 보고, 이 귀로 듣고, 이 내장으로 소화하거든. 하지만 다시 말하건대, 나머지 사람들은 모조리 유령일 뿐이오. 내가 죽으면 모든 게 사라지는 거요. 조르바의 세계 전체가 무너져 내리는 거란 말이오."

조르바의 본래적 자기 모습에 주목할 때 제게 가장 경이로운 면모는 바로 그의 어린아이 같은 심성입니다. 온 세상에 존재하는 모든 것에 대한 호기심입니다. 그는 "어린아이처럼 모든 것을 처음 보듯 했고, 끊임없이 경이로워하고 끊임없이 질문"을 던집니다. "그의 눈에는 모든 것이 기적"처럼 보였기 때문이지요. 매일 아침 눈을 뜨면 주위를 둘러보며 외칩니다. "이 무슨 기적이란 말인가! 나무와 바다와 돌과 새는 무슨 의미가 있을까?" 그래서 마치 위대한 선지자와 시인들의 눈앞에서처럼 그의 눈앞에는 "아침마다 신세계가" 펼쳐지는 것입니다.

■"도대체 이게 무슨 일이오, 보스!" 조르바가 믿기지 않는 듯 외쳤다. "정말로 이 세상을 난생처음 보는 것 같소. 저기서 움직이고 있

는 저 푸른색은 도대체 무슨 기적이오? 뭐라 부르는 거요? 바다요? 바다 말이오? 꽃이 그려진 초록색 앞치마를 두고 있는 저건 또 뭐요? 대지요? 도대체 어떤 열성가가 그런 것들을 만들어 놓은 거요! 맹세코 말하지만, 태어나서 처음으로 보는 것들이오, 보스." 그의 두 눈에는 눈물이 가득했다. "어이, 조르바 아저씨!" 내가 소리쳤다. "지금 노망난 건가요?" "웃지 마쇼, 보스! 어이, 보이지 않소? 지금 여기에 있는 우리 두 사람이 마법에 걸려 있는 거요!" 그는 갑자기 밖으로 뛰쳐나오더니 춤을 추면서 새봄의 망아지처럼 풀밭을 뒹굴었다.

이런 조르바의 순수한 본래적 자아의 모습은, 자신이 발견한 존재 가능성에 모든 것을 던지는 삶의 자세 가운데 놀랍게 구현됩니다. 언젠가 조르바는, "어설프게 반쯤 끝낸 일들, 대화, 죄악, 덕성, 이런 것들 때문에 오늘날 세상이 이 모양 이 꼴이오."라고 언급하면서, "목표까지 도달하라. 모두들! 투쟁하라! 투쟁에서 승리하라! 하느님은 우두머리 악마보다 덜떨어진 악마를 더 싫어하신다."라고 외칩니다. 그는 일할 때 전심전력합니다. 죽음도 마다하지 않고 쉬지 않고 질주합니다.

■"일할 적에는 말 걸지 마쇼." (...) "내가 둘로 쪼개지는 수가 있으니까." (...) "이걸 보스에게 어떻게 설명할 수 있겠소? 난 일에 나 자신을 완전히 맡겨 버립니다. 발끝부터 머리끝까지 몸을 뻗어 내가 씨름하는 돌이나 갈탄을 - 아니면 산투리를 말이오. - 정복하려고 나 자신을 확장합니다. 그런데 만약 당신이 나를 갑자기 건드리거나 말을 걸어서 뒤를 돌아보게 만들면 난 두 쪽으로 쪼개지고 말아요.-그걸 당신이 어떻게 이해하겠소!"
■"내 인생 계약서에 종료 시한이 적혀 있지 않으니 나는 가장 위험한 경사로에서도 브레이크를 풀어 버립니다. 인간의 삶이란 위로 올라갔다가 아래로 내려가는 철도와 같소이다. 나는 (...) 이미 오래전에 브레이크를 던져 버렸어요. 충돌을 두려워하지 않기 때문이오. (...) 나는 그저 내키는 대로 밤낮으로 질주를 계속하고 있소. 충돌

해서 산산조각이 난다 해도 그게 무슨 대수요? 내가 잃을 것이 뭐 있겠소? 아무것도 없어요. 만약 내가 이리저리 머리를 굴리며 앞으로 나아간다고 가정해 보쇼. 그런다고 부딪히지 않을 것 같소이까? 그래도 마찬가지일 거요. 그러니 전속력으로 전진할 수밖에 없는 거죠! (...) 사람마다 바보스러운 데가 있지만, 세상에서 제일가는 바보는 자기가 바보스럽지 않다고 생각하는 인간이오."

이만하면 실존주의자 철학자들이 조르바를 얼마나 귀히 여길지 납득이 되지 않습니까? 비록 이 세상에 홀로 내던져져 있지만, 퇴락된 자기 모습을 극복하여 본래적 모습을 회복한 후에 자기 가능성에 전력투구하는 모습이 조르바의 인생 속에 고스란히 구현되어 있기 때문이지요. 인생의 무의미성에 고뇌하던 많은 현대인에게 이 "그리스인 조르바"가 준 크낙한 위로도 읽을 수 있으리라 봅니다. 원래 무의미한 삶이라고 여기며 살아가던 그들에게, 자신의 본래적 모습의 회복이라는 화두와 자신이 선택한 자기 가능성에 한 몸 던지는 기획투사라는 화두는, 캄캄하기만 한 인생에 새로운 의미의 광명을 부여해 준 것과 진배없겠지요.

-조르바와 코헬렛-

한 번뿐인 인생, 언제라도 죽음에 직면해야 하는 인생을 염두에 두면서, 매일 치열하게 일하고 음식과 성과 음악과 자연 만물을 즐기고 찬양하는 조르바를 보면서 구약의 전도서가 떠올랐습니다. 이세상의 삶이 행복과 즐거움(happiness and enjoyment)을 낳을 수있다는 점을 전도서처럼 노골적으로 증거하는 성경을 찾아보기 힘들기 때문입니다. 아래 구절들을 한 번 묵상해 보세요.

(2:24) 사람이 먹고 마시며 수고하는 것보다 그의 마음을 더 기쁘게 하는 것은 없나니 내가 이것도 본즉 하나님의 손에서 나오는 것이로다
(3:12, 22) 사람들이 사는 동안에 기뻐하며 선을 행하는 것보다 더나은 것이 없는 줄을 내가 알았고 / 그러므로 나는 사람이 자기 일

에 즐거워하는 것보다 더 나은 것이 없음을 보았나니 이는 그것이 그의 몫이기 때문이라 아, 그의 뒤에 일어날 일이 무엇인지를 보게 하려고 그를 도로 데리고 올 자가 누구이랴

(5:18) 사람이 하나님께서 그에게 주신 바 그 일평생에 먹고 마시며 해 아래에서 하는 모든 수고 중에서 낙을 보는 것이 선하고 아름다움을 내가 보았나니 그것이 그의 몫이로다

(9:7, 10) 너는 가서 기쁨으로 네 음식물을 먹고 즐거운 마음으로 네 포도주를 마실지어다 이는 하나님이 네가 하는 일들을 벌써 기쁘게 받으셨음이니라 / 네 손이 일을 얻는 대로 힘을 다하여 할지어다 네가 장차 들어갈 스올에는 일도 없고 계획도 없고 지식도 없고 지혜도 없음이니라

(11:9) 청년이여 네 어린 때를 즐거워하며 네 청년의 날들을 마음에 기뻐하여 마음에 원하는 길들과 네 눈이 보는 대로 행하라 그러나 하나님이 이 모든 일로 말미암아 너를 심판하실 줄 알라

35세인 백면서생 화자에게 조르바가 충격적인 인물이었듯이, "죄 많은 이 세상은 내 집 아니네"를 읊조리며 사는 그리스도인들에게도 전도서는 충격적인 책입니다. 전도서의 히브리어 제목은 '코헬렛'(qohelet)으로 발음되며 '모으다'(assemble)라는 의미를 가진 동사에서 비롯된 단어입니다. 이 단어의 그리스어(영어도 동일함)가 바로 ecclesiastes로서 구약 성경을 헬라어로 번역한 "70인역"에서 사용되었습니다. 이 단어는 회중을 모으고 그들에게 연설하는 사람 혹은 설교자라는 의미를 띠고 있으며, 전도서 본문에서는 '전도자'로 표기되어 있습니다.

전도서를 이해하는 데 어려움을 주는 것은 우선 그 저자가 누구인가라는 문제부터 시작됩니다. 전통적으로는 솔로몬이라고 주장되었지만, 그 내용을 꼼꼼히 읽어가다 보면 그 주장의 문제점이 드러납니다. 결정적인 것은 1장의 프롤로그(1:1-11)와 12장의 에필로그(12:9-14)에서 코헬렛(전도자)을 삼인칭으로 받는다는 점과 에필로그에서는 자기 아들에게 권면하는 인물, 즉 '제2의 지혜자'

(frame-narrator) 혹은 '숨어 있는 저자'(the implied author)라고 불리는 사람이 등장한다는 점입니다. 이 두 부분은 전도서의 본문 (1:12-12:8)에서 코헬렛을 일인칭(예, 1:12)으로 사용하는 것과 확연한 대조를 보이고 있지요. 그렇다면 전도서는 익명의 저자가 프롤로그에서 코헬렛을 소개해 주고, 본문을 통해 코헬렛의 주장을 서술해 가다가, 에필로그에서 코헬렛이 주장한 내용에 대해 평가해 주는 구조를 가졌다고 볼 수 있겠습니다.

이런 전도서와 비슷한 구조를 가진 것이 바로 욥기입니다. 욥기의 경우에도 프롤로그(1-2 장)와 에필로그(42 장)가 존재하고 그 둘 사이에 무려 서른다섯 장[하나님께서 등장하셔서 말씀하시는 38-41 장 제외]이나 되는 본문 내용이 등장하지요. 그 본문 중에는 그리스도인들이 전적으로 수용할 수 없는 내용들이 수두룩합니다. 특히 욥의 세 친구가 한 말의 경우는 하나님께서 옳지 않다고 거듭 말씀하시면서 터지는 분노를 참을 길 없다고 하실 정도였습니다 (42:7-8). 심지어는 욥의 고백 내용 중에도 받아들일 수 없는 내용도 있지요(예컨대, 자신이 태어난 날 저주하는 것-3:1 이하). 그래서 욥기를 읽을 때는 이 에필로그에서 하나님께서 평가해 주신 것에 근거하여 주의 깊게 그 내용을 이해하고 해석해 가야 합니다. 성경의 다른 부분에서 하나님께서 명백하게 제시해 주신 내용과 견주어 이해하고 해석하는 지혜가 절실히 요구되는 것입니다.

이런 사정은 전도서의 경우에도 적용되지 않을까요? 에필로그에서 제시된 궁극적인 인생의 원리, 즉 "일의 결국을 다 들었으니 하나님을 경외하고 그의 명령들을 지킬지어다 이것이 모든 사람의 본분이니라 하나님은 모든 행위와 모든 은밀한 일을 선악 간에 심판하시리라"(12:13-14)는 말씀의 기조에 따라 전도서 내용을 이해해 가야 할 것입니다. 한편으로는, 전도서에서 세 개의 표현, 즉 "해 아래"(30 회), "헛되다"(22 회), "바람을 잡으려는 것"(7 회)이 되풀이되어 나타나는 점에 주목해야 합니다. 그렇다면 전도서 속에는 회의주의자나 유물론자나 세속주의자들의 언명이 다수 포함되어 있어, 인생의 헛된 측면(the futility of life)을 묘사하는 내용을 분별하는 작업이 필요하다는 점을 인식할 수 있습니다. 그렇지만 다른 한편으로는, "전도자는 힘써 아름다운 말들을 구하였나니 진리의 말씀들을 정직하게 기록하였느니라"(12:10)는 평가를 고려해야 합니다. 그렇다면 욥기의 사정과는 차원이 다른 진리의 말씀들이 포함되어 있어, 실제적인 믿음에 대한 지혜(the answer of practical faith)를 포함한 내용을 발견할 수 있다는 기대가 요청된다는 점을 깨달을 수 있습니다.

전도서 1-3 장을 예로 들어보겠습니다. 1 장에서는 모든 것이 헛되다는 코헬렛의 천명과 함께(1:1-2), 자연이란 닫힌 시스템이고 역사는 단지 사건들의 연속에 불과하며(1:3-11), 지혜는 사람을 실망시킨다는 점(1:12-18)을 지적합니다. 2 장에서도 쾌락이란 사람들을 만족시켜 주지 못하며(2:1-11), 지혜도 쾌락을 주는 것들보다 더 높이 평가되겠지만, 결국 죽음이 지혜로운 자나 어리석은 자에게 똑같이 닥친다(2:12-23)고 언급합니다. 그렇지만 2:24-26 에서는 이런 헛된 측면에 대한 실제적인 지혜를 제공해 줍니다. 즉 인생을 하루하루씩 하나님으로부터 받아 누리며 일상적인 생활 속에서 당신께 감사하고 당신을 영화롭게 하라는 것입니다.

(2:24-26) 사람에게는 먹는 것과 마시는 것, 자기가 하는 수고에서 스스로 보람을 느끼는 것, 이보다 더 좋은 것은 없다. 알고 보니, 이것도 하나님이 주시는 것, 그분께서 주시지 않고서야, 누가 먹을 수 있으며, 누가 즐길 수 있겠는가? 하나님이, 마음에 드는 사람에게는 슬기와 지식과 기쁨을 주시고, 눈 밖에 난 죄인에게는 모아서 쌓는 수고를 시켜서, 그 모은 재산을 하나님 마음에 드는 사람에게 주시니, 죄인의 수고도 헛되어서 바람을 잡으려는 것과 같다. (새번역)

이 지혜는 3 장에도 계속 이어집니다. 한 걸음 한 걸음씩 인생을 살면서 오직 하나님만이 모든 계획을 아시고 계심을 기억하라고 권면합니다(3:1-15). 그다음으로 헛된 인생의 측면인 불의(injustice)의 문제를 거론한(3:16) 후에, 이어서 하나님께서 모든 것을 심판하신다(3:17)는 실제적인 지혜를 제공해 줍니다. 그리고 인간이 짐승들처럼 죽는 헛된 인생의 면모를 제시하면서(3:18-21), 바로 그 이유로 죽음을 주관하시는 하나님께서 이생에서 영광 받으셔야 한다(3:22)는 실제적인 지혜를 일러주는 것이지요.

하나님께서 친히 창조해 주신 이 세상은 중요합니다. 하나님의 진선미가 밝히 드러나 있는 매개체일 뿐 아니라 우리가 살아가는 삶의 장이기도 하기 때문입니다. 이 세상을 통해 우리는 하나님의 선과 지혜와 의를 깨닫게 되고 그 혜택들을 누리며 삽니다. 이 점을 성경이 우리에게 밝히 계시해 주고 있습니다. 즉 이 세상의 삶이 자연과 음식과 예술과 성과 인간관계를 통해 우리에게 행복과 즐거움을 선사해 주고, 우리가 그것들을 감사함으로 받아 누리게 되어 있다는 것입니다. 그렇지만 세상과 세상에 속한 것들이 '헛된 것'으로 변질되는 경우가 적지 않습니다. 바로 우리가 그것들을 도구가 아닌 목적으로 인식한 채, 그것들을 취하는 것을 인생의 주된 목적으로 여기게 될 때입니다. 이 차원 또한 성경은 곳곳에서 밝히 증거해 주고 있습니다. 그러므로 해 아래 있는 삶을 올바로 수용할 수 있는 길이 존재하는 것입니다. 그 길은 결코 회의주의(scepticism)나 비관주의(pessimism)가 아닙니다. 그 길은 창조주 하나님을 경외하고 신뢰하는 것입니다(전도서 12:13-14).

(전도서 12:13-14) 할 말은 다 하였다. 결론은 이것이다. "하나님을 두려워하여라. 그분이 주신 계명을 지켜라. 이것이 바로 사람이 해야 할 의무다. 하나님은 모든 행위를 심판하신다. 선한 것이든 악한 것이든 모든 은밀한 일을 다 심판하신다. (새번역)

마치 현대판 코헬렛처럼 인생의 온갖 주제에 대해 자기 견해를 자신 있게 설파한 조르바의 삶을 평가하는 데에도 이런 시각이 주효할 것입니다. 앞에서 이미 언급했듯이, 조르바는 퇴락한 자신의 삶을 일깨우는 "양심의 부름"에 응답함으로써 본래 자기의 모습으로 회복될 수 있었습니다. 자연이 베풀어준 온갖 향연을 만끽하면서도, 갖가지 굴레를 집어던진 채 자유를 누리고 해방을 외치며 일

평생 살아갔습니다. 그렇지만 다른 한편으로 그가 경험하고 변호하는 성적인 자유를 적나라하게 고려해 본다면 그는 "난봉꾼 중의 난봉꾼"이기도 했습니다. 여성을 한없이 존중하고 찬양한다고 하면서도, 수도 없이 많은 여성을 정복한 전력이 있기 때문입니다. 그런데도 그가 자신의 본래적 모습을 회복하는 자유를 누렸다고 평가해 줄 수 있습니다. 그렇지만 그는 "죽음을 향해 미리 달려가 봄"이라는 차원은 거치지 못했습니다. 자신이 언젠가 반드시 죽게 되어 이 세상을 떠날 수밖에 없다는 사실을 자각하고 수용할 수는 없었던 것입니다. 이런 그가 일부러 죽음을 향해 미리 달려가 보지 않으려 했던 것은 당연한 일이었습니다. 자기는 죽음을 응시하지만 죽음이 두렵지 않다고 여러 번 언급합니다. 다만 죽음을 좋아하지 않는다고 하지요. 그러면서 아직 못 한 게 있어 천 년 동안 살기를 원합니다. 아마도 이 점은 조르바만의 한계가 아니라 니체, 하이데거, 사르트르, 카뮈가 주도한 20세기 실존주의 신학의 한계일 것입니다. 어디서 왔는지 모르기에, 아니 믿지 않기에, 어디로 가는지도 모르고 믿지 않는 것이지요. 죽음을 향해 미리 한번 달려가 보는 것만으로 죽음의 문제는 해결되지 않습니다.

■"신약으로 가면 우리는 예수 그리스도께서 코헬렛이 겪었던 허무와 헛됨으로부터 우리를 구원하셨다는 것을 보게 된다. (...) 그 결과 기독교인들은 코헬렛이 가장 고통스러워한 것들 속에서 심오한 의미들을 경험할 수 있다. 예수는 지혜, 수고, 사랑, 삶의 의미를 회복시키셨다. 결국 죽음을 맞이함으로써 예수께서는 코헬렛이 가장 크게 두려워한 것을 정복하셨으며, 사망이 모든 의미 있는 것들의 끝이 아니라 하나님의 임재 앞으로 나아가는 입구라는 것을 보여주셨다." (딜러드와 롱맨)

-조르바와 카잔차키스-

비록 "그리스인 조르바"를 전도서의 시각으로 독해할 수 있다고 하더라도, 잊지 말아야 할 것은 "그리스인 조르바"가 전도서가 될 수는 없다는 점입니다. 그 구성과 내용이 서로 비슷하다고 해서 욥기가 전도서가 될 수 없듯이, "그리스인 조르바"도 전도서가 될 수는 없습니다. 각각 독특한 양식과 내용을 품고 있는 창의적인 문학 작품입니다. 하나님께서 당신의 일꾼들에게 영감을 허락해 주셔서 당신의 오묘한 뜻을 펼쳐 보이신 예술 작품인 것입니다. 그래서 한 작품 한 작품 대할 때마다, 열린 마음과 외경심을 갖고 그 속에서 하나님께서 뭐라고 말씀하시는가를 귀담아 듣고 되새김질해야 합니다.

조르바를 영웅으로 보는 것과 카잔차키스를 영웅으로 여기는 것은 다른 문제입니다. 조르바가 카잔차키스의 전모가 아니기 때문입니다. 비록 조르바가 카잔차키스 인생 여정에 있어 주요한 도반 중 한 사람이긴 했으나, 계속 안주할 수 있는 피난처나 인생 종착지가 될 수는 없었습니다. 카잔차키스의 인생 종착지는 따로 있었습니다. 예수 그리스도이셨습니다. "그리스도의 최후의 유혹"(The Last Temptation of Christ, 1951)을 출판한 이후에 바티칸이 그 작품을 금서 목록(the Index)에 포함한다고 발표했을 때, 그가 "주님, 당신의 법정에 저는 상고합니다."[In Your Courtroom, Lord, I Appeal. (터툴리안의 고백)]라고 외친 이유입니다. 그는 그리스도를 구주로 믿는 자로서 자신의 신앙 양심과 상상력에 의해 그 작품을 집필했던 것입니다.

카잔차키스는 자기 삶에서 오직 "가장 높은 정상에 다다르기 위해 한 걸음 한 걸음 나아가려는 노력"만을 가치 있는 것으로 여기며 평생 치열하게 살아간 작가입니다. 학창 시절부터 베르그송에게 철학을 배우고 니체와의 유대를 다지며 지내다가, 니체를 버리고 불교에 빠졌고, 다음에는 불교에서 레닌으로, 나중에는 레닌에서 오디세우스로 옮겨 가면서 자신의 영적 여정을 진행해 갔습니다. "그리스인 조르바"의 실제 인물인 조르바와의 만남은 1917 년, 그의 나이 30 대 중반에 이루어졌습니다. 바로 그해에 이루어진 러시아 혁명과 조르바와의 만남으로 인해, 당시에 행동적인 삶을 열렬하게 흠모하면서 그런 삶에 적극적으로 참여하려 했던 카잔차키스의 욕망에 불이 붙게 되었습니다. 자유를 대의명분으로 내세운 혁명이란 화두가 그를 격렬하게 몰아가고 있던 시기였기 때문입니다. 그 당시 우정의 결과로 태어난 것이 바로 "그리스인 조르바"였습니다. "행동과 명상 사이의 갈등"을 가장 큰 주제로 다루었다고 평가되는 책입니다. 이렇게 다양한 인물들과 종교 및 이데올로기를 경험하고 그 가운데서 자기를 확장하고 상승해 가던 중에, 그는 마침내 그리스도에게로 귀착하게 됩니다. 그의 작품들을 여러 권 영역한 피터 빈이 지적한 대로, "과거의 모든 과정이 풍요하게 결실을 본 그리스도에로의 귀착"이었습니다.

이렇게 치열했던 그의 인생을 요약한 글 한 자락을, 그의 사후에 출판된 "영혼의 자서전"(Report to Greco) 속에서 발견할 수 있었습니다.

■"우리들의 삶은 전체가 상승, 절벽, 고독이다. 우리들은 많은 동료 투쟁자와, 많은 사상과, 거대한 일행과 함께 출발한다. 하지만 우리들이 올라가도 정상이 이동하여 자꾸 멀어지면, 다른 투쟁자들과 희망과 사상은 숨이 차서 더 높이 올라갈 마음이나 능력이 없어져, 우리에게 작별을 고한다. 움직이는 정상에서 눈을 떼지 않았던 우리들만 남았다. 우리들은 언젠가는 정상이 움직이지 않아서 우리들이 거기에 다다르게 되리라는 순진한 확신이나 교만에 마음이 흔들리지 않으며, 그곳에 도달한다고 할지라도 높은 그곳에서 행복과 구원과 천국을 찾으리라고는 믿지 않는다. 우리에게는 올라간다는 행위 바로 그 자체가 행복이요, 구원이요, 천국이기 때문에 올라갔다."

이 글 한 자락을 읽는 중에 사도 바울의 빌립보서 고백이 떠오른 사람이 저 혼자뿐일까요?

■"그리하여 나는 어떻게 해서든지, 죽은 사람들 가운데서 살아나는 부활에 이르고 싶습니다. 나는 이것을 이미 얻은 것도 아니며, 이미 목표점에 다다른 것도 아닙니다. 그리스도 [예수]께서 나를 사로잡으셨으므로, 나는 그것을 붙들려고 좇아가고 있습니다. 형제자

매 여러분, 나는 아직 그것을 붙들었다고 생각하지 않습니다. 내가 하는 일은 오직 한 가지입니다. 뒤에 있는 것은 잊어버리고, 앞에 있는 것을 향하여 몸을 내밀면서, 그리스도 예수 안에서, 하나님께서 위로부터 부르신 그 부르심의 상을 받으려고, 목표점을 바라보고 달려가고 있습니다. 그러므로 누구든지 성숙한 사람은 이와 같이 생각하십시오. 여러분이 무엇인가를 달리 생각하면, 하나님께서는 그것도 여러분에게 드러내실 것입니다." (빌립보서 3:11-15, 새 번역)

그러므로 "그리스인 조르바"(1946년)의 독해는, 카잔차키스가 이어 집필한 "그리스도의 최후의 유혹"(1951년)과 "위대한 성자 프란체스코"(St. Francis of Assisi, 1953)와 견주어 비교해 보며 이루어지는 게 이상적입니다. 카잔차키스의 영적 여정과 집필 방향의 의미를 헤아릴 수 있어야 하기 때문입니다. 예컨대 자타가 공인하는 조르바의 자유를 흠모하는 이들이 전 세계에 무수하게 존재하지만, 그 자유는 프란체스코가 고백하고 누린 자유와는 차원이 다른 것이었습니다. 전자는 조국, 종교, 재물, 인습 및 도덕으로부터의 자유였지만, 후자는 육신의 정욕 및 세상 명예와 같은 자기 욕망으로부터의 자유였기 때문입니다.

■"이 얼마나 행복합니까?" 그는 입버릇처럼 되풀이했다. "아무런 고집도 피우지 않고 '나'라는 소리는 입 밖에도 내지 않고 살아가니 이 얼마나 즐거워요! 내가 누구라는 것도 잊고 하느님의 바람결에 따라 아무렇게나 나를 맡겨두는 것이 얼마나 신명 나는 일인가요! 그것이야말로 진실한 자유가 아니던가요! 레오 형제, 어떤 사람이 자유로운 사람이냐고 누군가 질문하면 당신은 뭐라고 답하겠소. 그 사람은 바로 하느님의 종이라오! 그 밖의 자유는 사실, 속박이라오." ("위대한 성자 프란체스코")

이처럼 "그리스인 조르바"만으로는 카잔차키스의 전모를 읽어내기 힘듭니다. 그 책만으로 카잔차키스를 조르바와 동일시하는 것은 속단이라고 할 수 있습니다. 그래서 저는 이렇게 질문해 봅니다. 과연 "그리스인 조르바"(1946년) 속의 화자가 35세의 카잔차키스가 아니라, "위대한 성자 프란체스코"(1953년)를 출판하던 70대의 카잔차키스였다면 어떤 반응과 평가를 남겼을까요?

4. 공포와 호기심이란 키워드로 인간의 본질을 섬세하게 관찰한 에드거 앨런 포

이 세상에는 공포 소설(horror fictions)이나 공포 영화(horror movies)를 좋아하는 이들이 많습니다. 요즘엔 공포 장르보다는 스릴러물(thriller genre)을 좋아하는 이들이 더 많다고 하지만, 여전히 공포물을 선호하는 이들이 건재합니다. 무시무시하고 으스스한 배경하에서, 귀신이나 좀비나 뱀파이어 혹은 보기 흉측하게 변형된 괴물이나 곤충들이 나타나, 끔찍하고 소름 끼치는 파국적인 사건을 낳는 공포물을 선호하는 심리는 언뜻 이해하기 힘듭니다. 이 사실을 인식하기 때문인지 공포물을 좋아하는 사람들도 그러한 자기 경향을 드러내놓고 말하지 못하는 경우도 적지 않습니다. 왜 사람들은 공포물에 끌릴까요?

-허구의 세계에 대한 선호-
이 질문에 답하기 위해선 먼저 보다 근본적인 다른 질문을 다루는 게 도움이 됩니다. 왜 사람들은 소설이나 연극이나 영화와 같은 허구(fiction)의 세계를 좋아할까요? 공포물들이 죄다 이 허구의 세계에 포함되기 때문입니다. 인류의 역사를 돌이켜 보면 인간은 전 세대에 걸쳐 이 허구의 세계를 사랑했습니다. "옛날 옛적에"로 시작하는 옛날이야기나 민담을 비롯하여 신화, 서사시, 희비극, 소설, 영화와 같은 것들이 각 시대의 깊은 필요에 응답해 주었습니다. 허구라는 단어는 일반적인 의미로 사용될 때는 사실이 아닌 것을 가리키지만, 인문학적으로는 '지어낸 이야기' 혹은 '소설'을 지칭합니다. 상상력을 활용하여 '지어낸 이야기'라는 의미에서 보면 연극이나 영화도 허구라고 볼 수 있겠지요. 그런데 "일어났던 일은 아니더라도 있을 법한 일"을 꾸며내는 이 이야기는 중차대한 가치를 띠고 있습니다. 당대의 비극을 그렇게 규정한 아리스토텔레스는 그 허구의 가치를 이런 취지로 설명하지요. 그것이 비록 지어낸 것이긴 하지만 '보편적인 것'을 탐구하는 데 기여하기 때문에, '있었던 일을 그대로 기록할 수밖에 없는 역사'보다 더 중요하다고 말입니다. 그런데 허구가 이렇게 가치 있는 장르라도, 사람들이 그것을 좋아하는 것은 그것이 일구어내는 감성적인 반응과 떼어 설명할 수 없습니다. 그 정서적 반응이 없다면 사람들이 허구의 세계를 선취할 리가 없기 때문이지요. 아리스토텔레스가 언급한 그 가치는 그 허구의 세계를 경험할 때 비로소 우리의 것이 됩니다.

그렇다면 허구의 세계가 어떻게 감정적 반응을 낳을 수 있을까요? 분석미학자인 이해완 교수에 의하면, 지난 세월 동안 몇 가지 답변이 제시된 적이 있습니다. 첫째, 불신의 유예(suspension of disbelief)로 인해 감정이 유발된다는 것입니다. 우리가 허구를 읽는 동안 자기 의지로 그것이 꾸며낸 이야기라는 믿음을 유보해 둔다는 관점입니다. 이 시각의 문제는 자신의 내부에서 비롯된 인지적인 믿음을 의지로 통제할 수 없다는 데 있습니다. 오늘 점심으로 라면을 먹었는데 냉면을 먹은 것으로 믿자고 의지를 동원하는 일은 허사라는 것이지요. 이런 의지가 감정적 반응을 낳을 리가 만무합니다. 둘째, 허구의 플롯이나 수사법 같은 예술적 장치가 감정적 반응을 견인한다는 것입니다. 플롯이 탁월한 소설이 우리에게 더욱 명징한 시각을 선사해 주고 절묘한 은유적 표현들이 가슴을 시원하게 해 주는 경우가 적지 않지만, 그것들이 우리가 소설에서 경험하는 주요한 감정적 반응을 다 설명할 수 있을까요? "가재가 노래하는 곳"(2018)에서 카야를 겁탈하고 그녀에게 폭력을 행사하는 체이스에게 화가 치밀어오르는 것은 그 인물 됨됨이에 대해서이지 그 작품의 플롯 때문이 아닙니다.

셋째, 믿는 척하기(make-believe)가 정서적 반응을 야기한다는 것입니다. 허구를 접할 때 느끼는 감정은 그것을 도구로 하여 게임을 하던 중 발생한 '유사(pseudo) 감정'일 뿐, 참된 감정이 아니라는 입장이지요. 현상적으로는 감정으로 느껴지지만, 현실 속에서 행동을 견인하는 역할을 감당하는 감정과는 다르다는 말입니다. 그렇게 볼 수도 있지만, 다른 시각도 얼마든지 가능합니다. "더버빌가의 테스"에서 테스의 인생을 망친 망나니 알렉이 우리 속에 불러일으키는 것은 유사 감정이 아닙니다. 그가 우리 눈앞에 있다면 욕이라도 퍼부어줄 수 있는 실제적인 분노입니다. 그렇지만 우리는 그 분노가 행동으로 연결되지 않도록 유의하지요. 넷째, 우리 '생각'이 감정적 반응을 유발한다는 것입니다. 확고한 명제를 참이라고 수용하는 믿음과는 달리 이 '생각'은 확고하지 않은 마음속 명제, 혹은 그저 머릿속에 떠올리는 상념 정도를 의미합니다. 그런데 이 '생각'이 감정을 유발하는 인지적 요소 역할을 감당한다는 것이지요. 물론 그 상상만으로 형성된 특별한 감정이 항상 합리적인 것은 아닙니다. 예컨대 특정 정치인이 자기 동료들과의 회합에서 취했을 법한 행태를 생각만 해도 울화가 치미는 경우가 있는가 하면, 이순신 장군이 절체절명의 시기에 결단하고 실행했을 법한 행동은 생각만 해도 가슴이 따뜻해집니다. 이런 감정 반응이 비합리적이라고 볼 수도 있지만, 허구에 대한 우리의 감정 반응과 많이 닮았다는 점은 유의해야 할 대목입니다. 그리하여 요즘에는 감정의 인지적 요소가 믿음이라기보다는 '생각'이라는 이 주장에 더욱 힘이 실리는 형국입니다. (이해완, "불온한 것들의 미학" 참조.)

이렇게 정리해 볼 수 있겠습니다. 사람들이 허구의 세계를 좋아하는 것은 그것을 통해 긍정적이거나 부정적인 정서를 경험하기 때문입니다. 그런 감정에는 잘 짜인 플롯이나 정치한 수사법을 통해 전달되는 미적 감흥도 포함되겠지만, 대개는 작가가 묘사한 개연성 있는 상황과 문맥 속에 자신을 이입한 독자가 관찰하고 해석하면서 형성한 생각이 유발한 감정들이 주를 이룹니다. 그 감정들은 그 허구가 지어낸 세계라는 믿음을 유보해서 생긴 것도 아니고, 그것이 진짜라고 믿는 척해서 형성된 것도 아닙니다. 이제 문제는 왜 우리가 끔찍하고 무시무시한 부정적인 경험이 주를 이루는 공포 소설이나 연극이나 영화를 선호하는가입니다.

-공포물에 대한 선호(3C)-

공포와 두려움의 통제(Control of horror and fear). 인생은 고단하고 어렵습니다. 삶의 단계마다 차원이 다른 난관과 고통이 기다립니다. 그래서 두렵고 떨릴 때가 허다합니다. 흥미롭고 아름다우며 보람찬 인생의 측면들을 무시한다는 말이 아닙니다. 그 측면들을 극대화하기 위해서라도 생로병사라는 현실적 삶의 고통을 직시해야 한다는 의미입니다. 자기가 호텔에서 쉬고 있다고 생각하는 것보다 훈련소에서 단련하고 있다고 여기는 것이 녹록하지 않은 삶의 현실을 더 가볍고 활기찬 마음으로 극복하게 해 줍니다. 고통과 두려움을 느끼지 않겠다고 마음먹는다고 해서 그것들이 덜해지는 경우란 없습니다. 도리어 그 반대가 되는 경우가 많지요. 그런데 자발적으로 고통과 공포에 직면하게 되면 시간이 지남에 따라 그 강도가 떨어집니다. 예컨대 이 세상 만민들이 두려워하는 것 중 하나인 연설도 일단 시작하고 나면 그 공포감이 확연하게 줄어들지요. 공포물을 접하는 것이 바로 이런 시도 중 한 가지입니다. 공포 소설과 영화를 통해 두려워하는 대상에 직면할 때, 그것의 가면을 벗겨내거나 그 정체를 밝혀냄으로써 그 실체를 파악하게 됩니다. 그렇게 되면 더 이상 그 대상을 두려워하지 않게 되거나, 그 두려움을 통제할 수 있지요.

이런 공포물의 가치를 미국 판타지 소설 작가인 루사나 엠리스 (Ruthanna Emrys)는 이렇게 정리합니다. 그녀는 공포물의 기반을 "세상은 무서운 것들로 가득 차 있다는 한 가지 진실"(one truth: that the world is full of fearful things)이라고 봅니다. 그렇지만 "최고의 공포물"(the best horror)은 그 이상의 것을 가르쳐 준다고 합니다. 과연 그 이상의 것이 어떤 것들일까요? "두려움을 안고 살아가는 방법"(how to live with being afraid), "진짜 악과 무해한 그림자를 구별하는 방법"(how to distinguish real evil from harmless shadows), "반격하는 방법"(how to fight back), "살아남든 살아남지 못하든 우리가 최악의 악에 맞서 싸울 수 있다는 사실"(we can fight the worst evils, whether or not we all survive them.) 및 "그 후에 우리 이야기가 들려줄 가치가 있는 사람이 되는 방법"(how to be worthy of having our tales told afterward.) 들입니다. 우리는 공포물을 통해 등장인물의 험난한 여정을 따라가면서 그들이 겪는 육체적, 감정적 고통을 느끼거나, 그들이 끔찍한 일이나 무시무시한 상황에 직면할 때 함께 나란히 서 있게 됩니다. 설령 그 과정이 지옥에 갔다 온 것처럼 느끼더라도, 이 모든 경험은 안전하고 통제된 상황에서 진행됩니다. 그 과정에서 우리는 엠리스가 지적한 이런 특권들을 배우고 누림으로써 성장하게 되는 것입니다.

카타르시스(Catharsis, 부정적 감정의 해소와 마음의 정화). 공포를 주는 대상에 직면할 때 그 공포감의 정도가 줄어드는 것뿐 아니라, 그 공포감이 해소되고 마음이 정화되는 것을 경험하게 됩니다. 우리나라 공포 소설 작가 전건우의 경험을 예로 들어 보겠습니다. "전설의 고향"을 좋아하던 그의 어린 시절(10 세) 이야기입니다. 비가 억수같이 쏟아지던 어느 여름날 다세대 주택 1 층에 살던 그의 집 문틈 사이로 시커먼 물이 넘어 들어오기 시작했습니다. 동네 하수구가 막혀 저지대에 있던 그의 집을 덮친 상황이었습니다. 부모님이 바가지와 세숫대야를 동원해 물을 퍼내셨으나 역부족이었습니다. 그 귀신 같은 그 검디검은 물을 바라보면서, 그는 너무 무서워올 수밖에 없었습니다. 그렇지만 남동생 3 명을 의식해서 울음을 꾹 참고 있었습니다. 그러던 중 얼마 후 비가 잦아들기 시작하더니, 물도 서서히 빠져나가기 시작했고 부모님도 허리를 펴시고는 웃으시며 걱정하지 말라고 하셨지요.

그날 밤 지치신 부모님이 잠자리에 드시고 난 후 그만 홀로 "전설의 고향"을 보기 시작했습니다. 몸져누운 남편을 살리기 위해 전력투구하는 부인에 관한 이야기였습니다. 처음에는 자기가 좋아하는 귀신이 나오지 않아서 실망했지만, 어떤 스님이 그 부인에게 한 말이 그의 관심을 끌었습니다. 무덤을 파서 시체 다리를 잘라 와 고아 먹이면 남편 병이 낫는다고 제안했기 때문입니다. 그 부인은 고민할 수밖에 없었지만, 결국 밤에 식칼을 들고 부엉이 소리가 울려퍼지는 산으로 갑니다. 어느 무덤을 파헤쳐 관 뚜껑을 열고 시체의 한쪽 다리를 잘라 도망을 치기 시작하지요. 그런데 바로 그때 전 작가는 그동안 시청한 "전설의 고향" 에피소드와는 차원이 다른 극한의 공포를 체험하게 됩니다. 자기 다리가 잘린 시체가 껑충껑충 뛰면서 그 부인을 쫓아오기 시작했기 때문입니다. "내 다리 내놔라!" 그 귀신의 몰골을 보면서 전 작가는 '감당할 수 없는 공포'라는 사실을 직감했습니다. 그래서 그 시체가 그 말을 서너 번 외쳤을 때 전 작가는 울음을 터뜨렸습니다. 그때 따뜻한 손길로 자기 머리를 만지고 자기 등을 쓰다듬기 시작하신 어머니 품속에서 그는 그날 쏟아진 폭우처럼 마구 눈물을 흘리며 울고 말았습니다. "엄마, 나 무서워." 속수무책이었던 그 시커먼 물을 볼 때부터 말하고 싶었지만, 꾹꾹 눌러 참고 있던 말이었습니다.

좀 진정이 된 후 전 작가가 텔레비전을 쳐다보니, 그 귀신은 사라지고 솥뚜껑을 여는 부인 모습이 나왔습니다. 그 안에는 커다란 산삼이 들어 있었지요. 결국 그 산삼 달인 물을 마신 남편이 완쾌되어 환한 얼굴로 벌떡 일어나게 됩니다. 그 남편처럼 전 작가도 아주 개운하고 환한 얼굴이 되었다고 합니다. 마음속에 뭉쳐 있던 응어리가 풀려나간 느낌이었습니다. 가난한 단칸방 신세는 여전했고 수챗물이 언제 또 넘칠지 모르는 상황이었으나, 그는 더 이상 무섭지 않았습니다. 아무리 사태가 무시무시하게 전개되어도 '다리 내놔라' 귀신보다 더 무서울 수는 없었던 것이지요. "무섭다는 감정의 저 아래에는 그걸 극복한 뒤 찾아오는 놀랄 만큼 개운한 해방감이 기다리고 있다는 사실을 어렴풋이 눈치챈 것"이 바로 그때였다고 합니다. 이런 긍정적인 경험들이 그의 삶 전반에 녹아들어 전 작가는 자기가 "인생의 큰 공을 굴러가는 한 계속해서 호러를 사랑하고 그것과 관련된 이야기를 쓸 것"이라고 다짐하고 있습니다. (전건우, "난 공포 소설가: 놀놀놀 시리즈 01")

죽음에 대한 직면(*Confrontation with death*). 미국 소설가 스티 븐 킹(Stephen King)은 두려움(fear)과 죽음(death)이 "인간의 두 가지 상수"(two of the human constants)라는 점에 주목합니다. 그래서 자기의 단편 소설 모음집인 "Night Shift"의 서문에서 이렇 게 주장합니다. "시대를 초월한 공포 소설의 거대한 매력은 바로 자 기 죽음에 대한 리허설 역할을 한다는 점이다."(And the great appeal of horror fiction through the ages is that it serves as a rehearsal for our own deaths.") 그는 먼저 코끼리의 일곱 가지 부위를 움켜잡은 일곱 명의 장님에 관한 우화를 나눕니다. 그들 중 한 명은 뱀(snake), 다른 한 명은 거대한 야자수 잎(giant palm leaf), 또 다른 한 명은 돌기둥(stone pillar)이라고 생각합니다. 그 들은 다 함께 모였을 때, 자기들이 코끼리의 전모를 파악했다고 여 깁니다. 킹은 여기에서 우리가 느끼는 두려움이란 감정이 바로 우 리를 장님으로 만든다고 지적합니다. 한번 생각해 보세요. 우리가 일상에서 느끼는 두려움이 얼마나 많습니까? 킹은 손이 젖었을 때 불을 끄는 것, 신체검사가 끝난 후 의사가 전해 줄 말, 비행기가 갑 자기 공중에서 크게 흔들리는 것, 깨끗한 공기와 물이 사라지는 것, 11 시까지 귀가하기로 한 딸이 12 시 4 분이 되어도 들어오지 않는 것과 같은 예를 들지요. 그리하여 "두려움은 우리를 장님으로 만들 고, 우리는 코끼리와 같이 있던 장님들처럼 백 개의 부분으로 그 전체를 이해하려고 이기심에 가득 찬 호기심(all the avid curiosity of self-interest)으로 두려움 하나하나를 건드립니다."

백 가지 두려움을 합친 전체의 모습은 어떤 것일까요? 머리, 귀, 눈, 코, 입, 팔, 손가락, 배, 다리, 발가락과 같은 부분들을 합체하 면서 조만간 우리는 그 전체가 무엇인지 깨닫게 됩니다. 그것은 "이불 밑에 있는 몸의 모양"(the shape of a body under a sheet) 입니다. 우리의 모든 두려움이 합체하여 "하나의 큰 두려움"(one great fear)이 되고, 우리의 모든 두려움은 그 큰 두려움의 일부가 되는 것이지요. '이불 밑의 몸'에 해당하는 그 큰 두려움이 무엇일 까요? 킹은 그것이 바로 우리의 죽음이라고 주장합니다. 그리고 공포 소설이야말로 죽음이 우리 각자에게 닥친 실제 상황인 것처럼 직면해서 대비하도록 해 주는 소중한 역할을 감당한다는 것입니다. 번영신학에 경도된 설교가들이 "*당신*에게는 **좋은** 일이 일어날 것" (something *good* is going to happen to *you*)이라고 말할 때, 공포 소설은 "*당신*에게 *나쁜* 일도 일어날 것"(something *bad* is also going to happen to *you*)이라고 경고해 주는 셈이지요. 우리가 사는 날 언제라도 교통사고나 암이나 심장마비가 발생할 수 있으니까요. 두려운 삶의 위경이 닥쳐오기 전에 공포물을 통해 끔찍하고 무시무시한 사생관두의 상황으로 단련된 마음은 죽음이란 최대 공포를 초극할 수 있습니다.

이러한 정보를 염두에 두면서, **"현대 단편 소설의 아버지"**로 불리는 미국 작가 에드거 앨런 포(Edgar Allan Poe, 1809-1849)의 단편 소설을 독해해 보겠습니다. 그는 단순한 작가가 아니라, 시인, 단편 소설가, 문학 이론가, 문학 비평가 및 잡지 편집자 역할을 두루 섭렵한 천재 문인이었습니다. 왕성한 작품 활동을 전개해 갈 수 있던 젊은 나이(40 세)에 생을 마감하게 되어, '요절한 천재 작가'의 대명사가 되곤 했습니다. 그의 단편 소설은 공포, 탐정, 풍자, 공상 과학을 비롯하여 다양한 하위 장르를 포함하고 있는데, 특히 추리 소설 혹은 탐정 소설은 그가 창시한 영역입니다. 코난 도일(Sir Arthur Conan Doyle)이 쓴 탐정 소설의 주인공인 셜록 홈즈 (Sherlock Holmes)와 그의 조수 존 왓슨(Dr. John Watson)도 포의 작품에 등장하는 뒤팽(C. Auguste Dupin)과 무명의 조수를 모방한 것이었습니다. "예술을 위한 예술"이라는 기치를 내걸고 문학을 윤리나 실용성의 굴레에서 해방한 낭만주의자였던 그는, 윤리성과 계몽성을 강조하던 자기 나라에서보다는 예술적으로 관대했던 프랑스에서 훨씬 더 인정을 받았습니다. 1847 년에 처음 포를 접한 프랑스 상징주의 시인인 보들레르[시집 "악의 꽃" 저자]가 "여기에 내가 쓰고 싶었던 모든 것들이 있다."라는 극찬을 한 바 있지요. 포가 남긴 66 편의 단편 소설 중 김석희 씨가 12 편을 선정하여 번역한 "에드거 앨런 포 단편선"(열린책들)을 중심으로 논의해 보겠습니다.

-포의 고딕소설의 특징-

영문학사에는 고딕소설(Gothic fiction), 고딕공포물(Gothic horror)이란 장르가 등장합니다. 18세기 후반부터 19세기 초엽에 걸쳐 영국에서 유행한 기이하고 신비로운 이야기로서, 주로 유령이나 괴물이 등장하거나 초자연적인 사건이 발생하여 공포감과 신비감을 자아냅니다. 이 장르에 속한 초기 소설들의 배경이 유럽 중세의 고딕 양식 건축물이었기에 '고딕'이란 이름이 붙었습니다. 포가 많은 이들의 사랑을 받게 된 것이 바로 이 고딕공포물 때문이었습니다. 그렇지만 포의 고딕소설은 그가 활동하던 당시에 유행한 '페니프레스'[6센트인 일반 신문과 달리 1센트라는 낮은 가격을 내세워 전 계층에서 널리 읽힌 저급 신문들]나 각종 범죄 팸플릿과는 차원을 달리했습니다. 그것들은 폭력을 생생하게 묘사하여 공포의 스릴을 추구하거나['페니프레스'의 경우] 극악한 이야기들을 또렷하게 묘사하여 본능과 호기심을 자극하는[범죄 팸플릿의 경우] 방식을 취하고 있었습니다. 반면에 포의 고딕소설은 "화자의 내면에 초점을 맞춰 인간 내면의 무의식과 불안, 광기를 탐구하는 계기로 삼음으로써 공포물을 세련된 심리물의 차원으로 끌어 올렸습니다."(권진아 교수)

-공포물이 드러내는 인간 내면의 심연-

김석희가 번역한 12편의 단편소설 중에 고딕소설 장르에 해당하는 것이 8편["병 속에서 발견된 수기"(MS. Found in a Bottle), "어셔가의 붕괴"(The Fall of the House of the Usher), "소용돌이 속으로 떨어지다"(A Descent Into the Maelstrom), "붉은 죽음의 가면극"(The Masque of the Red Death), "구덩이와 진자"(The Pit and the Pendulum), "검은 고양이"(The Black Cat), "생매장"(The Premature Burial), "절뚝 개구리"(Hop-Frog)]입니다. 그것 중 우리에게 가장 잘 알려진 작품이 바로 "어셔가의 붕괴"와 "검은 고양

이"입니다. 이 두 작품과 "구덩이와 진자"의 간략한 줄거리는 아래와 같습니다.

■"**어셔가의 붕괴**": 어릴 적 친구인 로더릭 어셔(Roderick Usher)의 부탁으로 그의 저택을 방문한 화자는 우선 그 저택이 압도적인 음산함을 띠고 있음을 발견한다. 그리고 로더릭은 건강하고 쾌활했던 어린 시절의 모습과는 달리 창백하고 겁에 질린 모습이었다. 화자가 그 집에 도착한 이후로 그의 쌍둥이 여동생인 매들린(Lady Madeline)의 건강 상태가 더 악화하여 숨을 거둔다. 그런데 나중에 그들은 그녀를 산 채로 매장했다는 사실을 알게 되고 경악을 금치 못한다. 매들린은 자기 관에서 기어 나와 로더릭의 몸을 덮쳐, 그를 "시체로, 그가 예견한 공포의 제물로 만들어 버린다." 화자가 공포에 질려 그 집에서 도망쳐 나오자, 그 저택의 벽들이 다 부서지고 옆에 있던 호수가 그 잔해들을 다 삼켜 버린다.

■"**검은 고양이**": 내일 죽게 되는 화자의 회상 내용이다. 알코올 중독자인 화자는 자신의 검은 고양이 플루토(Pluto)를 고문하다 그 목에 올가미를 감아 나뭇가지에 매달아 죽인다. 그러던 중 술집에서 가슴팍에 있는 하얀 털을 제외하고는 자기가 죽인 고양이와 거의 똑같이 생긴 길고양이를 발견하는데, 그놈이 자기를 따라 집 안으로 들어온다. 그 고양이가 자기를 좋아한다는 사실뿐 아니라 그 녀석의 하얀 털이 교수대 형틀을 띠고 있었기 때문에, 그는 더욱 그 녀석을 미워하게 되어 비이성적이고도 폭력적인 모습으로 변해간다. 그러던 중 그는 도끼로 귀찮게 구는 그 고양이를 죽이려다 실수로 자신의 아내를 내리찍는다. 그는 아내의 시체를 지하실 벽속에 집어넣고 회반죽으로 발라 버린다. 그런데 실수로 그 고양이까지 벽 속에 집어넣게 된다. 집을 조사하러 온 경찰들이 지하실을 둘러보고 올라가던 중 그는 "허세를 부리고 싶은 광기"가 발동하여 자기 지팡이로 그 벽을 치는 실수를 범한다. 바로 그때 그 벽 뒤 아내의 시체 위에 있던 애꾸눈 고양이가 울음소리를 내는 바람에 모든 것이 밝혀지고 결국 화자는 교수형을 당한다.

■**"구덩이와 진자"**: 화자는 스페인 종교재판소(the Inquisition)의 사악한 재판관들 앞에서 죄목도 명시되지 않은 범죄 혐의로 재판을 받게 된다. 그는 사형 선고를 받고 기절했다가 나중에 깨어나 완전히 어두운 방에 있는 자신을 발견한다. 처음에는 자기가 무덤에 갇혀 있다고 생각하지만, 감방에 있다는 사실을 알게 된다. 그는 감방을 탐색하기로 결심하지만, 전체 둘레를 측정하기도 전에 기절한다. 다시 깨어났을 때 그는 근처에 음식과 물이 있는 것을 발견한다. 그가 다시 감방의 둘레를 측정하려고 시도하던 중 넘어져서 깊은 구덩이 가장자리에 떨어지는 바람에 목숨을 유지한다. 다시 의식을 잃은 화자가 깨어났을 때 감옥에 불이 약간 켜져 있고 자기가 천장을 바라보는 나무 프레임에 등이 묶여 있다는 사실을 발견한다. 게다가 그 위에 흔들리는 진자가 달린 천장이 있었는데, 그 진자는 앞뒤로 흔들리며 천천히 내려온다. 그것이 자기를 두 조각으로 쪼갤 것 같아서 그는 겁에 질린다. 그러나 자기 고기를 자기를 묶은 재료 근처에 놓아두자, 쥐들이 그것을 먹어 치우면서 그의 결박도 끊어버리게 된다. 그리하여 진자가 자기 가슴을 자르기 직전에 빠져나온다. 이제는 진자가 천장으로 물러나더니 감방의 벽이 뜨거워지면서, 자기의 위치를 향해 움직인다. 그는 천천히 방의 중앙을 향해 구덩이로 떨어지게 된다. 마지막 발판을 잃고 구덩이 속으로 떨어지기 시작하자, 갑자기 굉음과 나팔 소리가 들리고 벽이 물러나면서 팔 하나가 그를 안전하게 잡아당긴다. 프랑스 군대가 톨레도(Toledo)를 점령한 것이었다.

이 세 작품을 비롯한 포의 공포물 속에는 우리가 절감하는 삶의 공포와 연관된 의미 있는 교훈들이 여럿 발견됩니다.

공포의 기원, 우리의 영혼. 공포의 종류 중에는 먼저 분석 가능한 것이 있습니다. 우리가 불이나 지진을 두려워하는 것은 그것들이 우리 생명에 직접적인 위해를 가할 수 있기 때문입니다. 공포물에 자주 등장하는 유령이나 괴물들의 경우도 마찬가지입니다. 그것들이 어떤 식으로든 우리 생명에 위협이 될 것이라고 여기기 때문입

니다. 둘째로, 개인의 기질이나 망상에서 비롯된 공포도 있습니다. 우선 광장공포증(agoraphobia)이 있는가 하면, 폐소공포증(claus-trophobia) 같은 두려움이 존재합니다. 지극히 개인적인 공포로서 각각 넓은 장소와 밀폐된 장소를 두려워하는 증상이지요. 한편으로 "검은 고양이"의 화자가 두 번째 검은 고양이에 대해 느낀 공포와 두려움은 "상상하기도 힘든 한낱 망상"(one of the merest chimaeras) 때문에 더 심해진 경우이지요. 그 녀석 가슴팍의 흰색 털이 교수대 형틀 모양을 띠고 있어서, 공포와 범죄(Horror and Crime), 고통과 죽음(Agony and of Death)을 연상시켰기 때문입니다. 이런 경우들은 각 개인의 기질과 주관적 신념과 연관된 문제라는 점을 인식할 수 있는 상황입니다.

그렇지만 셋째로, 도무지 그 원인을 종잡을 수 없는 공포도 엄존합니다. "어셔가의 붕괴"에 보면, "억누를 수 없는 전율"과 "까닭 모를 공포"라는 악령이란 표현이 나옵니다. 매들린을 지하실에 안치한 지 일주쯤 지난 밤에 잠을 자려고 할 때 이런 감정이 화자를 덮쳤기 때문입니다. 이 "설명할 수는 없지만 참을 수 없는 강한 공포심"은 아무리 "논리적으로 떨쳐 내려고 애써" 보아도 소용없었습니다. 이처럼 공포감은 논리와 이성을 초월하는 경우가 많습니다. 이상과 같이 공포의 종류를 살펴보니 이렇게 정리할 수 있겠습니다. 공포의 대상은 외부적인 것일 수 있지만, 공포의 기원은 우리 영혼 내부에 있다. 외부적인 대상이 주는 공포가 인지되는 곳도 결국 우리 영혼 속이기 때문입니다. 불이 항상 우리에게 공포를 안겨다 주지는 않습니다. 최근에 발발한 하와이 마우이섬의 산불처럼 우리 생명과 재산을 위협할 때만 공포의 대상으로 인식되지요. 이 점에 대해서는 포도 같은 입장을 취하고 있습니다. "나에게는 공포를 제재(題材)로 하는 작품이 많을지 모르지만, **그 공포는 영혼에서 유래한다.**"

공포의 본질, 공포에 대한 공포. 공포가 우리 각자의 영혼에서 유래한다면, 그것이 개인적이면서도 특수한 현상이라고 볼 수 있습니다. 똑같은 장면을 접하고도 무덤덤한 사람이 있고 비애를 느끼는 사람이 있는 것처럼, 똑같은 상황에 놓여서도 무감각한 사람이 있고 공포를 느끼는 사람이 있습니다. 만인이 공포감을 느끼는 죽음도 두렵지 않다고 호언하는 이들도 적지 않습니다. 이렇게 사적이고 특이한 공포의 본질이 "어셔가의 붕괴" 속에 잘 드러나 있습니다. 어셔가의 장남 로더릭은 "이상한 공포에 노예처럼 구속되어 있었습니다." 하지만 그가 두려워한 것은 현재 상황이 아니라, "앞으로 일어날 일들"(the events of the future)이었습니다. 그것도 미래의 "위험 그 자체가 아니라, 그것이 야기할 절대적인 결과인 공포"(no abhorrence of danger, except in its absolute effect-in terror)가 두렵다는 것입니다. 다른 말로 하자면 그가 느낀 공포 현상은 사실상 '공포에 대한 공포'(The fear of fear)였습니다. 그리하여 "이 소름 끼치는 유령과 같은 두려움과 맞서 싸우다가 목숨과 이성을 함께 포기하지 않으면 안 될 때가 조만간 닥쳐올 것"(the period will sooner or later arrive when I must abandon life and reason together, in some struggle with the grim phantasm, FEAR.)이라고 느낍니다.

　로더릭의 공포는 유전적인 요소와 환경적인 요인들이 결합한 극단적인 사례라고 볼 수 있겠지만, 미래 사건의 결과를 경험하기(=공포)를 두려워하는 것은 상당히 일반적이고 보편적인 경향입니다. 예컨대 연설을 두려워하는 사람은 사실상 연설 자체보다 망신살이 뻗칠 그 경험의 결과(=공포)를 두려워하는 것입니다. 그래서 그 사람은 아예 리허설도 하지 않게 되어 연설을 못 하게 되거나 그 기회를 망칠 가능성이 큽니다. 애정 고백을 두려워하는 사람도 마찬가지입니다. 그 고백 자체가 아니라 상대방의 거절로 이어질 그 결과(=공포)를 두려워하는 것이지요. 그래서 그 사람은 일찌감치 그 시도를 접을 공산이 큽니다. 결국 우리가 경험하는 공포는 공포의 대상 자체를 두려워하는 것이 아니라, 그 대상에 대한 부정적인 경험(=공포)이 야기하는 공포인 셈입니다. 이것이 바로 '공포에 대한 공포'입니다. 미래 사건을 경험하는 공포를 두려워하게 되면, 로더릭의 경우에는 자기가 "예견한 공포의 제물"이 되어 목숨과 이성

(life and reason)을 함께 잃게 되었습니다. 그렇지만 일반적으로는 정상인으로서 누릴 수 있는 **이성적인 삶(reasonable life)**을 포기해야 할 것입니다. 공포를 경험하는 것에 대한 공포는 극복되어야 합니다.

공포 조성자이자 조장자, 인간. 공포물 속에는 귀신이나 괴물이 나타나 공포를 안겨다 주기도 하지만, 인간이 공포를 조성하고 조장하는 경우도 적지 않습니다. 그 대표적인 예가 바로 "검은 고양이"의 주인공입니다. 그는 원래 반려동물의 사랑에는 "단순한 *인간*의 하찮은 우정과 덧없는 충성"(the paltry friendship and gossamer fidelity of mere *Man*)보다 훨씬 고결한 측면이 존재한다는 것을 알고 있었습니다. 그런데 어느 날 돌변하여 자기와 아내가 아끼던 고양이의 눈알 한쪽을 도려내는 만행을 저지릅니다. 그녀석이 자기를 피하고 미워하는 것처럼 느끼자, 한편으로 아픈 마음이 들면서도, 그 마음이 차츰 짜증으로 변하면서 심술이 발동하기 시작합니다. 그래서 그 녀석을 학대하던 중 급기야 목에 올가미를 감아 나뭇가지에 매달아 죽여 버리지요. 이런 돌발적인 행동의 원인으로 두 가지가 지목됩니다.

첫째는 <u>"무절제한 폭음"</u>입니다. 그는 몇 년에 걸쳐 자기의 전반적인 기질과 성격이 "악마 같은 음주벽"(the Fiend Intemperance) 때문에 나쁜 방향으로 급격히 변했다고 고백합니다. 시간이 지날수록 성격이 변덕스럽고 급해지고 남의 감정에 무관심해졌고, 아내에게도 폭언을 가하고 폭행을 가하는 상태가 되었으니, 고양이에게 포악해진 것은 두말할 나위가 없습니다. 둘째는 <u>"심술궂은 마음"</u> (the spirit of PERVERSENESS)입니다. "이유 없이 화를 내고 싶어 하는 영혼의 이 불가해한 갈망"(this unfathomable longing of the soul to vex itself)입니다. 이 심술은 "인간 마음의 원초적 충동, 인간의 성격을 방향 짓는 불가분의 기본 정서 중 하나"(one of the primitive impulses of the human heart—one of the indivisible primary faculties, or sentiments, which give direction to the character of Man)로 파악되지만, 철학적으로는 아무런 설명을 제시할 수 없는 불가해한 영역입니다. 그런 짓을 해서는 안 된다는 것을 알면서도, "자기 본성에 해가 되는 것"이 뻔한데도, "잘못을 위해 잘못을 저지르고 싶어 하는"(to do wrong for the wrong's sake only) 영혼의 갈망이니까요. 이 불가해한 측면을 인식해야 비로소 다음과 같은 비논리적인 문장들이 이해될 수 있습니다.

"나는 녀석이 나를 사랑했다는 것을 알았기 *때문에*, 녀석에게 아무 잘못도 없다는 것을 알고 있었기 *때문에* 녀석을 목매달았다. 그런 짓을 함으로써 내가 죄를 짓고 있다는 것, 가장 자애롭고 가장 무서운 신의 무한한 자비조차 내 불멸의 영혼-그런 게 존재하기라도 한다면-을 구원할 수 없을 만큼 극악무도한 죄를 저지르고 있다는 것을 알았기 *때문에* 녀석을 목매달았다."(—hung it *because* I knew that it had loved me, and *because* I felt it had given me no reason of offence;—hung it *because* I knew that in so doing I was committing a sin—a deadly sin that would so jeopardize my immortal soul as to place it—if such a thing wore possible—even beyond the reach of the infinite mercy of the Most Merciful and Most Terrible God.)

그 고양이를 목매단 이유가 그 녀석이 자기를 사랑했고 아무 잘못도 저지르지 않았을 뿐 아니라, 자기가 도무지 구원받을 수 없을 극악한 죄를 범하고 있다는 것을 알았기 *때문*이라는 것입니다. 심술에 해당하는 영어 단어 'PERVERSENESS' 자체도 그런 의미를 내포하고 있습니다. '불합리하거나 자신에게 해를 끼치는 행동을 고의로'(deliberately does things that are unreasonable or that result in harm for themselves) 자행하는 것을 의미하니까요. 인간의 영혼이 얼마나 왜곡된 상태로 진전될 수 있는지를 극명하게 열어 밝히는 키워드입니다. 도무지 납득이 되지 않는 상황이지만, 이것이 인간 사회와 개인적인 삶의 현실입니다. 처음에는 도리에 맞지 않고 자기에게 해가 되는 것을 알고 있음에도 <u>불구하고</u> 어떤 행위를 자행하다가, 그것이 계속 이어지면 나중에는 그것이 불법적이고 자해하는 행위이기 *때문에* 기꺼이 행하는 상태로 변질되는 것이지요. 탈선하는 심리와 자기 파괴적인 광기는 이렇듯 한 끗 차이입니다.

돌이켜 보면, "어셔가의 붕괴", "검은 고양이", "구덩이와 진자"에 등장하는 공포의 조성자나 조장자는 하나같이 인간이었습니다. 쌍둥이 여동생을 생매장한 로더릭이나, 반려동물을 학대하고 아내를 폭행했을 뿐 아니라 결국 둘 다 살해해 버린 비정한 한 인간을 보세요. 그리고 자기들의 입장과 다른 것을 믿는 신자들을 참혹한 방식으로 제거하려는 종교재판관들의 광기에 주목해 보세요. 그 신자들에게는 두 가지 선택만 주어졌습니다. "육체적으로 지독한 고통을 겪으면서 죽느냐, 아니면 정신적으로 소름 끼치는 공포에 시달리면서 죽느냐 하는 선택"(the choice of death with its direst physical agonies, or death with its most hideous moral horrors) 뿐이었습니다. '은혜와 진리가 충만하신(full of grace and truth) 예수 그리스도'(요한복음 1:14)를 주님으로 고백하고 당신의 뜻을 좇아 이웃을 사랑하며 살아가야 할 그 종교인들이 취한 광기 어린 재판과 형 집행은 가증스럽기 그지없는 행위였습니다. 그리스도교 진리에 대한 심각한 모독 행위였습니다. 그런데도 그들은 자기들이 무슨 짓을 하고 있는지 몰랐습니다. 도리어 자기들이 하나님의 고귀한 뜻을 실행하고 있다고 자부했을 것입니다. 사도 바울이 증언한 대로입니다, "그들[문맥상 유대인]은 하나님을 섬기는 데 열성이 있습니다. 그러나 그 열성은 올바른 지식에서 생긴 것이 아닙니다. 그들은 하나님의 의를 알지 못하고, 자기 자신들의 의를 세우려고 힘을 씀으로써, 하나님의 의에는 복종하지 않게 되었습니다."(로마서 10:2-3)

우리가 당면한 현실도 이와 다르지 않습니다. 자연 착취와 환경 파괴로 인한 기후 변화의 결과가 섬뜩한 공포를 우리에게 안기며 우리 마음을 옥죄고 있지만, 그것보다 더욱 두려운 대상은 따로 있습니다. 먼저 지난 역사를 살펴보세요. 인간 공동체에 가장 극악무도한 공포를 안겨다 준 존재는 무엇(혹은 누구)이었습니까? 광기 어린 지도자들이었습니다. 레오폴드 2 세, 히틀러, 스탈린, 마오쩌둥, 폴 포트를 비롯하여 시대마다 암군(暗君)들이 넘쳐났습니다. 현재에도 절대적인 권력을 휘두르며 자국민들에게 공포를 자아내는 이들이 적지 않고, 이웃 나라까지 침범하여 수많은 사람들에게 공포와 두려움을 가하는 이들도 끊이지 않습니다. 우리나라도 예외가 아닙니다. 지난 1 년 3 개월간 대다수 국민에게 두려움과 공포를 선사한 이는 다름 아닌 현 대통령이었으니까요. 제왕적 대통령의 권력에다 무소불위의 검찰 권력까지 과용하고 남용하면서도 늘 노기에 찬 모습으로 국민과 정부 각료들을 대하는 그의 모습에, '이유 없이 화를 내고 싶어 하는 심술궂은 마음'이 발동하여 아내와 반려동물과 자신까지도 파멸시킨 "검은 고양이"의 비정한 주인공이 겹칩니다. 자신이 민복(民僕)임을 망각한 채 우리나라 천지에 공포를 조성하고 공포를 조장하는 데만 능한 이 '겁도 없는 5 년짜리 공무원'[자기식 표현]을 어떻게 해야 할까요?

-공포와 두려움 극복하기-

"검은 고양이"에 나오는 표현을 활용하자면, "고귀한 하나님의 형상대로 창조된 인간인 나에게"(for me a man, fashioned in the image of the High God) 감히 이 세상의 어떤 대상이 견딜 수 없는 공포를 안겨다 줄 수 있을까요? 그렇지만 번번이 이 공포의 공격에 맥없이 나가떨어지는 경우가 수도 없이 많습니다. 이 공포를 어떻게 극복할 수 있을까요? 기질상의 요인에서 비롯된 공포나 원인을 이해할 수 없는 공포를 제외한다면, 그 관건은 대부분 공포의 본질이 '공포에 대한 공포'(The fear of fear), 즉 공포를 경험하는 것에 대한 공포라는 점을 인식하는 데 있습니다. 그 경험이 얼마든지 긍정적일 가능성이 존재하지만, 부정적이고 끔찍할 것으로만 왜곡하여 인식한 채 그것을 두려워하는 심적 상태 말입니다. 아마도 1933 년에 미국 제 32 대 대통령으로 취임한 루스벨트(Franklin

Delano Roosevelt, 1882-1945)가 첫 취임 연설에서 언급한 '두려움'도 바로 이 '왜곡된 공포의 경험'과 다르지 않을 것입니다.

"그러므로 우선, **우리가 두려워해야 할 것은 오직 두려움 그 자체**, 즉 후퇴를 전진으로 바꾸기 위해 필요한 노력을 마비시키는, <u>이름도 없고, 터무니없고, 정당화되지 않은 공포뿐이라는</u> **확고한 믿음**을 말씀드리겠습니다."(So, first of all, let me assert **my firm belief that the only thing we have to fear is fear itself**—<u>nameless, unreasoning, unjustified terror</u> which paralyzes needed efforts to convert retreat into advance.)

1929년 시작된 대공황으로 인해 실업률이 25%까지 치솟은 상태에서 당시 미국민들은 '근거도 정당성도 없는 익명의 공포'에 사로잡혀 후퇴한 사회를 전진시키려는 노력을 일찌감치 포기하고 있던 차였습니다. 즉 '공포에 대한 공포'의 노예로 전락해 버린 채 손 놓고 무기력하고 무감각하게 살고 있었지요. 이때 루스벨트는 정직하고 담대하게(frankly and boldly) 자국민들에게 제안합니다. '그 두려움을 떨치고 일어나 오늘날 미국이 처한 상황을 직시하자.'(honestly facing conditions in our country today). 그렇게 할 수 있는 용기의 근거로 그는 미국의 과거 역사와 미래에 대한 낙관적 소망을 가리켰습니다. "이 위대한 나라는 지금까지 견뎌온 것처럼 견뎌낼 것이고, 회복될 것이며, 번영할 것입니다."(This great Nation will endure as it has endured, will revive and will prosper.) 이런 혜안은 우리나라의 상황이나 각 개인의 처지에도 적용될 것입니다. 내가 지금까지 60 성상을 인내하면서 헤쳐 나온 것처럼 여생도 넉넉하게 버티면서 마감할 것이고, 이전에 부족한 부분들이 앞으로 채워질 것이며 꽃피우지 못한 역량들이 앞으로 만개할 것이라고 소망하지 않을 이유가 어디 있습니까? 정당한 근거 없이 절망스러운 미래를 예상하고 두려워하며 좌절하는 것보다는, 객관적인 과거 역사나 경험에 근거하여 찬란한 미래를 꿈꾸며 그 미래가 현실화할 방안을 실행에 옮기는 데 진력하는 게 지혜가 아닐까요? 더구나 하나님께서 나를 당신의 형상으로 창조하신 것을 믿는다면, 내 생이 끝나는 날까지 의심할 여지 없이(surely) 당신의 선하심과 인자하심(goodness and lovingkindness)이 나를 뒤쫓을 (pursue) 것을 신뢰하는 태도는 너무나도 합리적인 선택입니다(시편 23:6).

우리의 영혼을 마비시키는 이 '공포에 대한 공포'는 극복되어야 합니다. 그렇지 않으면 우리 영혼은 파멸하게 될 것입니다. 포의 단편 "생매장"(The Premature Burial)이 강력하게 주장하는 입장입니다.

"아! 무덤이 전하는 수없이 많은 소름 끼치는 공포를 전부 공상으로 치부할 수는 없다. 하지만 아프라시아브 왕[전설적인 인물로서 이란을 침략했다가 패퇴한 투르키스탄 서부의 왕]과 함께 옥수스강[아무다리야강]을 따라 내려간 악마들처럼, **그 공포는 잠들어야 한다. 그렇지 않으면 그것이 우리를 집어삼키고 말 것이다. 그 공포를 잠들게 하지 않으면 우리는 파멸하게 될 것이다.**"(Alas! the grim legion of sepulchral terrors cannot be regarded as altogether fanciful—but, like the Demons in whose company Afrasiab made his voyage down the Oxus, **they must sleep, or they will devour us—they must be suffered to slumber, or we perish.**)

이 작품은 강경증[catelepsy, 몸이 갑자기 뻣뻣해지면서 순간적으로 감각이 없어지는 상태]에 빈번히 시달리는 어떤 피해자에 대한 이야기입니다. 그 화자는 자기가 혼수상태로 생매장될 것이라는 강박적인 공포와 끔찍한 악몽 때문에 괴로움을 당합니다. 생매장이란 "언젠가 죽을 수밖에 없는 인간의 운명에 닥친 이 같은 고통 가운데 가장 극한의 공포"일 테니까요. 그 예방책으로 그는 자기 무덤에 탈출 경로와 식량을 준비해 둡니다. 어느 날 잠에서 깨어난 그는 자신이 만들지 않은 관에 갇혀 있다고 느끼지요. 그렇지만 나중에 자기가 작은 범선의 좁은 선실에서 잠이 들었다가 깨어났다는 사실을 깨닫게 된 후, 그는 병적인 두려움을 극복하고 그의 영혼은 적절한 균형을 얻게 됩니다.

이 화자가 강경증에 걸리게 된 이유가 무엇이었을까요? 몸이 뻣뻣해지기 전에 먼저 자기 영혼을 마비시킨 '섬뜩한 두려움'(charnel apprehensions) 때문이었습니다. 그 반대가 아니었습니다. 우리가 무기력하고 무감각한 삶을 살기 때문에 두려움과 공포가 우리를 사로잡는 게 아니라는 말입니다. 도리어 근거 없는 두려움과 공포가 쇠약하고 무신경한 삶을 낳는 것이지요. 그러므로 이 두려움과 공포를 처단하는 게 우선입니다. 그러기 위해선 이 작품의 주인공처럼 무시무시하고 상상을 초월할 만큼 섬뜩했던 고통에 직면하는 것이 필수적입니다. "그것이 전화위복이 되었다."(out of Evil proceeded Good)고 그는 고백합니다. 그 이유는 "극도의 공포가 마음속에 필연적인 반동을 일으켰기 때문입니다."(For their very excess wrought in my spirit an inevitable revulsion.) 이후에 그는 강경증도 사라져서 몸을 활발하게 움직여 활동하기도 하며, "천국의 자유로운 공기"(the free air of Heaven)를 호흡하는 단계까지 누리게 됩니다.

인간은 어떠한 사건 자체보다 그것에 부여하는 의미에 영향을 받는 존재입니다. 스토아학파의 거두 에픽테토스(Epictetus)가 "인간은 사건이 아니라 그 사건에 대한 자기 생각 때문에 불안해진다."(Men are disturbed not by things, but by their opinions about them.)라고 갈파한 대로입니다. 바로 이런 취지를 띤 문장들이 최근 들어 정신 건강을 향상하는 데 광범위하게 사용되는 "인지행동치료"(Cognitive Behavioral Therapy)의 핵심에 자리 잡고 있습니다. 특히 1950년대에 이 치료법을 개발한 앨버트 엘리스(Albert Ellis, 1913-2007)가 "ABC" 감정 모델("ABC" model of the emotions)을 만들 때 영감을 얻은 것이 바로 위의 문장이었습니다. 이 모델에 의하면, 우리는 어떤 사건을 경험하고(A), 그것을 해석하고(B) 난 후에 비로소 우리 해석에 걸맞은 감정 반응을 느낍니다(C). [Experience--->Interpret--->Feel] 결국 우리 감정을 바꾸려면 경험한 사건에 대한 우리 생각을 바꾸어야 한다는 것이지요 (줄스 에반스, "철학을 권하다"). 왜곡된 생각이 추동한 허수아비 같은 공포의 감정에 속아 주저앉지 맙시다. 도리어 우리에게 두려움을 주는 대상을 직시함으로써 그것의 진면목을 올바로 파악합시다. 한 발 더 나아가 객관적인 과거 경험과 미래에 대한 낙관적 소망에 근거하여 견결하게 힘찬 발걸음을 내딛읍시다.

-호기심이 일구어내는 새로운 세상-

포는 공포소설로도 유명하지만, 탐정소설 혹은 추리소설로도 유명합니다. 이 소설 장르의 창시자라는 평가까지 받고 있으니까요. 그런데 이 두 소설 장르는 서로 모순되는 성격을 띠고 있습니다. 섬뜩해서 등골이 서늘해지는 공포소설은 주로 비합리적이고 감성적인 요소에 기반하고 있지만, 탐정소설은 합리적이고 이성적인 요소에 근거하고 있으니까요(김욱동 교수). 극과 극이 서로 통한다는 말이 포의 경우에는 더욱 확연해집니다. 그렇다면 이 두 극단적 장르를 연결해 주는 것은 무엇일까요? 호기심이라는 강한 지적 욕구입니다. 합리성을 따지는 추리소설에서 탐정들이 여러 가지 상황에 대해 이해하려고 하는 지적인 호기심을 품는 것은 당연합니다. 그런데 비합리적인 것처럼 보이는 공포소설에도 등장인물들이 호기심을 품고 갖가지 두려운 상황에 직면하여 그 공포의 본질을 파헤치려는 경우도 적지 않습니다. 먼저 바다를 배경으로 펼쳐지는 두 작품(two sea stories)의 줄거리를 잠시 살펴본 후 논의를 이어가겠습니다.

■**"병 속에서 발견된 수기"**: 가족과 조국으로부터 멀어진 이름 없는 화자가 바타비아[현재 인도네시아 자카르타]에서 화물선에 승객으로 승선하여 항해를 시작한다. 항해를 시작한 지 며칠 후, 배는 모래폭풍과 허리케인의 합성어인 시뭄(simoom)이란 폭풍우에 휩쓸려 배가 전복되고 화자와 스웨덴인 노인을 제외한 모든 사람이 바다로 떠내려간다. 마법 같은 시뭄에 이끌려 남극을 향해 남쪽으로 향하던 화자의 배는 결국 4천 톤급이나 되는 거대한 검은 범선

(galleon)과 충돌하고, 화자만 겨우 그 배에 올라탈 수 있게 된다. 배에 올라탄 화자는 배 곳곳에서 낡은 지도와 쓸모없는 항해 도구를 발견하는데, 그 배의 목재에는 작은 구멍이 수없이 많았고, 그 목재 자체는 시간이 지남에 따라 어떻게든 부자연스럽게 부풀려진 것처럼 보인다. 또한 그는 자기를 알아보지 못하는 노인 선원들이 배를 조종하고 있음을 발견하고, 수기(MS.=manuscript)를 작성하기 위해 선장실에서 필기 자료를 가져온다. 다 쓴 그 수기를 나중에 바다에 던지기로 결심한다. 이 배 역시 계속 남쪽으로 떠내려가고, 남극에 도착하자 선원들의 표정에서 "냉담한 절망보다는 뭔가에 대한 간절한 열망"(an expression more of the eagerness of hope than of the apathy of despair)이 묻어난다. 그렇지만 배는 얼음 틈새로 들어가다가 거대한 소용돌이에 휘말려 바닷속으로 가라앉기 시작한다.

■"소용돌이 속으로 떨어지다": 이 소설은 노르웨이 로포텐(Lofoten)의 산 정상에서 전해지는 이야기 속의 이야기로 꾸며져 있다. 화자와 가이드는 노르웨이 해안의 높은 봉우리에 올라 조수 간만의 차이로 거대한 소용돌이(whirlpool)가 형성되는 바다의 한 부분을 내려다본다. 헬게센(Helgesen) 정상에서 화자는 겁에 질려 주변의 풀을 움켜쥐고, 가이드는 두려움이 전혀 없어 보이는 표정으로 가장자리에 기대어 있다. 화자가 평정심을 되찾게 된 후, 가이드는 자기가 소용돌이에 빨려 들어가 소용돌이치는 광기 속에서 보낸 6시간 동안의 경험을 들려준다. 가이드는 3년 전 두 형제와 함께 낚시 여행을 떠났다. 그 도중에 "하늘에서 내려온 폭풍 가운데 가장 무시무시한 폭풍"(the most terrible hurricane that ever came out of the heavens)에 의해 자기들의 70톤급 어선이 소용돌이에 휘말렸다. 한 형제는 파도에 휩쓸려 익사하고 말았다. 처음에 화자는 그 광경에서 끔찍한 공포만 보았다. 그러다가 과거의 기억을 더듬고 주변의 물체를 관찰하는 중에 새로운 희망이 움트기 시작하여, 소용돌이에 대해 강한 호기심이 생기게 된다. 주변 물체들이 어떻게 빨려 들어가는지를 관찰한 그는 그것들이 크고(the larger the bodies were), 구형(the one spherical)일수록 빨리 빨려 들어가지만, 원통형(the one cylindrical)일수록 더 천천히 빨려 들어간다는 것을 발견한다. 그래서 그는 원통형 물통에 자기 몸을 묶고 난 후 물속으로 뛰어들어 어선에 의해 구조되었다. 그렇지만 그가 전하려고 했던 의도[원형 물통을 붙잡고 뛰어내리라는 것]를 깨닫지 못하고 고리만 붙잡고 있던 다른 형제는 한 시간쯤 후에 배와 함께 소용돌이 속으로 사라지고 만다. 가이드를 구조해 준 어부들은 그를 알아보지 못했다. 그의 표정(the whole expression of my countenance)뿐 아니라 '새까맣던'(raven-black) 머리카락이 백발로 바뀌었기 때문이다.

이 두 가지 바다 이야기를 읽어보면 몇 가지 공통점이 드러납니다, 즉 인간이 도무지 방어할 수 없는 강력한 소용돌이의 힘과 지구의 극한["병 속에서 발견된 수기"에서는 남극, "소용돌이 속으로 떨어지다"에서는 북극]이 제시되는 가운데, 화자들이 목숨을 걸고 그 강력하고 신비로운 자연의 힘을 체험한다는 점입니다(올리버 티어를〈Oliver Tearle〉교수).

호기심의 본질, 신비로운 것에 대한 갈망. 화자들이 사활을 건 체험은 자원한 것이 아니라 불가피한 것이었습니다. 그렇지만 어찌할 수 없는 공포의 상황에 놓이게 되자, 그들은 기꺼이 목숨을 드려서라도 그 과정을 체험하고자 합니다. "병 속에서 발견된 수기"의 화자를 주목해 보세요. 그는 남쪽으로 강력하게 흘러가는 조류로 인해 말로 표현할 수 없는 공포를 느끼는 중에도 이런 태도를 견지합니다. "이 무서운 지역의 신비를 파헤치고 싶은 호기심은 절망보다 강해, 그 호기심을 채울 수만 있다면 나는 가장 끔찍한 죽음조차 기꺼이 감수하겠다."(yet a curiosity to penetrate the mysteries of these awful regions, predominates even over my despair, and will reconcile me to the most hideous aspect of death.) "소용돌이 속으로 떨어지다"의 가이드도 별반 다르지 않습니다. "잠시 후나는 소용돌이 자체에 대해 아주 강한 호기심에 사로잡혔습니다. 곧

희생을 치르게 되겠지만, 그런 희생을 치르더라도 <u>소용돌이의 밑바닥</u>을 탐험하고 싶은 욕망을 강하게 느꼈지요."(After a little while I became possessed with the keenest <u>curiosity</u> about <u>the whirl itself</u>. I positively felt a wish to explore <u>its depths</u>, even at the sacrifice I was going to make;)

이 가이드가 이어 언급한 것처럼, "그런 극단적인 처지에 놓인 사람이 그런 생각을 한다는 게 너무나 묘한 일인 것은 의심의 여지가 없습니다."(These, no doubt, were singular fancies to occupy a man's mind in such extremity—) 이처럼 목숨이 경각에 달린 처지에서도 자기를 위태롭게 하는 지역을 탐험하고자 하는 그 열망의 본질은 무엇일까요? 바로 **신비로운 세계에 대한 호기심**이었습니다. 이 작품들 속의 화자와 가이드에게는 각각 남극과 북극이라는 심연의 신비를 가리킵니다. 그렇지만 역사상 수많은 탐험가와 과학자와 예술가들에게도 각각의 신비로운 심연이 존재했습니다. 알베르트 아인슈타인(Albert Einstein, 1879-1955)이 지적한 대로입니다. "우리가 경험할 수 있는 가장 아름다운 감성은 **경외감을 자아내는 신비**다. 이 [신비를 체험하는] 감성이야말로 모든 진정한 예술과 과학의 동력이다."(The most beautiful emotion we can experience is **the mystical**. It is the power of all true art and science.) 도스토옙스키(1821-1881)도 같은 입장을 취했습니다. 형 미하일에게 보낸 편지에서 그는 이렇게 밝힙니다. "형, 인간과 인생의 의미를 연구하는 데 꽤 진척을 보이고 있어. 인간은 **신비** 그 자체야. 우리는 그 신비를 풀어야 해. 그러기 위해 평생을 보낸다고 하더라도 결코 시간을 허비했다고 할 수 없을 거야. 인간이고 싶기 때문에 나는 이 수수께끼에 골몰하고 있는 거야."(석영중, "매핑 도스토옙스키")

결국 자연계의 현상과 그 속에 존재하는 생물 및 인간의 신비로운 측면 때문에 호기심이 발동하여, 탐험가들은 탐험하고 과학자들은 연구하며 예술가들은 창작한다는 것입니다. 이들의 호기심 덕분에 얼마나 다양한 새로운 세상이 열렸는지 모릅니다. 아메리카 대륙이 발견되거나, 페니실린이 발견되거나, 그리스 시대의 비극과 셰

익스피어의 비극이 탄생했으니까요. 그러나 우리가 이미 발견하고 창작한 것들은 그야말로 '대양의 물 한 방울'(a drop in the ocean)에 불과합니다. 이것을 깨닫지 못한 탐험가나 과학자나 예술가는 어리석고 교만한 자입니다. 직무 유기하는 잘못을 범하고 있기도 합니다. 인간을 '신비'로 인식한 도스토옙스키가 인생을 "**영원한 추구**"로 명명했듯이, 신비로운 것에 대한 호기심은 영원히 지속되어야 합니다. "병 속에서 발견된 수기"에서 화자가 자기 배를 덮친 범선 위에서 아무 생각 없이 그 보조 돛의 가장자리를 타르로 칠한 적이 있습니다. 나중에 그 돛이 펴지면서 그 붓질한 것이 특정한 한 단어로 형성되어 있었습니다. 그것이 무엇이었을까요? 바로 '**발견**'(DISCOVERY)이라는 단어였습니다. 인생행로에서 우리 각자가 참여해야 할 고유한 영역을 계시해 준 단어라는 생각이 듭니다. 어디서 무엇을 하든지 우리 인생은 신비로운 것들에 호기심을 품은 채, 그것을 탐구하고 경험하여 새로운 세상을 열어 밝히는 데 그 의의가 있다는 말입니다.

창의적인 삶을 영위한 사람으로 꼽히는 우리나라 인물 중에 작년(2022년)에 소천하신 고 이어령 교수가 있습니다. 미수(米壽)로 불리는 88세라는 세월 동안 여러 방면에서 치열하게 창조적인 기량을 펼친 그의 삶의 원동력은 바로 **끝없는 호기심**이었습니다. 호기심을 품지 않고 습관적으로 보낸 날은 산 날이 아니었다는 그의 회고를 들어 보세요.

"내 인생은 물음표와 느낌표 사이를 시계추처럼 오고 가는 삶이었어. 누가 나더러 '유식하다, 박식하다'고 할 때마다 거부감이 들지. 나는 궁금한 게 많았을 뿐이거든. 모든 사람이 당연하게 여겨도 나 스스로 납득이 안 되면 아무리 사소한 것이라도 그냥 넘어가지 않았어. 물음표와 느낌표 사이를 오가는 것이 내 인생이고 그 사이에 하루하루의 삶이 있었지. 어제와 똑같은 삶은 용서할 수 없어. 그건 산 게 아니야. 관습적 삶을 반복하면 산 게 아니지."(김민희, "이어령, 80년 생각")

호기심으로 변혁된 공포. 우리가 겪는 공포감은 언제 급격하게 호기심으로 바뀔까요? 첫째로, 변화시킬 수 없는 두려운 상황을 잠잠히 수용할 때입니다. "소용돌이 속으로 떨어지다"의 화자가 고백합니다. "무서운 운명을 향해 점점 다가갈수록 이 호기심이 더욱 커지는 것 같았지요."(It [=the unnatural curiosity] appeared to grow upon me as I drew nearer and nearer to my dreadful doom.) 처음 소용돌이에 다가갈 때보다 그것에게 막 삼켜지려는 순간에 그는 훨씬 더 침착해지는 것을 느꼈습니다. 희망을 품지 말자고 체념했을 때, 자기 기를 꺾었던 공포가 상당히 사라졌기 때문입니다. 그렇게 되자 그 소용돌이의 전모를 관찰하고 탐험해 보자는 강력한 호기심이 발동하게 되었습니다. 절망의 역전이 이루어진 것이지요. 지난날의 경험을 돌이켜 보세요. 우리가 직면한 상황이 운명이라고 인식할 때, 얼마나 빨리 우리가 그것에 적응하고 그것에 대해 잊어버리는 단계까지 진전했는지요. '코로나 19'가 발생했을 때 우리가 얼마나 빨리 마스크 착용, 손 씻기 및 사회적 거리 두기에 적응했을 뿐 아니라, 그런 방역 수칙들이 마치 평범한 일상인 것처럼 여겼나를 한번 돌아 보세요. 우리가 변화시킬 수 없는 것은 평정한 마음으로 신속하게 수용하는 게 지혜입니다. 그래야 우리가 변화시킬 수 있는 것이 무엇인지 인식하고자 하는 호기심과 변화시킬 수 있는 용기가 형성됩니다.

둘째로, 과거와 현재에서 비롯된 소망을 붙잡을 때입니다. 운명을 수용할 때 호기심이 발동하기도 하지만, '*희망의 서광*'이 우리를 흥분시킬(the dawn of a more exciting *hope*) 때 호기심이 더욱 차오릅니다. "이 희망은 <u>과거의 기억</u>에서 솟아나기도 했고, <u>눈앞의 상황을 관찰한 결과</u>에서 생겨나기도 했습니다."(This hope arose partly from <u>memory</u>, and partly from <u>present observation</u>.) 그리하여 호기심이 과거의 기억과 직면한 현 상황 분석을 견인하여, 화자는 물체의 크기와 형태(구 혹은 원통)에 따라 하강 속도가 달라진다는 점을 깨닫게 되지요. 즉 물체가 클수록, 형태가 구형일수록 소용돌이 속으로 떨어지는 속도가 빨라지지만, 형태가 원통형일수록 천천히 빨려들었던 것입니다. 그가 원통형 물통에 자기 몸을 묶은 채 그 물통과 함께 바닷속으로 뛰어들어 살아난 것이 바로 이 깨달음 덕분이었습니다. 그리고 이 깨달음을 낳은 것은 과거와 현재에서 솟아난 소망을 붙든 호기심이었습니다. 과거의 경험과 현재 상황 분석을 통해 미래에 대한 낙관적인 소망을 품고 뜻한 바를 실행에 옮기는 자세는 이미 논의한 대로 '공포를 위한 공포'를 극복하는 방식과 같은 맥락에 있습니다.

과거, 현재, 미래의 일 중에 가장 확실한 준거 역할을 하는 것은 과거입니다. 이미 지나간 일로 확정되었기 때문입니다. 이런 과거의 경험은 현재 상황을 분석하는 데도 효과적이고 미래를 전망하는 데도 유용합니다. "병 속에서 발견된 수기"를 읽을 때 제 심금을 울린 부분이 한 군데 있었습니다.

"배가 영원히 물에 삼켜지지 않는 것은 기적 중의 기적으로 보인다. 우리는 심연 속으로 빠져들지 않고 영원의 가장자리를 계속 맴돌아야 할 운명인 게 분명하다. 배는 내가 지금까지 본 어떤 파도보다 수천 배나 거대한 파도에서도 화살같이 빠른 갈매기처럼 쉽게 미끄러져 나아갔다. 거대한 파도는 심해의 악마들처럼, 하지만 우리를 단순히 위험만 할 뿐 죽이는 것은 금지된 악마들처럼 고개를 쳐든다. 우리가 이렇게 자주 위기를 모면하는 것은 그런 결과를 낳을 수 있는 단 한 가지 자연적 원인 덕분으로 돌릴 수밖에 없다. 우리 배가 어떤 강한 해류, 또는 맹렬한 저류의 영향을 받고 있다고 생각할 수밖에 없다."(and the colossal waters rear their heads above us like demons of the deep, but like demons confined to simple threats and forbidden to destroy. I am led to attribute these frequent escapes to the only natural cause which can account for such effect.—I must suppose the ship to be within the influence of some strong current, or impetuous under-tow.)

지난 세월 동안 저와 제 가정이 안전하고 보람 있게 살 수 있었던 이유를 절감하게 되었기 때문입니다. 돌이켜 보면 '심해의 악마들'과 같이 저희를 위협하던 두렵고 떨리는 상황이 전개된 적도 적지 않았습니다. 그 '거대한 파도'는 단순히 저희를 위협만 했을 뿐 결정적인 해악을 끼치지는 못했습니다. 그것이 금지되어 있었기 때문입니다. 저희가 이렇게 다양한 위기를 극복할 수 있었던 것은 '단 한 가지 신비한 원인'(the only supernatural cause) 덕분이었습니다. 그 거대한 파도의 위력을 상쇄시키는 **하나님의 '강한 해류, 또는 맹렬한 저류'**가 도도히 흐르고 있었던 것이지요. 이런 과거사를 주목하는 한, 현재나 미래의 공포가 일시적으로 우리를 엄습할 수는 있어도 장기간 우리 마음을 사로잡지는 못할 것입니다. 그 과거의 경험이 우리 마음속에 잠시 자리 잡은 공포감을 '더욱 흥분시키는 소망'(a more exciting *hope*)으로 대체할 것이기 때문이지요. 하나님의 해류와 저류를 경험한 이 영광스러운 과거를 회상하는 것이야말로 저를 비롯한 그리스도인들이 누리고 있는 지복 중 하나입니다.

요약하자면, 우리가 호기심을 품고 신비로운 현재와 미래의 삶을 주도적으로 탐험하게 되는 것은, 우리를 두렵게 하는 상황을 평정한 마음으로 수용하면서 과거와 현재를 세심하게 관찰할 때 가능합니다. 이 과정에서 특히 과거사의 의미를 지혜롭게 헤아리는 분별력이 절실합니다. 하나님의 창조로 자신이 이 세상에 태어나 고귀한 삶을 영위하고 있다고 믿는 그리스도인에게는 그 과거의 삶 속에서 하나님의 신비로운 인도와 능력의 흔적을 발견할 수 있을 것입니다. 이러한 신앙적 입장에 대해서는 언스트 체인(Sir Ernst Boris Chain, 1906-1979)이 언급한 언명에 한번 귀 기울여 보세요. 그는 페니실린(penicillin)을 발견한 알렉산더 플레밍(Alexander Fleming, 1881-1955)과 함께 1945년에 의학/생리학 분야 노벨상[The 1945 Nobel Prize in Medicine & Physiology]을 받은 생화학자입니다.

"나는 **믿는 능력**(the power to believe)이 인간에게 주어진 위대한 신성한 선물 중 하나라고 생각하며, 이를 통해 인간은 <u>우주의 신비</u> <u>(the mysteries of the Universe)</u>를 이해하지 않고도 설명할 수 없는 어떤 방식으로 그 신비에 가까이 다가갈 수 있다. **믿는 능력** **(The capability to believe)**은 <u>논리적 추론 능력</u>(its power of <u>logical reasoning</u>)만큼이나 인간 정신의 특징이자 본질적인 속성이기에, <u>과학적 접근방식</u>(the scientific approach)과 양립할 수 없는 것이 아니라 오히려 이를 보완하고 인간 정신이 이 세상을 윤리적이고 의미 있는 전체로 통합하는 데 도움을 준다. 사람들이 **하나님의 인도와 능력의 우월성을 믿을 수 있는 능력**(power to believe in the supremacy of Divine guidance and power)을 깨닫게 되는 방법에는 여러 가지가 있다. 즉 음악이나 시각 예술을 통해, 자기들의 삶에 결정적인 영향을 준 어떤 사건이나 경험을 통해, 현미경이나 망원경을 통해, 또는 자연이 드러내는 기적적인 현상이나 합목적성을 바라봄으로써 깨닫게 된다." [로널드 W. 클라크, "The Life of Ernst Chain: Penicillin and Beyond"(1985), 143쪽]

하나님께 대한 신앙을 백안시하면서 오로지 이성만을 존중하고, 그것이 과학적 방식과 상반된다고 여기며, 윤리와 의미라는 요소는 이 세상 속에서 불필요하다고 인식하는 이들이 숙고해야 할, 권위 있는 과학자의 고언입니다. 신앙은 이성만큼 인간의 본질적인 특성이기에, 과학적 방식을 보완해 주고 윤리적이고 의미 있는 세계를 형성해 가는 데 주효하다는 것입니다. 게다가 신비로운 세계에 대한 갈망이란 상수는 우리 모두에게 내재합니다. 그것은 이성을 통한 논리적 추론으로 채워지지 않습니다. 도리어 창조주 하나님을 인격적으로 신뢰하는 관계를 통해서만 그 신비로운 세계를 온전히 체험하고 누릴 수 있습니다. 그러한 신앙의 의미를 이 글 속에서는 '하나님의 인도와 능력의 우월성을 믿을 수 있는 능력'으로 재정의하고 있습니다. 오직 진선미를 탐구하는 데 목적을 둔 호기심만 있다면, 이 하나님께 대한 신앙이란 능력을 체험할 길이 우리 주위에 널려 있습니다. 이 능력을 계발하고 향상해 감으로 새로운 세상을 열어 갑시다.

-세심한 관찰의 힘-

호기심이 발현되어 새로운 세상을 열어 가는 데는 관찰이라는 요소가 필수적입니다. 특정한 대상에 대해 아무리 호기심이 크더라도 그 대상에 대한 섬세한 관찰과 합당한 분석이 동반되지 않는다면 그 호기심은 무위로 그칠 공산이 큽니다. 그렇지만 아무리 긴박하고 두려운 상황에 부닥쳐 있더라도, 마음을 챙겨 호기심을 품고 사태를 관찰하다 보면 그 상황의 본질을 꿰뚫어 보게 되기도 하고 그 상황을 타개할 수 있는 혜안을 얻게 되기도 합니다. 공포소설 속에 나타난 호기심과 관찰의 역할을 살펴본 데 이어, 이번엔 탐정소설 속에 드러난 이 두 요소의 기여에 대해 논의해 보겠습니다. 포의 단편소설 중에는 가상의 인물인 C. 오귀스트 뒤팽(C. Auguste Dupin)이 등장하는 세 편의 탐정소설이 있습니다. 현대 추리소설의 선구적인 작품으로 간주하는 것들이지요. "모르그가의 살인"(The Murders in the Rue Morgue), "마리 로제의 미스터리"(The Mystery of Marie Rogêt) 및 "도둑맞은 편지"(The Purloined Letter)입니다. 그중 두 편이 김석희 작가 번역본에 소개되어 있습니다. 그 두 편의 줄거리를 간략하게 소개합니다.

■"모르그가의 살인"(The Murders in the Rue Morgue): 이 소설은 레스파나예 부인과 딸 카미유가 파리의 자기 집안에서 살해된 사건에 관한 이야기다. 레스파나예 부인의 목은 심하게 베인 상태여서 그 시신을 옮길 때 머리가 떨어져 나갈 정도였다. 반면에 그녀의 딸은 목이 졸린 채로 굴뚝에 거꾸로 박혀있었다. 두 여성을 대상으로 한 이 살인 사건이 당황스러운 점은 그것이 내부에서 잠긴 4층 방에서 발생했고, 당시 진행된 난투극을 듣고 그 집으로 갔던 이웃들의 증언이 구구했다는 것이다. 모두 두 가지의 목소리를 들었다고 증언한 상태에서, 그중 하나가 프랑스인의 목소리라는 데는 동

의하지만, 두 번째 목소리에 대해서는 동의하지 못했고, 그 사람의 국적에 대해서도 각각 다른 식으로 말했기 때문이다. 명백한 증거 부족에도 불구하고 그 전날 그 희생자들에게 금화를 전달해 준 아돌프 르봉이라는 은행 직원이 살인 혐의로 체포된다.

화자의 친구인 뒤팽은 그 기이한 사건에 호기심이 생기기도 하고 이전에 르봉이 자기에게 호의를 베풀어 준 것을 기억하고는 수사에 착수한다. 경찰청장 G 에게 도움을 청하여 허가를 받아, 범죄 현장과 그 주변을 세밀하게 조사할 수 있었다. 그 후 뒤팽은 화자와 함께 앉아 목격자 기록과 함께 분석을 시작한다. 먼저 금화가 두 여성의 방에서 도난당하지 않았다는 사실을 들어 르봉의 유죄를 부인한다. 그 살인자가 카미유의 시신을 처리한 것으로 보아 초인적인 힘의 소유자일 것이라는 점에 주목하면서, 그가 피뢰침을 민첩하게 타고 올라가 여닫이 창문 셔터를 통해 그 방으로 들어가 두 여성을 살해할 수 있는 방식을 세밀하게 구상해 낸다. 그러면서 레스파나예 부인의 움켜쥔 손가락에서 수거한 특이한 털 뭉치를 보여 주면서, 뒤팽은 오랑우탄(orangutan)이 두 여성을 살해했다고 결론짓는다. 그는 지역 신문에 오랑우탄을 잃어버린 사람이 있는지 찾는 광고를 냈고, 곧 한 선원이 오랑우탄을 찾기 위해 도착한다.

그 선원은 자기가 결백하다고 주장하면서 자초지종을 설명한다. 보르네오에 있을 때 포획한 오랑우탄을 데리고 파리로 왔지만, 팔지 못한 채 그놈을 통제하는 데 어려움을 겪고 있었다. 어느 날 그 오랑우탄이 면도하는 것을 흉내 내던 중 면도칼을 갖고 도주하다가 모그르가로 진입하여 그 여성들 집으로 잠입하게 되었다는 것이다. 레스파나예 부인을 대상으로 이발사 흉내를 내던 중 그녀의 비명을 듣고 분노가 치밀어 그녀의 머리카락을 뜯고 목을 베었으며, 카미유에게도 달려들어 그녀의 목을 졸라 죽이기까지 한다. 당시 그 선원은 동물을 잡기 위해 피뢰침을 통해 그 방 창문에 접근했다가 그 살해 장면을 목도한다. 그 주인의 얼굴과 마주친 오랑우탄은 겁에 질려 뛰어다니며 가구를 부수고, 딸의 시신을 굴뚝에 처박아 넣은 후, 부인의 시신을 창문 밖으로 내던진 후 도망친다. 결국 이웃들이

들은 두 목소리는 오랑우탄과 그의 것이었다. 결국 오랑우탄은 그 선원에게 붙들린 후 파리 동물원에 팔리고, 르봉은 구금에서 풀려나게 된다.

■"도둑맞은 편지"(The Purloined Letter): 파리 경찰청장 G 는 궁정 귀부인의 침실에서 그녀의 편지가 도난당한 사건을 파리의 유명한 아마추어 탐정 C. 오귀스트 뒤팽에게 알린다. 도둑은 파렴치한 장관 D 로, 그 귀부인을 방문하는 동안 그 편지와 중요하지 않은 편지로 바꾼 후 그 내용을 사용하여 그녀를 협박한다. 뒤팽은 G 가 내린 두 가지 결론에 동의한다. 편지를 공개하면 아직 일어나지 않은 특정 상황이 발생할 수 있기 때문에 장관 D 가 아직 공개하지 않는다는 것과 장관이 편지를 가까이에 두고 언제든지 공개할 준비가 되어 있다는 것이다. 경찰은 편지를 찾기 위해 장관과 그의 집을 철저히 수색하면서 가구, 벽, 카펫 등을 조사하여 숨겨진 은신처가 있는지 확인했지만, 아무것도 발견하지 못한다. 뒤팽이 G 와 그의 부하들에게 수색을 반복할 것을 제안하면서 편지에 대한 설명을 요청하자 G 는 이를 제공한다. 한 달이 지났지만, 경찰은 여전히 아무런 성과도 얻지 못했고, 좌절한 G 는 편지를 찾는 데 도움을 줄 수 있는 사람에게 5 만 프랑을 주겠다고 선언한다. 뒤팽은 G 에게 그 금액의 수표를 써 달라고 부탁한 후, 뒤팽이 그 편지를 책상에서 꺼내자마자 G 는 기뻐하며 귀부인에게 돌려주기 위해 달려간다.

뒤팽은 화자에게 그 편지를 어떻게 되찾았는지 정확히 설명한다. 우선 청장과 경찰이 최선을 다해 사건을 조사했지만, 그들이 범한 실수는 D 장관의 심리를 고려하지 않았다는 것이었다. 뒤팽은 자신의 요점을 설명하기 위해, 상대를 관찰하고 지적 능력을 파악한 후 이를 바탕으로 추측하여 '홀짝게임'에서 항상 이겼던 어린 소년의 이야기를 들려준다. 그는 또한 G 청장이 범한 실수 한 가지를 더 언급한다. D 장관이 시인이기 때문에 바보라고 가정하는 실수를 저질렀다는 것이다. 뒤팽은 D 장관도 수학자이자 시인이라는 점을 지적하면서, 편지의 위치를 추리할 때 이 모든 것을 고려하는 것이 얼마나 중요한지 자세히 설명한다. 그리고 D 장관은 경찰이 자신의 집을 수색하고 있다는 사실과 어디를 수색할지 정확히 알고 있었을 것이라고 지적한다. 따라서 뒤팽은 D 장관이 편지를 눈에 잘 띄는 곳에 숨겼을 것이라고 결론을 내리고, D 장관을 찾아가 직접 편지를 찾아내기로 결심한다.

장관 관저에 도착한 뒤팽은 눈이 약한 척하면서 '녹색 안경'을 착용한 채 도난당한 편지를 찾기 위해 집안을 샅샅이 뒤진다. 그는 곧 벽난로 근처에 걸려 있던 값싼 카드 꽂개의 슬롯 중 하나에 아주 너덜너덜하고 낡아 보이는 편지를 발견했고, 의도적으로 그렇게 보이도록 처리한 편지라고 믿는다. 그는 다음 날 다시 돌아오겠다는 핑계로 출발할 때 금제 코담뱃갑을 두고 떠난다. 두 번째 도착 후 얼마 지나지 않아 외부 거리에서 소란이 발생했는데, 뒤팽이 미리 사람을 고용해 길거리에서 공포탄이 든 소총을 쏘게 한 것이었다. 이 소동으로 장관의 주의를 분산시켜 뒤팽은 그 편지를 다른 사본으로 바꿔치기할 수 있었다. 그 '무시무시한 괴물', '파렴치한 천재'인 D 장관은 몰락의 길을 걷게 된다. 뒤팽은 화자에게 D 장관 때문에 한때 골탕 먹은 일이 있다고 고백하며, 그에게 자신의 정체에 대한 단서를 주기 위해 거짓 편지에 간단한 인용문을 포함했다고 말한다. "이런 흉악한 계획은 아트레우스에게는 걸맞지 않더라도, 티에스테스에게는 마땅하다."[그리스 신화에 나오는 두 형제 간의 암투와 복수를 다루는, 크레비용의 희곡 "아트레우스"에 나오는 구절]

"모르그가의 살인"을 근대 탐정소설의 선구자로 꼽는 학자들이 많습니다. 그 작품을 통해 사설탐정 오귀스트 뒤팽(Auguste Dupin)이 탄생했을 뿐 아니라, 이미 발생한 불가사의한 사건을 탐정이 논리적 추론으로 해결하는 탐정소설의 원형적 서사 기법이 처음으로 소개되었기 때문입니다. 다시 말하자면 뒤팽이 이 작품 속에서 정체불명의 인물이 저질러 오리무중의 상태에 놓인 살인 사건을 처리하고, "도둑맞은 편지"에서는 궁정 귀부인의 편지가 그녀의 눈앞에서 도난당하는 사건을 해결하는 데 십분 활용한 것이 'ratioci-

nation', 즉 '논리적이고 체계적인 추론 과정'(logical and me-
thodical reasoning)입니다. 이 영어 단어는 그가 "마리 로제의 미
스터리" 속에서 언급한 것인데, 이런 탁월한 추론 능력의 기반이
되는 것은 무엇일까요? 바로 뛰어난 관찰력입니다. 추론 과정
(reasoning)이란 말 자체가 '모든 사실을 고려한 후 결론에 도달하
는 과정'(the process by which you reach a conclusion after
thinking about all the facts)이니까요. 모든 사실을 세심하게 관찰
하지 않으면 올바른 추론이 성립되지 않습니다. 호기심 어린 세밀
한 관찰과 그 추론 과정이 포의 탐정소설에서 기여한 역할에 주목
하면서 얻은 교훈들은 아래와 같습니다.

정보량을 결정짓는 요소, 관찰의 내용과 질. "모르그가의 살인"에
서 뒤팽은 수사를 하는 과정에서 얻은 정보량에 차이가 생기는 이
유는 "추리의 타당성에 있다기보다 오히려 **관찰의 질**에 있다."(the
difference in the extent of the information obtained, lies not
so much in the validity of the inference as in **the quality of the
observation**.)라고 지적합니다. 추리를 아무리 합리적으로 많이 한
다고 해도 없던 정보가 생기는 게 아닙니다. 도리어 관찰을 더욱
철저하고 세밀하게 진행하는 게 합당한 추리를 하는 데 필요한 것
보다 많은 정보를 확보하는 길이 됩니다. 물론 관찰의 질뿐 아니라,
그 **내용**, 즉 **"*무엇을 관찰할 것인가*"**(*what* to observe)에 대한 지식
이 필수적이라는 점은 두말할 나위가 없습니다. 뒤팽은 카드놀이에
참여하는 사람들의 예를 들면서, 그들도 손에 쥘 수 있는 정보라면
어떤 형태의 것이든 어떤 루트를 통해서든 가장 많이 확보하기 위
해 "자신에게 어떤 제한도 두지 않는다"(Our player confines
himself not at all)고 지적합니다. 그래서 그 사람들은 "연역법을
통해 외부 상황에서 게임에 대한 정보를 추론하는 것"(deductions
from things external to the game)도 물리치지 않습니다. "게임이
목적이기 때문입니다."(because the game is the object)

뒤팽의 궁극적인 목적은 이 살인 사건의 "진실"뿐이었습니다. 그래서 그는 철저하고 세밀하게 그 사건 발생지 내부 상황과 외부 환경까지 샅샅이 관찰하며 추론할 내용들을 축적해 갔습니다. 뒤팽은 집안만이 아니라 동네 전체를 주의 깊게 조사했습니다. 이런 관찰 과정을 거쳐 그가 주목한 내용은 다음과 같습니다. 범인(들)의 "괴상한 목소리", 땅과 창과 지붕을 오르내릴 수 있는 "비범한 운동 능력", 두 여성에게 가한 "흉포한 잔인성", "동기도 없는 살인 행위"[예: 고급 의류나 4천 프랑이나 되는 금화를 내버려 둠]에 덧붙여 기묘하게 어질러져 있는 방. 그 동안 뒤팽을 보좌한 화자는 조사 대상이 될 만한 것을 하나도 찾지 못했지만, 뒤팽은 이런 것들의 비범한 의미에 주목할 수 있었습니다. 관찰의 내용과 질이 정보량을 결정짓는다는 것을 절감하는 순간이었습니다. 이제 그가 정한 당면 목표는 이러한 관찰 내용들을 나란히 놓고 추론하는 것이었습니다. 그 결과, 일반인이 아니라 어떤 동물이 저지른 살인이라는 단서들에 착안할 수 있게 되었고, 살해당한 부인의 손아귀에서 발견된 털 뭉치는 그 범법자가 오랑우탄이라는 결정적인 증거가 되었습니다.

이상한 것과 난해한 것을 혼동하는 오류. 뒤팽은 이 사건이 그 특징상 쉽게 해결할 수 있는 것인데도, 오히려 경찰이 "불가해한 미스터리"(insoluble mystery)로 여기고 있다고 보았습니다. 그가 언급한 특징은 '그 사건의 양상이 너무 극단적이라는 점'(the atrocity of the murder)이었습니다. 집안을 아수라장으로 만들고, 딸의 시신을 굴뚝에 거꾸로 처박고, 부인의 신체를 심하게 훼손한 후 집 밖으로 던져 버린 상황은 도무지 납득이 되지 않았기 때문이지요. 이렇게 명백한 특징을 경찰이 인식하지 못한 이유가 무엇일까요? 뒤팽은 그 이유로 경찰이 "이상한 것과 난해한 것을 혼동하는 오류"(error of confounding the unusual with the abstruse)에 빠졌기 때문이라고 지적합니다. 그러면서 이 오류는 중대하지만 흔히 저지르는 오류라는 점도 덧붙입니다. 'The abstruse'(난해한 것)라는 표현은 쉽게 설명될 수 있다고 생각했으나 이해하기가 어렵다고

느끼는 것을 가리키지만, 'the unusual'(이상한 것)이란 것은 "평범하고 일상적인 상태에서 벗어나는 일탈"(deviations from the plane of the ordinary)을 의미합니다. 뒤팽은 우리가 진실을 발견하려면 '난해한 것'이 아니라 '이상한 것'에 주목해야 한다고 주장합니다. 그때 던져야 할 질문은, "무슨 일이 일어났는가?"(what has occurred)가 아니라 "전에 한 번도 일어난 적이 없는 어떤 일이 일어났는가?"(what has occurred that has never occurred before)라는 것입니다.

이런 경찰의 오류는 경찰청장의 실책에서 비롯되었습니다. 뒤팽은 그가 "너무 약삭빨라서 깊이가 없다"(somewhat too cunning to be profound)고 진단합니다. 그의 지혜는 수술(stamen)이 없는 꽃이나, 머리만 있고 몸은 없는 여신이거나, 머리와 어깨만 있고 몸통은 없는 대구(codfish)와 마찬가지라고 비유합니다. 잔머리를 굴려 다른 사람을 속여서라도 자기 뜻을 성취하려는 데 능한('cunning'의 의미) 경찰청장은 정작 자기 본업인 수사 영역에 있어서는 논리적이고 체계적인 추론을 제시하는 것과 같은 유의미한 생산적 기여를 하지 못합니다. 그야말로 꽃가루를 만들어내는 수술 없는 꽃과 같은 신세지요. 사정이 이러하니 경찰청장은 위선적인 말솜씨(master stroke of cant)로 자신의 재간(ingenuity)을 광고할 수 있을 뿐입니다. 아무리 그래도 자기 본색은 여지없이 드러납니다. 그저 "있는 것을 부정하고 없는 것을 설명하는" 능력만 뛰어난 그의 본색 말입니다.

눈에 잘 띄는 명백한 것을 간과하는 오류. 경찰청장의 이런 오류는 "도둑맞은 편지"에서도 확연하게 드러납니다. 자기 눈앞에 명백하게 제시된 것은 제대로 인식하지 못한 채, 자기 생각이 꽂힌 것에만 온통 신경이 집중된 상태 말입니다. 이런 오류를 뒤팽은 이렇게 설명합니다. "여기서 [눈에 너무 잘 띄는 것을 오히려 보지 못하는] 물리적인 간과는 정신적인 몰이해와 거의 비슷해. 인간의 지성은 너무 중뿔나고 금방 알 수 있을 만큼 명백한 고려 사항은 알아차리지 못하고 그냥 넘어가 버리지."(and here the physical oversight is precisely analogous with the moral inapprehension by which the intellect suffers to pass unnoticed those considerations which are too obtrusively and too palpably self-evident.) 지도나 거리의 간판이나 플래카드에 지나치게 크게 쓰인 글자가 "너무 확연해서"(by dint of being excessively obvious) 사람들이 주목하지 못하듯이, 마땅히 감안해야 할 사항이 너무 유별나고 명백한 나머지 오히려 사람들이 그것에 관심을 기울이지 못하는 정신적인 몰이해 혹은 도덕적인 불감증(moral inapprehension)이 발생한다는 것이지요. 그렇지만 눈에 잘 띄는 것 자체가 정신적인 몰이해의 직접적인 원인이 될 수는 없습니다. 만일 그렇다면 이 세상에 존재하는 모든 광고판은 죄다 사라져야 할 것입니다. 만인이 명백하게 알아차릴 수 있도록 아주 큰 글자로 쓰였으니, 사람들이 주목하지 못하게 될 테니까요. 실상은 그렇지 않습니다. 많은 사람들이 그것에 주목하고 영향을 받습니다. 문제는 그 확연한 광고판을 보는 사람들의 마음에 달려 있습니다. 그들의 마음이 다른 무언가에 사로잡혀 있는 한 아무리 큰 글자로 현란하게 장식된 광고판도 그들의 관심을 끌 수 없을 것입니다.

역지사지하지 않는 오류. "도둑맞은 편지"에서 뒤팽은 경찰이 자주 오류를 범하는 이유로 두 가지를 지적합니다. 첫째는 상대의 지적 능력과 자기 능력을 일치시키지 않기 때문이고, 둘째는 상대의 지적 능력을 측정하지 않거나 잘못 측정하기 때문이라는 것입니다. 사실 첫째 이유는 둘째 이유의 당연한 결과입니다. 상대의 지적 능력에 관해 관심이 없거나 그것의 중요성을 간과하여 그것을 고려하지 않았기 때문에, 자기들의 능력이 그것에 부합하도록 어떠한 조치도 취하지 않게 된 것입니다. 그리하여 범인의 지적 능력을 합당하게 측정해서 그것에 부합하는 수사 원칙을 세우기보다는, "그저 재래의 수사 방식을 확대하거나 강화하는 게 고작이지요."(they extend or exaggerate their old modes of practice) 사정이 이러하니 자기들보다 지적 능력이 탁월한 악당들에게 번번이 당하기만 합니다. 이 사건의 예로 든다면, "범인이 편지를 감춘 원칙"(the principle of its concealment)이 파악되거나 고려되지도 않은 상태에서, 경찰청장은 "자기 원칙"(the principles of the Prefect)을 조금도 변경하지 않은 채, "그저 주의력과 끈기와 결심"(the mere care, patience, and determination of the seekers)으로 밀어붙이기만 했다는 말입니다. 그들의 재간(ingenuity)은 딱 거기까지였습니다. 그러나 뒤팽은 그들과 달랐습니다. 먼저 범인인 장관이 수학자이자 시인인 데다 궁정 관료이자 대담한 책략가라는 점에 주목한 후, 그의 능력과 처지를 참고하여 자기의 수사 원칙을 조정했습니다. 그가 이 수사에서 성공을 거둔 이유입니다.

정리해 보겠습니다. 포의 공포소설과 탐정소설을 잇대어 주는 호기심이란 요소는 섬세한 관찰이라는 모양새를 취하여 지식이나 정보라는 꽃가루를 많이 만들어 냅니다. 이것들이 체계적이고 논리적인 추론 과정과 만나 수정이 이루어질 때 의미 있는 판단이나 원리라는 꽃으로 태어납니다. 판단이나 원리의 원재료가 되는 지식이나 정보의 양은 관찰의 내용과 질에 달려 있습니다. 물론 관찰하는 과정은 의미 있는 질문들을 던지며 탐색해 가는 과정이겠지만, 관찰하는 기본자세는 유념해 둘 만합니다. 우선 자기 생각은 접어두고 관찰하는 대상에 초점을 맞추는 게 기본입니다. 그 대상의 지적 능력과 특성과 처지를 다각도로 관찰하여서 관계되는 원리와 방도를 모색하지 않으면, 허공을 칠 공산이 크기 때문입니다. 사정이 이러한데도 자기 선입견이나 편견을 관찰하는 대상에게 덧씌우는 경우가 왕왕 있습니다. 그리하여 너무나도 확연하게 눈에 띄는 점을 간과하거나 오해하게 되고, 일상적이고 평범한 것에서 벗어난 주요한 일탈 사항을 주목하지 못하는 과오를 범하게 됩니다. 이런 상태에서 건전한 판단이란 꽃이 필 것을 기대하는 것은 과욕입니다. 지금까지 논의한 오류들은 경찰청장의 전유물이 아닙니다. 얼마든지 보편적인 경향을 띠고 있습니다. 늘 깨어 있어 마음을 챙기지 않는한 우리도 얼마든지 이미 언급된 오류들에서 벗어나지 못할 것입니다. 철학자 강신주가 언급했듯이, 논리적인 사람이란 그저 기계적이고 형식적인 추론을 하는 사람이 아닙니다. "사태를 새롭게 통찰할 수 있는 능력"을 갖춘 사람입니다. 이 능력은 우리가 "예리한 감수성"을 갖출 뿐 아니라 어떤 대상에 대해 호기심을 품고 섬세하고 체계적으로 관찰해 갈 때 형성됩니다.

-"어셔가의 붕괴"가 선사하는 경고-

"어셔가의 붕괴"가 선사하는 혜안 한 가지를 마지막으로 나누겠습니다. **전체와 부분의 부조화가 낳는 파멸**이 그것입니다. 화자가 로더릭의 집을 처음 방문했을 때 주위를 관찰하던 중에 발견하게 된 것으로 그 집의 현실을 적나라하게 드러내 주는 단면입니다. "집을 이루고 있는 석재는 한 장도 떨어지지 않았고, 개개의 돌은 부서지고 깨진 상태였지만 여전히 완벽하게 맞물려 있어서 전체와 부분 사이에 엄청난 부조화가 존재하는 것 같았다."(No portion of the masonry had fallen; and there appeared to be a wild inconsistency between its still perfect adaptation of parts, and the crumbling condition of the individual stones.) 전체로서 그 집은 온전한 형태를 이루고 있었습니다. 석재 한 장도 떨어지지 않았으니까요. 그렇지만 그 각각의 돌은 깨지고 부서진 상태로 서로 완전히 맞물려 있었습니다. 거기에다 건물의 정면 지붕부터 균열이 생겨 지그재그로 생긴 그 선이 벽을 타고 내려와 탁한 호수로 사라지고 있었습니다. 이 균열은 감지하기가 힘든 것이었기에 "날카로운 눈을 가진 관찰자"(the eye of a scrutinizing observer)라야 인식할 수 있는 것이었습니다.

　그동안 인생을 살아오면서 나무보다 숲을 볼 줄 알아야 한다는 권면을 자주 접하게 되었습니다. 특정 사안을 관찰할 때 그것의 개개 항목에만 집중하다 보면 그것의 전체 의미나 그것이 처한 전체적인 맥락을 간과하거나 놓칠 수가 있다는 권면이었습니다. 큰 그림이나 거시적인 안목을 고려하는 것이 항상 자연스럽게, 수월하게 이루어지지는 않기 때문에 한 번씩 기억에 떠올려야 할 필요가 있었습니다. 게다가 전체가 부분의 합보다 크다는 게 현실로 드러나는 경우도 많았기 때문에 숲을 볼 필요를 염두에 두고 참고해야 했습니다. 부분의 특성만으로는 설명되지 않는 전체만의 독특한 특성이 자주 부각되었으니까요. 그렇지만 딱 거기까지였습니다. 전체가 중요한 만큼 각 부분도 중요했습니다. 특히 각 부분이 각 개인을 의미한다면, 더욱 그러했습니다. 그러므로 관건은 전체와 부분의 조화와 균형이었습니다.

우리 주위를 돌아보면 전체로서 외면은 멀쩡하고 그럴 듯한데, 속을 들여다보면 구석구석이 부실하거나 곪아 썩은 데가 적지 않습니다. 우선은 우리나라 방방곡곡에 현란한 모양새를 띠고 진을 치고 있는 그 숱한 아파트들이 떠오릅니다. 그것 중 철근이 빠지거나 콘크리트 강도가 약하거나 수준 미달의 재료들을 사용하여 부실하게 시공된 곳이 이미 언론에 보도된 것들만일까요? 다음으로 우리나라의 초중등교육기관 및 대학들입니다. 아낌없이 국고를 들여 최신식으로 안팎을 치장한 이 학교들의 외양은 국제 수준입니다. 그 내실은 어떠할까요? '교실이 무너졌다.'는 진단이 나온 지도 한참 지난 상태이고, 이제는 급기야 미래가 창창한 교사들이 연이어 목숨을 끊는 지경에 도달해 있습니다. 우리나라 종교기관들의 사정은 어떠할까요? 다른 종교에 대해서는 언급하기가 곤란하지만, 우리나라 개신교는 그럴듯한 외양을 유지하고 있는 데 반해 속은 점점 비어 가고 있습니다. 이미 어리고 젊은 세대 대다수가 교회 공동체를 빠져나갔고, 그들은 돌아오지 않고 있습니다. 끝으로 선진국이라는 이름에 빛나는 대한민국이라는 국가공동체는 어떠할까요? 예컨대 선진국 클럽인 OECD 국가 중에 1위를 차지하는 노인빈곤율과 노인자살률이 나타내는 사회적 균열을 보세요. 국가 전체는 번듯하게 보이지만, 연약한 개인들은 무너져 내리고 있습니다. 이렇게 전체와 부분이 엄청난 부조화를 이룬 채로 지속되면 그 끝은 붕괴입니다.

5. 벌레와 같은 현대 직장인 가장의 실존을 열어 밝힌, 프란츠 카프카의 "변신"(1915)

-핵가족의 붕괴-

2020년부터 진행된 '코로나 19'로 인해 대면 활동보다는 언택트[Untact=Un+Contact, 비대면)나 온택트[Ontact=On+Untact, 온라인을 통한 대면] 활동이 훨씬 더 활성화된 시절이 있었습니다. 가정에서 지내는 시간이 예전보다 더 많아졌지요. 아침 일찍부터 늦은 밤까지 회사에서 근무하던 가장이 재택근무 하는 경우가 잦아졌습니다. 학교가 파한 후에 이어지는 과외 수업으로 밤에까지 공부하던 자녀들도 집에서 온라인으로 수업받는 경우도 흔한 풍경이었지요. 자연스럽게 가족들이 집안에서 함께 지내는 시간이 늘게 되었습니다. 그동안 바빠서 하지 못한 가족 간의 활동을 증진할 수 있는 절호의 기회가 도래한 것입니다. 물론 집에서 일을 처리하거나 수업을 받아야 하므로 가족들이 한데 모인 시간 전체를 가족 활동으로 안배할 수는 없겠지만, 적어도 직장이나 학교의 과외 활동 시간이나 출퇴근 시간만큼은 곧바로 가족들의 몫이 될 수 있었지요. 가족들끼리 나눌 기회가 없었던 이야기도 할 수 있게 되고, 함께 즐기지 못한 오락이나 여행도 감행할 수 있었습니다.

이런 식으로 이번 팬데믹 위기 환경을 절호의 기회로 바꾼 가정들도 있었겠지만, 안타깝게도 이번 위기로 더 극한 난관에 부닥치게 된 가정들도 적지 않다는 뉴스를 접하게 되었습니다. 우선은 수입이 급감하여 경제적인 타격을 입어 난감해하는 가정들이 많았습니다. 특히 대면 업종을 운영하는 자영업자들이 경제적인 충격으로 휘청거리고 있습니다. 비정규직 근로자 중에 직업을 잃은 이들도 많았지요. 특히 자영업자들이 운영하는 가게에서 일하던 근로자 중에 이런 이들이 더 많았을 것입니다. 다음으로는 자녀들이 학교로 가지 않고 집에 머물러야 하므로 그들을 돌보는 일로 자기 직업에 정상적으로 시간을 드리지 못하는 근로자들도 많았습니다. 특히 자녀를 둔 여성 근로자들의 고충이 더 심했습니다. 이전에는 신경 쓰지 않아도 될 자녀들 점심 식사까지 준비해 주고 과외 시간까지 돌보아주어야 하는 상황이 전개되었으니까요.

이런 연유로 가족들이 얼굴을 맞대고 함께 지내는 시간이 많은 현실이 도리어 가족 관계가 악화하는 계기가 되었습니다. 연휴 기간이나 휴가 기간을 맞아 가족들이 함께 여유를 즐기는 경우와는 차원이 다른 고통스러운 가족 대면 시기가 전개된 것이지요. 경제적인 압박으로 인해 정상적으로 제때 식사하는 것도 부담이 되는 경우도 있고, 월세를 내지 못해 집에서 쫓겨나는 경우도 있다는 것을 외국 사례에서 접했습니다. 심지어는 가족 간의 긴장과 감정적인 대립이 극한으로 치닫다가 결국 가정 폭력으로 연결되는 경우도 이전보다 더 많이 발생하게 되었습니다. 이미 팬데믹 훨씬 이전부터 전 세계적으로 가정 폭력이 광범위하게 진행되어 오던 차였으니 두말할 나위가 없습니다. 예컨대 아프리카나 남아시아[인도, 파키스탄, 방글라데시, 네팔 등지]에서는 1/5 의 여성들이 해마다 배우자에게 폭행당하고, 유럽에서도 5%의 여성들이 그런 처지에 놓여 있었습니다. 더욱 놀라운 것은, 아프가니스탄이나 콩고 같은 나라의 경우입니다. 전자에서는 80%, 후자에서는 75%나 되는 여성들이 특정 상황[음식을 태우거나 아이들을 방치할 때]에서는 자기들이 남편들에게 맞는 게 싸다고 말하거나 믿고 있으니까요.

이런 곤혹스러운 상황 가운데서 코로나 19 가 우리에게 새롭게 던진 화두는 "가족이란 무엇인가?"입니다. 우리가 이 질문을 하지 않은 지난 세월 동안, 우리나라 가족의 모습이 얼마나 현격한 변화를 겪었는지 모릅니다. 이제는 핵가족 시대도 지나간 듯합니다. 우리나라 전체 가구 중 4 인 이상 가구가 차지하는 비율이 20%가 채 되지 않으니까요. 선진국뿐 아니라 우리나라에도 이젠 '한 부모 가정'이 수두룩합니다. 이혼한 후에 주로 여성이 자녀를 맡아 양육하는 가정입니다. 결혼한 후 자녀 없이 사는 가정도 있지만, 아예 결혼하지 않고 동거만으로 만족하는 이들도 적지 않습니다. 결혼하지 않고 혼자 사는 게 더 낫다고 여기는 독신주의자들도 많지만, 경제적인 사정 때문에 결혼할 엄두가 나지 않아 1 인 가구를 이루고 사는 청년들도 한둘이 아닙니다. 2021 년 1 분기 말 우리나라 전체 가구 수는 2,315 만 7,385 가구이고, 그중 4 인 이상 가구 수가 454 만 7,368 가구(19.6%)인 데 반해, 1 인 가구 수는 913 만 9,287 가구로 전체의 39.5%를 차지한 것에 주목해 보세요.

이렇게 핵가족이라는 기존 개념마저 해체되거나 축소되는 상황에서 "가족이란 무엇인가?"라는 질문을 묵상하기가 여간 혼란스럽지 않습니다. 그렇지만 이런 상황 변화 배후에 자리 잡고 있는 요인들이 어떤 것들인지 확인해 두는 게 중요합니다. 특히 전 세계적으로 출생률이 낮아진 것에 대해서, 마우로 기옌이 "2030 축의 전환"(2030: How Today's Biggest Trends Will Collide and Reshape the Future of Everything)에서 지적한 것에 주목해야 합니다. 즉 낮은 출생률은 "현대 기술"(modern technology)의 비약적인 발전이라는 요소에다 "도시화, 여성의 교육 수준 향상과 사회 진출, 그리고 많은 자녀를 갖는 대신 적은 자녀에게 더 많은 기회를 주는 방향"(urbanization, women's education and labor force participation, and the growing preference for giving children greater opportunities in life as opposed to having a large number of them)으로 마음을 바꾼 부모라는 요인들이 시너지 효과를 낸 결과라는 것이지요.

혹시 알고 계시는지요? "1990년대 후반과 2010년대 초반을 비교하면 미국 성인들의 연평균 성관계 횟수가 1/9로 줄었다."(American adults had sex about nine fewer times per year in the early 2010s compared to the late 1990s,)는 통계 말입니다. 과학 기술이 인간의 성욕에 지대한 영향을 미쳤다는 것입니다. 기술이 마련해 준 온갖 오락거리로 인해 사람들이 성관계에 대한 흥미를 잃어버렸다는 말이지요. 그리고 중국의 출생률 감소가 중국 공산당의 '한 가구 한 자녀' 정책(One-Child Policy)의 결과라는 주장이 오해라는 것 말입니다. 사실은 출생률 저하는 그 정책이 실시되기 전부터 진행 중이었고, 앞에서 언급한 변화하는 환경에 따라 사람들이 선택한 결과였습니다. 노벨 경제학상 수상자인 아마르티아 센이, "여성의 발전이 중국의 한 가구 한 자녀 정책을 능가했다."(women's progress outdid China's one-child policy.)라고 언급한 것이나, "경제발전이 최고의 피임"(Economic development is the best contraceptive.)이라는 구호도 같은 맥락에 놓여 있지요. 점점 더 많은 중국 여성이 고등 교육을 받고 사회로 진출함에 따라, 자녀를 많이 낳을 가능성이 점점 줄어든다는 것을 의미하니까요.

가족 문제에 대해 다루고 있는 문학 작품들이 많이 있겠지만, 프란츠 카프카(1883-1924)의 "변신"처럼 충격적인 가족 관계의 실존적 현실을 그리고 있는 소설은 드물 것입니다. 그런 측면을 단지 이 소설의 외연에 불과하다고 보고, 다른 심오한 주제들로 이 작품의 행간을 독해하고 해석하려는 비평가들이 여럿, 눈에 띕니다. 그렇지만 명시적으로 드러나 있는 소설 내용을 간과하는 것은 결코 온당한 비평이 될 수 없습니다. 본문이 먼저 있고 난 후, 해석이나 비평이 존재하기 때문입니다. 충실한 본문 관찰에 근거하지 않은 해석은 누가 시도한다고 하더라도 사상누각에 불과합니다. 자기의 색안경으로 덧칠한 비평일 뿐이니까요. 더구나 작가가 작품 속에서 명백하게 드러내거나 암시적으로 제시한 내용을 무시한 채, 작가의 전기나 작가의 해석에 너무 기대어 본문의 의미를 드러내려는 시도도 건전하지 않기는 마찬가지입니다. 문학 작품은 작가의 손에서 벗어나는 순간 나름의 생명력을 품게 되기 때문입니다. 자기가 쓴 작품이라고 해서 그 작품의 내용에 대해 왈가왈부할 권리가 있다고 생각하는 것은, 마치 자기가 자녀를 낳았다고 해서 그 자녀를 가장 잘 알고 있다고 생각하는 것이나 그 자녀의 삶에 대해 이러쿵저러쿵하며 간여할 권리가 있다고 주장하는 것과 같은 꼴불견입니다.

충실한 본문 관찰이란 독해 원리에 따라, 카프카의 대표작인 "변신"을 읽어 보겠습니다. 그는 영국 시인인 W. H. 오든이, "단테, 셰익스피어, 괴테가 작가로서 당대에 차지했던 입지에 비길만한 우리 시대의 작가를 거론한다면 첫 번째로 떠올릴 만한 인물이 카프카다."라고 극찬한 소설가이기도 합니다. ["열린책들"의 번역(홍성광 역)을 참조함]

-"변신" 줄거리-

(1 장) 그레고르 잠자는 어느 날 잠에서 깨어나 보니 자기가 흉측한 모습을 띤 갑충으로 변한 것을 발견한다. 도대체 무슨 일이 생겼는지 생각해 보았지만, 그 상황이 꿈이 아니었다. 그는 출장 다니면서 옷감을 파는 영업 사원이었다. 7 시에 근무가 시작되는 직장에 가기 위해 늘 4 시에 자명종 시계를 맞춰놓고 자곤 했지만, 그날은 벌써 6 시 30 분이나 되었다. 다음 기차 시간인 7 시에 맞추려면 서둘러야 했다. 평상시처럼 일찍 일어나지 않은 그가 염려되어 어머니가 방문을 두드리며 부드러운 목소리로 6 시 45분 된 것을 알려주었다. 그가 아직 출근하지 않은 것을 깨달은 아버지도 방문을 주먹으로 두드리면서 대체 어떻게 된 일이냐고 채근했다. 여동생 그레테도 나지막한 목소리로 오빠 몸이 안 좋은지 물어보기도 했다. 그가 출장 다니면서 생긴 습관대로 밤에 모든 문을 걸어 잠가두었기 때문에 아무도 그의 방문을 열어 볼 수가 없었다.

7 시 15 분이 되자 회사 지배인이 집으로 찾아왔다. 사환만 보내도 충분한 일을 이렇게 지배인이 직접 나타난 게 납득하기 힘들었다. 조그만 태만에도 바로 커다란 의심을 사는 이런 회사에 근무하는 신세가 된 게 한심하게 느껴졌다. 그레고르가 몸이 좋지 않은가 보다며 변호해 주는 부모님에게 지배인은 자기들 같은 사업가들은 몸이 좀 불편해도 사업을 생각해서 두 눈 딱 감고 이겨낸다고 응수한다. 동시에 그레고르를 향해 파렴치한 방식으로 회사 직무를 태만히 하고 있다면서, 오늘 아침에 사장이 그레고르가 직무에 태만할 만한 이유가 있다고 암시하더라는 말을 덧붙였다. 그에게 맡긴 수금에 관한 일이었다. 게다가 최근 들어 그레고르의 영업 실적이 형편없었다면서 그의 일자리가 철밥통이 아니라는 점도 일깨워 주었다.

그레고르는 당장 문을 열어 주겠다고 말하면서, 왜 이런 일이 자기에게 일어났는지 알 수 없지만 지배인이 자기에게 퍼붓는 비난들은 근거 없는 것이라는 점을 분명히 밝힌다. 그의 말은 지배인에게 짐승의 소리로만 들릴 뿐 한마디도 알아들을 수 없는 괴성에 불과했다. 의사를 데려오라는 어머니의 말을 듣고 여동생이 나가고 열쇠 수리공을 불러오라는 아버지의 말에 하녀가 밖으로 나간 다음, 그레고르는 입으로 열쇠를 깨물어 돌려 자물쇠를 열었다. 그의 모습을 본 지배인은 비명을 질렀고, 어머니는 두 손을 맞잡은 채 그레고르 쪽으로 걸어가다가 펼쳐진 치마 속에 쓰러져 버렸으며, 아버지는 양손으로 눈을 가리고는 꺼이꺼이 울어 대기 시작했다.

이 상황에서 유일하게 침착을 유지한 그레고르는 바로 옷을 입고 견본 모음집을 챙겨 떠나겠다고 말한다. 사장님께도 신세 지고 있고 부모님과 여동생을 돌보아야 하는 자기 처지로서는, 여행하는 게 고달프긴 하지만 판매 장애 요인을 없앤 이후에 더욱 열심히 일하겠다고 다짐한다. 사람들이 출장 영업 사원에 대해 많은 오해를 하고 있으나, 지배인이 자기편을 들어 달라고 부탁하기도 한다. 그러나 지배인은 그레고르의 말을 조금 듣고는 몸을 돌려 나가려고 했다. 지배인이 이런 기분으로 돌아가게 해서는 안 된다고 생각하고 지배인에게 달려갈 작정이었다. 그러다가 균형을 잃고 넘어지고 말았으나, 그 덕분에 가느다란 다리들이 바닥 위에 확고하게 설 수 있게 되었다. 그레고르가 앞으로 계속 나아가려고 애를 쓰자, 그가 자기 가까이 오는 것을 느낀 어머니가 두 팔을 내뻗으며 사람 살리라고 외쳐 댄다. 그러다가 식탁에 이른 어머니가 식탁 위에 올라앉는 통에 커피포트가 쓰러져 양탄자 위에 커피가 줄줄 흐르기 시작하자, 그레고르는 커피를 마시고 싶어 몇 번이나 허공을 덥석 물어 댔다. 그동안에 지배인은 계단을 뛰어 내려간 후 '어휴!'하고 소리를 내지른 후 종적을 감춰 버렸다. 혼란에 빠진 아버지는 사정없이 그레고르를 몰아 대면서 '쉿쉿'하는 소리를 질러댔다. 속히 그레고르가 자기 방으로 들어가야 한다는 생각에 사로잡혀 아버지가 괴상한 소리를 지르며 그를 앞으로 몰아 댄 통에, 문 입구에서 그의 옆구리가 쏠려 심한 상처를 입게 되었다. 게다가 문에 꽉 낀 그의 몸을 아버지가 힘껏 걷어차는 바람에 그는 피를 철철 흘리며 방 안으로 날아가 버리게 되었다. 아버지가 그 문을 닫자 사방이 조용해졌다.

(2 장) 저녁 무렵 문 쪽으로 기어가던 그레고르는 문가에서 음식 냄새를 맡게 된다. 사발에 우유가 가득 담겨 있었고 그 안에 흰 빵 조각이 둥둥 떠 있는 것이었다. 평소에 자기가 가장 좋아하던 우유에 머리를 박고 맛보았지만, 제 맛이 나지 않았을 뿐 아니라 역겨운 기분만 들었다. 이제는 자기 가족이 조용히 생활하는 것을 눈치 챈 것도 생경했지만, 자기 방문이 다 열려 있는데도 아무도 들어오려고 하지 않은 것에 어색함을 느낀다. 그렇지만 오직 여동생만이 하루에 두 번씩 자기 방으로 다가와 음식을 갖다 놓고 갔다가 나중에 자기가 먹은 후에 음식물들을 치웠다. 신선한 음식들은 맛이 없었지만, 치즈나 야채나 소스는 잘 먹을 수 있었다.

자기가 변신한 사건이 있던 그 첫날 하녀가 당장 내보내 달라고 애원하는 바람에, 이젠 여동생이 어머니와 요리했다. 식구들이 별로 먹지도 않고 마시지도 않아서 그 일은 그렇게 힘들지 않았다. 바로 그날에 아버지는 자기 집의 재정 상태와 전망에 관해 어머니와 여동생에게 설명해 주었다. 그동안은 그레고르가 벌어다 준 돈으로 편안히 지냈을 뿐 아니라, 그레고르는 심금을 울릴 정도로 바이올린을 잘 켜는 여동생을 내년에 음악 학교에 보내 주려고 계획하던 차였다. 예기치 않은 사고가 터져 당황스러운 상황이었으나, 아버지는 옛날 재산의 일부가 남아 있고 이자도 조금씩 늘어 재산이 약간 불어나 있었던 데다가 그레고르가 가져온 돈도 차곡차곡 모아 두어 그 액수가 제법 된다고 일러 주었다. 그렇지만 그 돈은 비상금 정도일 뿐이었으므로, 먹고살기 위한 돈은 앞으로 벌어야 했다. 자신감이 많이 떨어진 노인에 불과한 아버지나 천식을 앓고 있는 어머니가 돈을 벌 수가 없어, 이제부터는 열일곱 살 난 여동생이 돈을 벌어야 하는 처지가 된 것이다.

처음 2주간은 부모님이 그의 방에 들어와 볼 엄두조차 못 내었지만, 어머니가 불쌍한 아들을 보고 싶다며 소리를 질러 대다가 급기야 그와 대면하는 상황이 전개된다. 그레고르가 바닥을 기어다니는 것보다는 벽과 천장을 기어다니거나 천장에 매달려 있는 것을 좋아한다는 것을 눈치챈 여동생이 그의 방에 있는 서랍장과 책상을 치워 주기로 마음먹는다. 그 일을 도와주러 엄마가 그의 방으로 들어왔다가 그만 그가 벽에 걸려 있는 그림 위에 있는 모습을 발견하고는 양팔을 벌린 채 소파 위로 쓰러졌다. 그때 여동생이 자기를 향해 주먹을 치켜들고 잡아먹을 듯한 눈초리로 소리치는 모습에 그는 놀란다. 어머니를 깨울 약물을 가지러 가는 여동생 뒤를 따라 옆방으로 갔다가, 여동생이 자기 모습을 보고 놀라 깨뜨린 병 조각에 그레고르는 얼굴을 다친다. 잠시 후에 도착한 아버지는 은행 수위가 입는 것 같은 제복을 입고 있었는데, 어머니가 기절했다가 깨어났다는 말을 듣고는 화난 표정으로 그레고르를 향해 다가왔다. 아버지의 동작에 따라 이리저리 피하던 그레고르는 급기야 아버지가 던지기 시작한 사과의 표적이 된다. 마치 그에게 폭탄 세례를 퍼붓기로 작심한 듯이 아버지가 그에게 사과를 계속 던지던 중에 그의 등을 살짝 스치고 지나간 것도 있었지만, 사과 하나가 그의 등에 정통으로 박히고 만다. 그는 그 자리에 쭉 뻗어 버리고 만다. 그때 어머니가 비명을 지르며 달려 나와 아버지를 향해 달려가서 아버지의 뒷머리를 두 손으로 부여잡으면서 그레고르를 살려 달라고 애원한다.

(3 장) 그 상처 때문에 그레고르는 회복되는 데 한 달이 걸렸다. 그동안 아버지는 수위 노릇을 하고 어머니는 양장점에 넘길 고급 속옷을 바느질하고 여동생은 점원으로 취직했다. 여동생은 나중에 더나은 일자리를 얻기 위해서인지 속기와 불어도 배우기 시작했다. 각자의 일로 지친 가족들은 그레고르를 필요 이상으로 돌보아줄 생각도 하지 못했고, 살림이 더 쪼들려서 하녀도 내보내야 했다. 심지어 어머니와 여동생의 장신구마저 팔아 치우기까지 했다. 그러면서도 이사는 가지 않고 버텼다. 다른 친척이나 친지들 가운데 자기들만 유독 이런 불행을 당하고 있다는 생각과 완전한 절망감 때문이었다.
　가족들은 더 이상 그레고르가 무엇을 좋아하는지 생각하지 않았다. 그가 음식을 먹었는지 그렇지 않았는지에 대해서 관심이 없었다. 자기 방 청소를 전담하는 여동생도 대충 하는 눈치였다. 한번은 어머니가 그의 방을 대청소하면서 물을 많이 쓰는 바람에 바닥에 물기가 있어 그레고르가 소파 위에 드러누워 있자, 여동생이 어머니에게 한바탕 해 대는 일이 벌어졌다. 그렇지만 파출부가 새로 왔기 때문에 그레고르가 소홀히 취급받지는 않게 되었다. 그 늙은 과부는 그레고르의 모습에 놀라지도 않았을 뿐 아니라 그를 말똥구리 취급하며 놀려 대기도 하고 의자를 집어 들어 그를 내려칠 의도를 비치며 겁을 주기도 했다.

그레고르는 이제 거의 아무것도 먹지 않았다. 그의 방은 온갖 불필요한 물건들이 쌓이는 곳으로 변모했다. 심지어는 방 하나를 세 명의 하숙인에게 세를 내준 후로는 다른 방에 있던 물건들도 그의 방에 모이게 되었다. 파출부가 부엌에서 쓰는 재 담는 통과 쓰레기통도 그곳에 두었다. 그 물건들 사이를 헤집고 돌아다니던 그레고르는 죽도록 피곤하고 서글퍼졌다. 하숙인들이 거실에서 식사하고 식구들은 부엌에서 식사하는 상황이 전개되던 어느 날, 여동생이 바이올린을 연주하게 되자 하숙인들이 거실에서 연주해 달라고 부탁했다. 그 연주 소리에 이끌린 그레고르는 그만 자기 방에서 나와 과감하게 앞으로 나아가 여동생의 치맛자락을 당기려고 마음먹었다. 그곳에 있는 사람 중에 그 연주의 진가를 알아줄 사람이 자기밖에 없기 때문에, 여동생이 바이올린을 가지고 자기 방으로 좀 와 달라고 암시하려던 것이었다.

바로 그때 하숙인 중 한 명이 그레고르를 발견하고는 그를 손가락으로 가리키며 아버지를 향해 소리를 질렀다. 바이올린 연주가 중단되고 아버지는 그 하숙인들을 그들의 방으로 몰아가는 상황에서, 그들 중 한 명이 하숙집 생활이 이렇게 역겨우니 당장 집에서 나가겠다고 선언했다. 방세도 내지 않고 손해 배상 청구를 할 생각이라며 엄포를 놓기도 했다. 다른 두 명도 그렇게 하겠다며 합세했다. 아버지는 안락의자로 비틀거리며 걸어가더니 그곳에 쓰러져 버렸고, 그레고르는 몸이 탈진했는지 꼼짝도 할 수 없었다. 그때 여동생은 손으로 식탁을 치면서, 저런 괴물을 더 이상 오빠의 이름으로

부를 수 없다면서 이제는 자기들이 저것에서 벗어나야 한다고 역설했다. 이렇게 힘들게 일하는 처지에서 집에서마저 계속 괴롭힘을 당하는 것은 도저히 참을 수 없다면서 그레고르를 내쫓아야 한다는 것이었다. 여동생은 그레고르가 몸을 돌이켜 자기 방으로 가려는 동작도 자기에게 공격하는 것으로 오해하면서 비명을 지른다. 그가 방 안에 들어서자마자 여동생이 문을 벼락같이 닫아 빗장을 걸고 완전히 잠그고 말았다. 그 와중에 그의 가느다란 다리들이 구부러지면서 꺾이기도 했다. 어두운 방 안에서 꼼짝도 할 수 없다는 것을 깨달은 그레고르는 가족을 생각하면서 감동과 사랑의 감정에 사로잡혔다. 자기가 사라져야 한다고 생각한 것은 여동생보다 자기가 더욱 단호했다. 새벽 세 시를 치는 소리가 들리자, 창밖의 세상이 온통 훤하게 밝아오기 시작했다. 바로 그 순간에 고개가 아래로 꼬꾸라지면서 그레고르는 마지막 숨을 힘없이 쉬었다.

어느 날 이른 아침에 파출부 할멈이 와서야 그가 죽은 것을 발견하게 된다. 그가 "저기 누워 완전히 뒈졌어요!"라고 가족들에게 알리자, 그가 죽은 것을 확인한 잠자 씨는 "자아, 이제 하느님께 감사를 드려야겠다."라고 입을 연다. 그는 빼빼 말라 있었고 그의 몸은 납작한 모양으로 말라붙어 있었다. 자기들 방에서 나와 어리둥절한 표정으로 아침 식사를 찾고 있던 하숙인들에게, 잠자 씨는 당장 자기 집에서 나가 줄 것을 요청한다. 당황해하던 그들은 잠자 씨의 태도가 결연한 것을 눈치챈 뒤 나가겠다며 모두 꽁무니를 뺀다. 잠자 씨 가족은 오늘 하루를 푹 쉬면서 산책하기로 하고는, 각각 결근계를 쓴다. 이제는 일을 그만두고 휴식을 취할 자격이 있었을 뿐만 아니라 휴식하는 게 꼭 필요하다고 믿었기 때문이다. 파출부 할멈이 옆방의 그 물체를 치우는 문제는 걱정할 필요가 없다고 알려주고 나가자, 잠자 씨는 그녀도 이제는 내보겠다고 말한다.

그들은 전차를 타고 도시의 근교로 나갔다. 좌석에 편히 등을 기댄 채 미래의 전망에 관해 이야기를 나누었다. 당장의 상황을 개선하는 가장 좋은 방법으로 이사를 가는데 뜻을 모은다. 이야기꽃이 피는 동안 딸의 얼굴에 생기가 도는 것을 느낀 잠자 씨 부부는 이젠 딸에게 착실한 신랑감을 구해 줄 때가 된 것 같다고 생각했다. 목적지에 이르자 딸이 기지개를 켜면서 몸을 쭉 펴자 잠자 씨 부부에게는 그 모습이 자기들의 새로운 꿈들과 멋진 계획들을 확인해 주는 것 같이 생각되었다.

-가족이란 무엇인가?-

이 작품 속에 등장하는 주요 인물은 한 가족 구성원들입니다. 그레고르와 그의 부모와 여동생 그레타입니다. 그 외에 회사 지배인이나 하녀나 파출부 할멈이나 하숙인 3 명도 더 등장하지만, 그들은 어디까지나 엑스트라에 불과합니다. 즉 이 이야기는 한 가족의 현실과 일상을 묘사하는 기록입니다. 이 가족 구성원들은 어떤 사람들일까요? 그레고르는 고된 출장 영업을 통해 옷감을 판매하는 회사 직원이고, 아버지는 사업이 망한 뒤 은퇴한 노인이고, 어머니는 가사를 돌보는 주부이며, 여동생은 17 세 청소년입니다. 현재는 그레고르가 5 년째 가정의 생계를 책임 맡고 있는 가족 부양자(breadwinner)입니다. 당장 아들이 돈을 상당히 벌고 있기 때문에, 현재 일할 수 있는 건강이 되는 아버지도 여유롭게 노년을 즐기고 있는 처지입니다. 어머니는 일할 수 없을 만큼 나이가 많이 든 것은 아니지만, 천식으로 고생하고 있었기 때문에 노동할 수가 없었습니다. 여동생도 돈 걱정하지 않고 안정된 가운데 생활하면서, 자기의 특장인 바이올린 연주 기량을 갈고닦는 데 시간을 들이기도 했습니다. 그레고르가 아직 가족들에게 밝히지는 않았지만, 그는 여동생을 음악 학교에 보낼 계획까지도 짜 둔 상태였습니다. 여동생이 17 세인 것으로 보아, 아마도 20 대 결혼 적령기에 이미 도달했을 그레고르는 자기가 결혼해서 가정을 꾸리는 것은 생각도 하지 않고 직장 업무에만 몰두하고 있습니다. 부모님과 여동생이 멋진 집에서 안락한 생활을 하는 것이 바로 자기 때문이라는 자부심을 그레고르가 품고 있었다는 게 전혀 무리가 없지요.

이런 그레고르의 희생과 기여에 대해 가족들은 어떻게 생각하고 있을까요? 두 문장이 그 답을 줍니다. "식구들은 그레고르가 벌어다

준 돈을 받으며 고마워했고 그는 그 돈을 흔쾌히 내놓았지만, 서로 간에 이렇다 할 따스한 정 같은 것은 더 이상 오가지 않았다. 그래도 여동생만은 그레고르와 가깝게 지냈다." 즉 그레고르는 고군분투해서 번 돈을 기쁘게 가족들을 위해 썼고 가족들은 그것에 대해 고마워했지만, 여동생과 자기와의 관계를 제외하면 가족들 간의 정서적 교감은 없었다는 것입니다. 여동생과 부모와의 관계는 어떠했을까요? 그레고르가 변신한 후 여동생이 그에게 먹이를 주고 돈 버는 역할을 감당하기 전까지, 그 부모는 그녀가 "아무짝에도 쓸데없는 딸아이에 불과"하다고 여겨 툭하면 야단하기 일쑤였습니다. 사실상 '아무짝에도 쓸데없는' 것으로 따지자면, 부모도 할 말이 없었을 텐데 딸을 무시하고 야단하는 식으로 자기들의 권위를 행사했습니다. 그 아버지는 건강한 몸을 가지고도 지난 5년째 놀고먹는 데도가 텄습니다. 아침 식사가 가장 중요하다면서 다양한 요리에다 신문 읽기도 곁들여 몇 시간에 걸쳐 식사했으니까요. 그러니까 몸이 비둔해질 수밖에요. 그 어머니는 천식을 앓고 있어서 집 안을 돌아다니는 것도 무척 힘들어해서 창문을 열어젖힌 채 소파에 누워 지내기 일쑤였습니다. 정리해 보자면, 그레고르의 가족은 돈 벌어다 주는 그에 대해 고마움을 표시하는 것 외에는 가족 간에 정서적 교감이 없는 가정이었던 셈이지요.

도대체 가족이란 무엇일까요? 김용규 작가는 이 작품("변신")을 다루면서 가정에 대한 마르셀의 철학을 소개합니다. 그는 모든 인간다움은 가정에서 시작한다고 생각했고, 이 세상에서 가장 순수한 의미를 띠고 '**우리**'(*le nous*)라고 부를 수 있는 최초의 '공동체'가 바로 가정이라고 보았다는 것입니다. 이런 시각으로 그는 가정을 '시원적 우리'(*un nous primitif*) 혹은 '원형적 우리'(*un nous archtype*)라고 불렀고, 이 공동체 안에서만 '나'라는 가족 구성원의 존재가 드러나면서 비로소 인간다운 인간이 될 수 있다고 역설합니다. 무릇 존재라는 것은 오로지 '공동존재'(*le co-esse*)를 통해서만 자기를 드러내기 때문입니다. 그런 의미에서 상호적 관계의 개념이 주관적 개념보다 항상 앞선다고 보지요. 가족이 존재하기에 내가 있다는 말은, 가족이 '나의 존재적 확장'이 된다는 개념과도 통합합니다, 가족 구성원 중 누구에게 고통스러운 일이나 기쁜 일이 생기면, 내가 고통스럽게 되거나 기뻐하게 된다는 것이지요. 여기에서 한 발 더 나아가, 마르셀은 이런 관계를 가족 외의 타인들에게까지 확장하여 우리 사회를 '가족적'으로 형성해 가야 한다고 강조합니다. 바로 여기에서 **'인간이 인간으로 사는 길'**이 시작된다는 것입니다. 누군가를 그의 '어떠어떠함'으로 재단하지 않고 그의 '있음' 자체로 존중하는 자세, 그의 고통과 행복을 나의 고통과 행복으로 인식하는 게 모든 도덕과 윤리의 근본이기 때문입니다. (김용규, "철학카페에서 문학 읽기" 참조.)

과연 그레고르의 가정은 '서로를 비추는 거울'처럼 가족 구성원들에게 임하는 고통과 기쁨을 자기들의 것들로 안고 품었을까요? 아닙니다. 그들에게는 정서적 유대감이 결여되어 있었습니다. 그렇다면 가족 구성원 각자의 '어떠어떠함' 대신 '있음' 자체만으로 서로 존중해 주고 있었을까요? 아닙니다. 돈 벌어다 주는 그레고르에게는 온 가족이 감사했지만, 그레테에게는 부모가 모멸감을 안겨 줄 뿐이었습니다. 한편으로는 17세가 될 때까지 그레테가 취한 생활방식을 보면 그럴 만하다고 생각되기도 합니다. 깔끔하게 옷 입는 데 신경 쓰고, 실컷 잠자고, 하녀도 있는 상태에서 집안일 좀 거들고, 무도회에 간혹 참석하는 데다가, 바이올린을 켜는 게 전부였으니까요. 다른 한편으로 그 부모의 처사는 부모의 권위만 내세운 부당한 처사에 불과했습니다. 자기들도 놀고먹기는 마찬가지였기 때문입니다. 사실상 그레고르가 갑충으로 변신하지 않으면 안 될 정도로 자신을 몰아가며 일을 할 수밖에 없었던 배경에는, 아버지의 사업 실패와 그가 진 빚이 버티고 있었습니다. 그런데도 지난 5년간 뼈 빠지게 일하다가 갑충으로 변신한 아들에게 위험과 폭력을 가했을 뿐 아니라, 그가 죽었다는 소식을 접하고는 하나님께 감사를 드리는 아버지의 행태는 용서받기 힘듭니다. 부모도 챙겨주지 않는 자신의 미래를 계획하며 가족들의 생계 해결을 위해 노심초사하던 오빠를 배신하고 그를 괴물이라고 부르며 내쫓아야 한다면서 그를 방에 매

몰차게 가둔 여동생도 비난받아 마땅합니다. 이런 가족 구성원들에게 가족 관계를 확장하여 우리 사회를 '가족적'으로 만들어 가야 한다고 제안하는 것은 언감생심입니다.

이 작품을 독해하면서, 고미숙 작가가 봉준호 감독의 "기생충"을 **'핵가족의 붕괴에 대한 유쾌한 묵시록'**으로 분석한 것에 공감이 갔습니다. 외견상으로는 현격한 대조를 이루는 세 유형의 가정이 실제적인 삶의 실상 면에서는 대동소이한 모습을 보인다는 점을 제시한 게 인상적이었다는 것입니다. 즉 그 세 가정이 각각 저택, 반지하, 지하실에서 살고 있지만, 가족 구성원들의 관심은 오로지 '성욕과 식욕, 그리고 사유재산'에만 몰입되어 있다는 것이지요. 이런 가정 속에 가족 구성원들 간의 정서적 교감이 있을 리가 없고, 세상과 사회의 변화를 바라보고 꿈꾸는 윤리적 비전이 실종되어 있다는 것은 너무나 당연합니다. 이런 면모를 띤 핵가족을 자아와 삶의 기반으로 삼다가는 자기 파멸과 사회 붕괴에 이를 수밖에 없습니다. 이런 논의를 중심으로 고 작가는 이제는 집에서 길로 이동하는 시대라면서, 코로나 19 사태가 이런 사조를 더욱 각인시키는 역할을 했다고 보았습니다. 집안에만 박혀 있어 보면서, 산다는 것은 관계를 맺는 것이고 그러기 위해서는 집을 나서야 한다는 것, 즉 사람이란 집을 나와서 네트워킹하는 존재라는 사실을 더욱 깊이 깨닫게 되었다는 것입니다.

"기생충"을 보고 나서 전 세계인들이 다들 "우리나라 이야기 같다"라는 반응을 내놓았다고 하지요. 전 세계적으로 퍼져 있는 문제인 사회 양극화 현상 때문만은 아니었을 것입니다. 도리어 이 반응은 각자의 식욕을 채우고 핵가족인 자기들의 생존과 안녕만을 지상 과제로 안고 살아가다 보니, 다른 사람들과의 관계마저 순전히 경제적인 차원에서 득실만을 따지게 된 전 세계인들의 자탄이 섞여 나온 고백이 아니었을까요? 영화 속에서 명시된 것처럼 가난한 사람들이 부자들에게 기생하는 것만큼, 부자들도 가난한 사람들에게 기생하는 삶의 행태를 보여 주고 있으니까요. 그러나 "변신"은 "기생충"에서도 견고했던 핵가족 내의 끈끈한 관계마저 끝장내 버리는

참혹한 인간 본성을 그리고 있습니다. 핵가족 대 핵가족의 기생 관계가 핵가족 내 구성원 대 다른 구성원 간의 기생 관계로 퇴행해 버린 참담함을 계시하고 있는 것입니다. 그런 의미에서 "변신"은 작가 자신이 말한 대로, "우리 안에 있는 꽁꽁 얼어버린 바다를 깨뜨려버리는 도끼"(the axe for the frozen sea within us)와 같은 작품입니다. 핵가족의 붕괴에 직면한 현시대에 또다시 질문하고 그 가족의 본질을 회복해야 합니다. 도대체 가족이란 무엇입니까?

-그레고르가 변신한 의미와 그 과정-

"어느 날 아침 뒤숭숭한 꿈에서 깨어난 그레고르 잠자는 자신이 침대에서 흉측한 모습의 한 마리 갑충으로 변한 것을 알아차렸다." 이 소설의 제목("*Die Verwandlung*", The Metamorphosis)을 가리키는 소설 속 첫 문장입니다. '흉측한 모습의 한 마리 갑충'(*ungeheures Ungeziefer*)은 무엇일까요? 이 표현을 영어로 번역하면 'a monstrous vermin'(괴물 같은 해충) 혹은 'a horrible vermin'(끔찍한 해충)이 됩니다. '*Ungeziefer*'는 중세 고지 독일어(Middle High German)에서는 '제물로 적합하지 않은 부정한 동물'이라는 의미였고, 구어체로는 벌레, 곤충, 딱정벌레 등을 가리키는 일반적인 용어(bug)로 사용되기도 했습니다. 그렇지만 많은 영어 번역가는 이 단어를 'vermin'으로 바꾸었습니다. 주로 해충으로 번역되는 이 단어는 파리, 이, 벼룩뿐 아니라 바퀴벌레나 쥐와 같이 파괴적이고 질병을 옮기는 벌레나 조그만 동물들을 가리킵니다. 이 단어의 의미를 밝혀주는 한 가지 단서는, 그레고르 집을 드나드는 파출부 할멈이 아침저녁으로 늘 그의 방문을 열고 그를 다정하게 부를 때 드러납니다. "이리 와 보렴, 우리 말똥구리!" 혹은 "우리 말똥구리 좀 봐요!" 여기서 사용된 '말똥구리'는 독일어로 '*Mistkäfer*'로서 영어의 'dung beetle'에 해당합니다. 결국 그레고르가 변신한 것은 '소름 끼치는 거대한 말똥구리' 모습을 띠고 있었던 것이지요.

그레고르가 어떻게 이 벌레로 변하게 되었을까요? 먼저 살펴볼 것은 그의 직장 환경입니다. 치열한 직장 내 분위기가 이미 그를 벌레와 같이 취급했기 때문입니다. 그는 신입 사원 때 성실하게 직무에 임하여 출장 영업 사원으로 승진했습니다. 많은 사원의 시기를 샀을 대목입니다. 그 자리를 차지한 사람들이 떼돈을 벌며 떵떵거리며 살아간다는 소문이 자자한 상황이었으니까요. 그가 지배인 앞에서 자기변명을 하는 도중에 이런 고백을 하지요. 출장 업무에 전념하는 자기에 대해 사람들이 온갖 험담과 비방을 해대는데, 이런 것들에 대해 제대로 방어하지도 못하는 상태가 자주 일어난다는 것입니다. 그런 일들이 있다는 것조차 모르고 있기 때문이지요. 당사자가 변호할 수 없는 무력한 상태에 있다는 것을 알면서도 갖가지 사실무근의 비방과 험담을 뿜어대는 게, 바로 사람을 벌레 취급하는 게 아닐까요? 벌레라는 존재가 품고 있는 함의 한 가지가 바로 무력함이기 때문입니다. 비록 파리, 모기, 벼룩들이 어느 정도 잠재적인 파괴력을 갖고 있긴 하지만, 한편으로 그들은 작고 무력한 존재에 불과합니다. 반항하거나 반격할 수 있는 능력이 없이 그저 속수무책으로 당하기만 하는 존재에 불과하지요.

자기를 벌레처럼 취급하는 회사원들의 비우호적인 태도는 서서히 그레고르에게 내재화함을 볼 수 있습니다. 출장의 여독으로 인해 녹초가 되어 회사로 출근해서 보면, 자기를 향한 비방과 험담들에 의해 불거진 "좋지 않은 결과를 피부로 생생히 느끼게" 되었습니다. 하지만 "그 이유를 도저히 알 수 없으니 어떻게 해볼 도리가 없었지요." 그렇다고 회사 내에 퍼진 팽팽한 긴장 상태를 벌레처럼 무력하게 감내해야 하는 생활을 당장 그만둘 수도 없습니다. 아버지가 자기 사장에게 진 빚을 다 청산하려면, 앞으로도 무려 5-6년 정도는 더 지속해야 했으니까요. 피부로 생생하게 느끼지만, 어찌할 수 없는 전적인 무력감에서 벗어날 수 있는 길이 완전히 닫혀 있었습니다. 이런 상황 속에서, 그레고르는 차라리 그런 모멸감을 느끼지 않는 갑충이 되기를 바랐을 수도 있습니다. 갑충의 특징이 바로 온몸이 단단한 껍데기로 싸여 있는 것이니까요. 생생하게 느낄 피부가 존재하지 않는 것이 곤충의 특징입니다.

다음으로 이런 이야기를 털어놓고 상담할 대상이 없다는 것도 이런 상황을 더욱 악화시켰습니다. 자기만 전적으로 의지하는 부모나 어린 여동생에게 이런 심각한 이야기를 털어놓는다면, 당장은 후련했을지는 몰라도 도리어 자기 마음이 더 편안하지 않았을 것입니다. 그렇다고 "말귀를 잘 못 알아듣는 사환"이나 다른 회사에서 온 두세 명의 친구들과 상의하기도 적절하지 않았습니다. 자기 집에 직접 찾아온 지배인도 그 대상이 될 수 없었습니다. 자기를 사업가로 소개하는 그는 사장과 한배를 타고 있는 수완 좋은 사원일 뿐이었기 때문입니다. 그레고르가 지배인에게 던진 앞의 그 고백이, "어느 정도는 일리가 있는 말"이 아니라 그저 괴성으로 들릴 뿐이었다는 지적 그대로입니다. 그는 일반 직원들의 고충을 청취할 자세를 갖춘 인물이 아니었습니다. 몸이 아파도 툭툭 털고 출근해서 업무에 임해야 한다는 주의를 고수하는 사업가에 불과했지요. 아니나 다를까 그는 "그레고르가 처음 하는 몇 마디 말을 듣더니 몸을 홱 돌려 버렸습니다."

　이렇게 정리해 볼 수 있겠습니다. 집안의 생계를 책임 맡은 가장으로서 그레고르는 지난 5년 동안 치열하게 회사 생활을 해왔습니다. 평소에 5시 기차를 타고 출근할 뿐 아니라, 자나 깨나 회사 생각밖에 없었습니다. 말단직에서 승진하여 출장 영업 사원으로 승진했습니다. 그러니까 주위에서 질시의 눈초리를 던져대고 입방아를 찧어대기 시작합니다. 그가 있는 곳에서는 말 못 하고 있다가도 그가 없는 데서 온갖 험담과 비방을 쏟아 놓습니다. 그가 출장 갔다가 회사로 복귀하면 그 썰렁한 분위기가 피부에 와닿습니다. 그렇다고 자기 변호할 수 있는 것도 아닙니다. 이런 일을 상의하고 상담할 수 있는 동료나 상사도 존재하지 않습니다. 도리어 지금까지 5년간 개근한 그가 7시에 출근하지 않자, 지배인이 바로 집으로 쳐들어와, 그의 건강 상태를 문의하기는커녕 도리어 수금 문제로 인해 직무 태만한 경우라고 의심하는 직장이지요. 게다가 최근 그의 영업 실적이 형편없다는 사실무근의 주장을 해대면서, 그의 일자리가 철밥통이 아니라는 점을 일깨워 주는 직장 상사가 있는 곳이지요. 이런 직장을 앞으로도 무려 5 년이나 더 다녀야 하는 그레고르의 심정을 한번 생각해 보세요.

그렇습니다. 그레고르는 "가족을 저버릴 생각은 조금도 하지 않고 있었습니다." 그렇지만 그가 입으로는 '내가 가장이다, 부모를 편안히 모셔야 한다, 여동생을 음악 학교에 보내야 한다.'라고 외치고 있었으나, 그의 몸은, 특히 그의 '피부'는 그러한 당연한 언명을 거부하고 있었습니다. 지금까지 5 년간 겪은 이런 긴장된 직장 생활을 앞으로 그 동일한 기간만큼 더 체험해야 한다니 기가 찰 노릇이었을 것입니다. 결국 그레고르가 갑충으로 변신한 것은 이렇듯 '몸과 피부가 거부할 정도로 극심한 직장 내 왕따나 갑질이 야기하는 고통'에 대한 은유일 것입니다. 그레고르의 이런 변신은 특이한 상황에 부닥친 그만의 몫이라고 할 수 없습니다. 무력한 자들을 괴롭히는 데서 만족을 느끼고 그들에게 자기 권력을 과시하는 데서 희열을 느끼는 인간들의 행렬은 이 세상 끝나는 날까지 이어질 것입니다. 그래서이겠지요. "그레고르는 오늘 자신한테 일어난 것과 비슷한 일이 언젠가는 지배인한테도 일어날 수 있지 않을까 상상해 보려고 했다. 사실 그럴 가능성을 아주 부인할 수는 없는 노릇이었다." 이 책이 출간된(1915 년) 지 무려 100 여 년이 흘렀어도, 갑충으로 변신하는 직장인들은 끊이지 않고 있습니다.

-직업이란 무엇인가?-

그레고르에게 직업은 우선 생계의 수단입니다. 아직 결혼은 하지 않았지만, 부모와 여동생을 부양해야 하는 책임을 지고 있었기 때문입니다. 이 책임 때문에 고달픈 출장 영업직을 택할 수밖에 없었습니다. 날이면 날마다 여행을 다니는 것이 사무실에서 근무하는 것보다 스트레스를 더 많이 받게 되지만, 수입은 사무직보다 더 많았기 때문에 열심히 일한 결과로 승진해서 얻은 업무였습니다. 지난 5 년 동안 병가를 내 본 적이 없을 정도였으니까요. 출장 중이라고 해서 다른 영업 사원들처럼 농땡이를 치지도 않고 오전 일찍부터 움직이면서 영업을 개시했습니다. 그래서 가족들이 좀 더 편안하게 살 수 있게 되었습니다. 문제는 그레고르의 머릿속에 회사 일 외에는 다른 게 없다는 것입니다. 간혹 출장 가지 않고 회사로 출퇴근하는 경우에도, 저녁마다 집안에만 틀어박힌 채로 책상에서 신문을 읽거나 기차 시간표를 들여다보고 있습니다. 기분을 푸는 유일한 취미가 있다면 그것은 실톱으로 목공 일에 열중하는 것이었습니다. 이런 그가 기대를 거는 일생일대의 전기가 있습니다. 그것은 부모님 빚을 다 갚은 후에 사표를 던지고 가슴에 묻어 두었던 생각을 사장에게 죄다 털어놓는 일이었습니다. 5-6 년 후의 미래상이지요.

그레고르의 이야기를 읽으며 지난 세월 동안 제가 근무했던 회사나 고교나 대학 생각이 많이 떠올랐습니다. 그레고르처럼 이러한 곳에서 일한 덕에 제 가족 생계를 해결할 수 있었습니다. 저도 출장 다니며 강의도 해보았기 때문에 그의 경험이 낯설지가 않았습니다. 학교에서 근무하는 중에는 병가 한 번 내 본 적이 없는 것도 그와 같은 처지였습니다. 치열한 직장 생활을 영위한 징표였겠지요. 그렇지만 6 개월간 근무한 회사에서는 언젠가 심하게 배탈이 나서 반나절 동안 병원에서 보낸 적이 있었습니다. 이른 아침에 기숙사를 나서서 밤에 별을 보며 다시 귀가할 때까지, 제대로 휴식할 수 있는 시간이나 산책할 수 있는 장소가 없는 근무 환경은 그야말로 살인적이었습니다. 그레고르와 같이 제게도 기분 풀어 주는 취미가 있었습니다. 그런데 그에게는 사표 낼 기회가 없었지만, 제게는 사표를 던질 기회가 세 번이나 있었습니다. 회사에서 고교로 옮길 때와 교사직을 놓고 유학을 떠날 때와 교수직을 그만두고 귀국할 때였습니다.

사표를 던지는 이 과정들을 통해 저는 직업이 생계 문제를 해결하는 것 이상의 의미를 띠고 있음을 깨달았습니다. 제가 처음 근무한 회사에서는 저만의 '보람'을 찾을 수가 없었습니다. 우리나라 대기업 중 한 곳이기도 했고 다양한 부서를 보유하고 있었기 때문에, 얼마든지 그곳 생활을 통해 나름의 보람을 누린 사람들도 적지 않았을 것입니다. 그렇지만 그 회사 생활은 제가 추측하고 기대한 것과는 너무 거리가 멀었습니다. 그곳에서 계속 근무했다면, 저도 그 레고르처럼 변신했을지도 모르겠습니다. 감사하게도 그 고뇌의 시기에 고교에서 영어 교사로 근무해 보라는 제안이 제게 주어졌습니다. 원래 제가 꿈꾸었던 교수 활동, 즉 학생들을 지도하면서 그들의 성숙을 돕는 보람을 만끽할 수 있는 절호의 기회로 인식되어, 조금도 갈등하지 않고 사표를 냈습니다. 그곳에서 4 년 반을 지낸 후에 유학의 길을 떠날 때 두 번째 사표를 던진 것은 앞 경우와 약간 차이가 납니다. 이미 '보람'은 누리고 있었지만, 그때에는 해외에 있는 대학생들의 학문적, 영적 필요를 섬기는 기회를 모색하기 위해서였습니다. 적어도 그 길이 당시 하나님께서 저와 제 가정을 향해 초대해 주신 길로 믿었기 때문입니다. 그때부터 27 년간 그 대부분을 해외에서 보내며 젊은이들과 함께하던 중, 2017 년 말에 근무하던 대학에 사표를 던졌습니다. 해외 활동을 마감하고 귀국할 때가 되었다는 단서가 여럿 보였기 때문입니다. 지금은 저희 부부가 감당해야 할 일감이 어떤 것인지 어렴풋이 보이기 시작하고 있습니다.

존 스토트는 노동 혹은 일(work)에 대한 성경적인 시각을 다각도로 살펴본 후에 일에 대한 정의를 다음과 같이 내리고 있습니다.

"노동이란 타인을 섬기는 일에 에너지[육체적이거나 정신적인, 혹은 육체적이고도 정신적인]를 소모하는 과정으로서, 노동자에게는 만족을, 공동체에는 유익을, 하나님께는 영광을 안겨다 준다."(Work is the expenditure of energy [manual or mental or both] in the service of others, which brings fulfilment to the worker, benefit to the community and glory to God.) ("Issues Facing Christians Today")

스토트는 이 정의에서 만족과 유익과 예배[혹은 하나님의 목적에 협력하는 것]라는 차원들이 서로 긴밀하게 얽혀 있다는 점에 주목합니다. 예컨대 자기 직업에 만족한다는 것이 주로 공정한 임금, 좋은 근무 조건, 안정성 및 받아 누리는 회사 이익의 분량이라는 요소들에 의해서만 결정되지 않는다는 것입니다. 사실상 그 만족은 그 일 자체로부터, 특히 쉽게 포착하기 어려운 요소인 '보람'(significance)이라는 요소에서 비롯되기 때문이지요. 더구나 우리 직업과 연관하여 누리는 보람의 주된 내용이란 것도 심지어 기술과 노력과 성취가 결합한 것이 아니라고 이야기합니다. 도리어 그 보람의 핵심은 그것을 통해 우리가 공동체에 봉사하고 하나님께 예배하는 일에 기여하고 있다는 자각이라는 것입니다.

도로시 세이어즈가 한 말이 있습니다. "일이란 주로 사람이 살아가기 위해 행하는 것이 아니라, 사람이 살아가면서 행해야 하는 것이다."(Work is not primarily a thing one does to live, but the thing one lives to do.) 즉 노동이 생계를 위한 것만이 아니라, 삶의 사명이 되어야 한다는 의미입니다. 하나님께서 우리에게 특정한 재능과 은사를 주신 목적은, 그것들로 단순히 생계를 영위하는 데서 그치는 것이 아니라, 그것들을 통해 의미 있는 일을 성취하면서 보람을 느끼도록 하시기 위해서였습니다. 그렇게 자각할 수 있다면 얼마나 좋겠습니까? 세상의 현실은 그레고르의 경험에 가깝습니다. 갈굼이나 '태움'을 당하는 게 다반사인 직장 환경 가운데서, 이웃을 위해 봉사한다는 차원이나 하나님께 영광을 돌린다는 차원은 잊히기 일쑤입니다. 그런데도 하나님께서 인간을 당신의 협력자로 두고 동역해 가기를 원하신다는 사실은 변함없습니다. 즉 하나님께서 '창조주'(the Creator)가 되신다면, 인간은 '경작자'(cultivator)가 되는 것입니다. "하나님과 인간 간의 협력이라는 개념"(This concept of divine-human collaboration)은 모든 영광스러운 일에 다 적용이 됩니다. "현대 외과 의학의 창시자"였던 16세기 프랑스 외과의사인 앙브루아즈 파레(Ambroise Paré)가 언급한 말 그대로입니다. "나는 환자의 붕대를 감았지만, 하나님께서 그를 낫게 해 주셨다."(I dressed the wound; God healed him.)

-가족들이 변신한 의미와 그 과정-
이미 소개한 이 작품의 첫 문장도 극적이지만, 마지막 문장은 그에 못지않은, 아니 더 충격적인 구절입니다. "소풍의 목적지에 이르러

딸이 맨 먼저 일어나 젊은 몸을 쭉 펴며 기지개를 켜자, 그들에게
는 그 모습이 그들의 새로운 꿈들과 멋진 계획들을 확인해 주는 것
처럼 생각되었다." 이 가족 소풍을 간 날이 언제일까요? 그레고르
가 제대로 먹지도 못한 채 빼빼 말라, 그 몸이 납작하게 말라붙어
죽은 날이었습니다. 갑충으로 변신한 그가 죽자, 그의 아버지는 먼
저 하나님께 감사를 올립니다. 어머니와 여동생도 함께 성호를 긋
지요. 삼가 아들의 시신을 수습해서 안장하는 일에 신경을 쓰기는
커녕, 파출부 할멈이 그 시신을 "빗자루로 한참 동안 밀쳐 보는 것"
도 제지하지 않고, 그녀가 그 '물체'를 어떻게 처리했는지에 대해서
도 무관심한 태도로 일관합니다. 그러면서도 온 가족이 결근계를 내
고 하루를 쉬기로 합니다. "그들에게는 이처럼 일을 그만두고 휴식
을 취할 자격이 있었을 뿐만 아니라 쉬는 게 꼭 필요했다."라고 자
각했기 때문입니다. 그 아버지는 자기들에게 갑질하던 하숙인 세
명도 다 내보냈을 뿐 아니라, 무례하게 구는 파출부 할멈도 내보겠
다고 말합니다. 그러면서 아내와 딸을 향해 또 한마디 보탭니다.
"자, 이리들 오라고. 지난 일들은 다 잊어버려. 그리고 내 생각도
좀 해줘야지." 그 말을 들은 그 두 여자는 "급히 그에게 쪼르르 달
려와서 그를 어루만지고는 서둘러 그들의 편지를 끝마쳤습니다."
도시의 근교로 소풍 가기 위해 전차를 타고 가면서 "전망에 관해
이야기를 나누었습니다." 자기들이 생각해 보니 자기들의 일자리가
"특히 전도유망"하다고 인식되었습니다. 현 상황을 타개하기 위해
이사 가기로 하자는 것과 같은 화제로 이야기꽃을 피우는 동안 잠
자 씨 부부는, "딸의 얼굴에 점점 생기가 도는 것을 거의 동시에 느
끼게 되었습니다." 속으로 이젠 "딸에게 착실한 신랑감을 구해 줄
때가 된 것 같다"라고 생각했습니다. 그 이후에 이어지는 것이 바
로 마지막 문장입니다.

 이 3장 마지막 부분을 읽을 때, 저는 그레고르와 잠자 씨의 가족
관계가 의심스러웠습니다. '혹시 그레고르가 길에서 주워 온 자식이
었던가, 아니면 서자였던가?'라는 의문이 든 것이지요. 어떻게 자기
아들이 비참한 일생을 마감하고 죽은 날, 이토록 득의만면하여 하

나님께 감사드리고 가족 소풍을 떠나면서 전도유망한 미래를 화제로 올리며 이야기꽃을 피울 수가 있습니까? 이런 기괴한 행태의 배후에는 잠자 씨가 말한 대로, '지난 일들을 다 잊어버린' 망각증과 '내 생각'만 하는 데 급급한 극도의 이기주의가 버티고 있었습니다. 그와 잠자 부인과 그레타는 그레고르가 자기들을 부양하기 위해 감수한, 직장 내의 갈굼과 태움의 고통에 대해 아직 문외한이었습니다. 그러니까 자기들 일자리[은행 수위, 침모, 가게 점원 자리]가 전도유망하다는 유치한 생각을 하고 있지요. 게다가 변신하는 것으로 그 도피처를 찾아야 했던 그레고르의 고통의 깊이에 대해 무지했기 때문에, 이제 겨우 한 달 남짓 일한 그들에게도 꼭 필요한 휴식과 휴식을 누릴 자격이, 5년간 개근한 그레고르에게는 더욱 절실했을 것이라는 데는 도무지 생각이 미치지 못했던 것이지요. 이에 덧붙여 이제 겨우 17세 난 딸에게 좋은 신랑감을 구해줄 때가 되었다는 데는 생각이 미쳤지만, 결혼 적령기에 들었으면서도 자기들을 위해서만 온전히 헌신한 아들에게 착실한 며느릿감을 구해 줄 생각은 꿈에도 해본 적이 없었습니다. 이런 점들을 고려해 보자면, 사실상 그레고르는 직장에서 벌레와 같이 취급받기 전에, 이미 자기 가정에서 벌레와 같은 존재였던 것이지요.

영어 단어 중에 'backstab'이란 게 있습니다. 일반적인 의미는 당사자가 없는 상황에서 불공정하고 거짓된 방식으로 그를 배신하고 모함한다는 뜻입니다. 주로 말로 하는 비겁하고 거짓된 행태를 일컫는 것이지만, 등 뒤에서 칼로 찌른다는 원래의 의미에서 확장된 것으로 이해할 수 있습니다. 이 작품 속에는 말로만 아니라 행동으로 'backstab'하는 데 도가 튼 두 인물이 등장합니다. 이미 잠자 씨의 경우를 살펴보았지만, 그의 'backstabbing'을 초월하는 인물이 있습니다. 바로 그레고르의 여동생 그레타입니다. 아버지가 어떠한 성품의 인물인지에 대해서는 그레고르도 이미 익히 알고 있던 터였습니다. 자기 사업 실패와 빚더미의 짐을 아들에게 전가하고는, 유유자적하고 여유 있게 노후를 즐기는 그 무책임한 아버지의 면모 말입니다. 그러면서도 집안에서는 권위를 내세우면서 별

도움이 되지 않는 딸을 홀대하는 그 아버지에게서, 그레고르가 무력한 벌레로 변신한 자기에게 대한 동정이나 도움을 기대하지 않았던 것은 불을 보듯 명확한 일이었습니다. 그런 아버지에게 폭력을 재차 당한 것이 육체적으로 고통스럽긴 했지만, 심리적으로는 그렇게 충격적이지 않았을 것입니다. 벌레로 변신한 이후에 그레고르는 아버지의 위협을 피하다가 자기 방문 입구에서 자기 옆구리가 쏠려 심한 상처를 입게 되기도 하고, 문에 꽉 낀 자기 몸을 아버지가 힘껏 걷어차는 바람에 피를 철철 흘리며 방 안으로 깊숙이 날아가 버리는 일도 있었지요. 급기야 아버지의 사과 세례를 받던 중 사과 하나가 그의 등에 바로 박혀 그 자리에 뻘어 버리는 사태를 맞이하게 됩니다.

그렇지만 여동생 그레타는 달랐습니다. 자기와 정서적 유대가 있다고 생각하고 있었고, 그녀를 위해서는 아버지도 생각하지 못한 계획을 품고 있던 차였습니다. 그녀를 학비가 비싼 음악 학교에 보낼 계획을 크리스마스에 발표할 작정이었으니까요. 그레고르가 변신한 이후에 그녀는 그의 식사를 챙겨 주었습니다. 벌레가 좋아함 직한 소소한 음식들을 신문지 위에 올려 두었다가 나중에 남은 것을 빗자루로 쓸어버리는 정도의 섬김이었습니다. 그러다가 자기도 돈을 벌기 위해 가게에 일하러 다니기 시작하면서 그런 역할이 부담되기도 하고, 막막한 가정 형편을 생각하면서 여러 가지 고뇌 거리가 마음속에 쌓이기 시작했을 것입니다. 그렇지만 그 상황 중 어느 한순간에도 지금까지 가족 부양을 위해 노심초사한 오빠에 대한 새로운 인식이나 그에 대한 감사의 마음은 드러나지는 않았습니다. 도리어 시간이 흘러갈수록 그에 대해서 무관심해지기 시작해서 그가 먹는 것에도 더 이상 신경 쓰지 않고, 그의 모습을 보고 기절한 어머니 때문에 아무런 잘못도 없는 그를 향해 주먹을 치켜들고 잡아먹을 듯한 눈초리로 소리치기도 하지요. 자기가 깨뜨린 병 조각에 그가 얼굴을 다쳐도 아무런 주의를 기울이지 않습니다. 그러다가 급기야 그가 하숙인들 앞에 나타나 그들이 나가겠다고 엄포를 놓는 순간에 그녀는 그를 내쫓아야 한다고 소리를 높입니다.

"하지만 저게 어떻게 오빠일 수 있겠어요? 저게 오빠라면 인간이 자기 같은 짐승과 같이 살 수 없다는 걸 알아차리고 진작 제 발로 나갔을 거예요. 그랬다면 우리 곁에 오빠는 없지만 우리는 살아가면서 계속 오빠에 대한 추억을 소중히 간직할 수 있을 텐데요. 그런데 저 짐승은 우리를 쫓아다니며 못살게 굴고 하숙인들을 쫓아내면서, 이 집을 온통 독차지하고 들어앉아 우리를 길거리에 나앉게 하려는 게 분명해요."

즉 이제는 오빠를 오빠로 인정하지 않고 짐승으로 인식하겠다는 자기의 뜻을 밝힌 것입니다. 더구나 변신한 이후에도 가족에 대한 책임을 절감하고 있는 그레고르에 대해서, 그가 자기들을 못살게 굴고 하숙인들을 몰아내어 자기 집을 독차지한 채 자기들을 길거리로 쫓아낼 의도를 품고 있다며 모함합니다. 그때 그레고르가 자기 방으로 가려고 몸을 돌린 동작도 자기를 공격하는 것으로 곡해하면서 비명을 지릅니다. 그가 허겁지겁 방 안에 들어섰을 즈음에 그녀가 방문을 재빨리 닫는 통에, 그의 가느다란 다리들이 구부러지고 꺾이기도 했습니다. 빗장을 걸고 완전히 잠근 통에, 그는 어두운 방 안에서 꼼짝도 할 수 없게 되었습니다. 그런데도 그레고르는 가족들에 대해 원망하기는커녕 "가족을 돌이켜 생각해 보며 감동과 사랑의 감정에 사로잡혔습니다." 자기가 "사라져야 한다는 생각은 여동생보다 아마 자신이 더욱 단호할 것이었습니다." 그런 생각을 하는 중에 숨을 거두게 되지요. 이런 동생이 그가 죽은 후에 부모와 함께 더불어 취한 태도를 보세요. 급기야 자기 얼굴에 점점 생기가 돌기까지 하더니, "최근에 갖은 고생을 다 하면서 두 뺨이 창백하게 변했던" 그녀는 "아름답고 탐스러운 처녀로 활짝 피어나지요." 잠자씨 부부가 이젠 시집 보내도 되겠다고 확신할 만큼요. "변신"은 핵가족 가장 그레고르의 비극적 변신에 대한 은유이자, 핵가족 구성원들의 참혹한 변신에 대한 섬뜩한 묵시록(apocalypse)이기도 합니다.

언젠가 중국 관련 기사에서 소개된 슬로건 한 구절이 이런 묵시록적 현실을 열어 밝히고 있습니다. 한 기자가 어떤 의류 회사를 방문했을 때 그곳 직원들의 재봉틀 위에서 발견한 의욕 고취용 슬로건이었습니다. "여기서 열심히 일해서 돈을 버세요, 가족들에게 미움받지 마세요."(Work hard here to make money, don't be disliked by your family.) 처음 이 문장을 읽었을 때 제 눈을 의심했습니다. 가족 중 아버지든, 어머니든, 자녀이든, 돈을 벌지 못하면 가족들의 미움을 살 각오를 하라는 것이 직장 내의 생산력 증진을 위한 표어라니요! 돈에 걸신들린 사회, 그 이상도 이하도 아니었습니다. 다시 한번 생각해 보자면, "변신"에서 그레고르가 단지 '벌레'가 되었기 때문에 가족들이 그를 멸시하고 박해했을까요? 만일 그가 벌레가 아니라, '벌레와 다를 바 없는 존재'가 되었다면 어떠했을까요? 비록 벌레로 변신하지는 않았더라도, 무익하고(돈 못 벌고), 무력하고(자기방어도 못하고), 더럽고(자기 방도 정돈할 줄 모르고), 혐오감을 주는(다양한 이유로 싫어하도록 만드는) 존재가 되었다면 말입니다. 결국엔 그레고르가 벌레로 변신한 게 문제가 아니라, 벌레와 같은 존재로 전락한 게 문제가 되었다는 말입니다. 은유와 직유의 한 끗 차이에 불과했지요. '벌레와 같은 현대 직장인 가장의 실존을 열어 밝힌' "변신"은 인간 실존의 의미를 비추어 주는 거울입니다.

6. 사법 정의를 구현한 "12 인의 성난 사람들"(12 Angry Men, 1957)

'검찰 공화국'에 살면서 신뢰도 꼴찌 격인 사법부에 신체 및 재산상의 안위를 맡겨야 할 운명에 처한 우리나라 국민의 처지가 안타깝습니다. 이럴 때일수록 사법 정의가 구현되는 날을 꿈꾸고 그날을 위해 기도하며 사법 개혁의 길을 새롭게 도모해 가는 게 절실한 과제입니다. 그날을 꿈꾸는 데 도움이 되는 길 중 하나가 문학을 통해 덕스럽고 좋은 삶에 대한 비전이 펼쳐지는 이야기의 세계를 접하는 것입니다. 캐런 스왈로우 프라이어 교수의 지적처럼 세계 최고의 문학에 제시된 좋은 삶에 대한 비전은 진선미(眞善美)에 대한 지식과 갈망을 함양하는 매개(agents)가 될 수 있기 때문입니다. 이것은 "인간 본성에 대한 이상화된 이미지"(an idealized picture of human nature)를 지속하려는 감상벽(sentimentality)이나 자기기만(self-deception)이 추동하는 비전과는 다릅니다. 문학 작품 읽기는 역사와 현실에 근거하여 인간에 대한 지식과 경험을 누리는 과정으로서, 정보를 제공하는(informative) 측면도 있지만 인격을 형성해 주는(formative) 측면이 더 두드러집니다. 그런 의미에서 문학 작품을 잘 읽는 것이 "덕을 *실천하는* 한 가지 방식"(a way to *practice* virtue)이 되는 것이지요. 그리하여 문학 작품을 **"잘 읽는 것은 우정(a friendship)과 비슷한 방식으로 우리 삶에 무언가를 더해 주어 우리를 영원히 바꿔 놓습니다(altering us forever)."** (Karen Swallow Prior, "On Reading Well: FINDING THE GOOD LIFE through GREAT BOOKS") 도덕철학자인 마사 누스바움도 동일한 지적을 하고 있지요. 문학 형식(literary form)은 덕스러운 삶의 형식을 반영하여 우리가 "좋은 이야기의 선한 캐릭터들이 살아가는 대로 살도록 가르치고, 주위에서 벌어지는 일에 관심을 두고, 모든 새로운 일을 지혜롭게 직면하고, (...) 진리를 추구"하도록 촉진한다는 것입니다. 이런 주장의 취지는 위대한 문학 작품을 읽는 것만이 탁월한 덕을 함양하고 좋은 삶을 성취할 유일한 방법이라는 점이 아닙니다. 다만 문학에는 진선미에 근거한 좋은 삶에 대한 비전을 형성하는 특별한 힘이 있으니, 그것을 수용하라는 것이지요.

-"12인의 성난 사람들"(12 Angry Men, 1957)-

사법 정의나 사법 개혁이 사회적 화두로 떠오를 때마다 제게 떠오르는 영화 한 편이 있습니다. 사회적 공의나 법률적 정의를 다룬 문학 작품이 많이 있지만, 제게는 이 영화가 더없이 감동적으로 다가옵니다. 이 영화의 각본은 원래 텔레비전 드라마용 각본을 각색한 것이기에, 다른 문학 작품을 바탕으로 만든 영화 각본과는 차원이 다릅니다. 위대한 문학 작품이 영화화될 때마다 그 작품의 취지가 제대로 전달되지 않거나 훼손되어 독자들의 실망스러운 탄식이 쏟아지는 경우와는 다르다는 말입니다. 즉 이 영화는 원 작가가 의도한 내용이 거의 그대로 전달될 수 있는 형식을 취하고 있어, 앞에서 논의한 문학 작품의 효용성이 그대로 드러날 수 있는 본이 됩니다. 이 영화는 시드니 루멧(Sidney Lumet) 감독, 레지날드 로즈(Reginald Rose) 각본의 "12 인의 성난 사람들"(1957)입니다. 영화 애호가 중에 역대 최고의 법정 영화 중 하나로 꼽히고 있지요.

이 영화는 아버지를 죽인 혐의를 받은 18 세 소년에 대해 12 명의 배심원이 만장일치 무죄 평결을 내리는 과정을 담고 있습니다. 이 사건의 증인은 두 사람입니다. 한 사람은 그 피고의 집 아래층에 사는 노인으로서 피고가 그날 밤 12 시 10 분경에 아버지를 칼로 찌른 후 계단을 내려와 도주하는 것을 봤다고 주장합니다. 다른 한 사람은 피고 집 건너편에 사는 40 대 중반의 여자로서 밤에 침대에 누워 뒤척이다가 고가 전철(El Train)이 지나가는 상황 중에 길 건너편[60 피트=18 미터 거리]에서 피고가 아버지를 칼로 찌르는 것을 봤다고 주장합니다. 그래서 그 칼[손잡이를 누르면 칼날이 튀어나오는 잭나이프의 일종인 'switchblade knife']이 주요한 증거로 제시되지요. 배심원들이 이 증인들과 증거들의 다층적인 면모를 다루면서 결국 무고한 피고를 구해 내는 이 영화는 1957 년 4 월 10 일에 개봉한 이래로 오랫동안 시청자들의 사랑을 받고 있습니다. 96 분 상영 시간 대부분을 배심원들이 한 방에서 토의와 격론을 펼치며 합리적인 방식으로 서로를 설득하는 독특한 영화이지요. 그 배심원 중에 "분노의 포도"(1940)의 주인공인 헨리 폰다[Henry Fonda, 제인 폰다(Jane Fonda)의 아버지]와 "세일즈맨의 죽음"(1966)의 주인공인 리 J. 콥(Lee J. Cobb)이 포함되어 있습니다. 영화 중에서 배심원 8 번 역을 맡은 폰다는 피고의 무죄를 가장 먼저 제기했지만, 3 번 역을 맡은 콥은 가장 나중에 무죄를 인정하지요. 이 영화가 베를린 국제 영화제에서 황금곰상[우리나라 작품은 아직 수상한 적이 없음]을 수상하고 미국 영화협회에서 "알라바마 이야기"(To Kill a Mockingbird, 1962) 다음으로 훌륭한 법정 드라마로 평가받은 이유가 무엇일까요?

-한 사람이 길을 연 무죄 평결 여정-

우선 이 무죄 평결 여정의 선구자가 있다는 점 때문입니다. 배심원 12 명이 평결을 내리기 위해 한 방에 모였을 때, 처음에는 1 명을 제외한 11 명이 유죄라는 판단을 내렸습니다. 그 한 명이 바로 8 번 배심원이었습니다. 왜 그는 무죄라는 쪽에 섰을까요? 18 세 청소년의 생명이 걸려 있는 상태에서 아무런 토의를 해보지 않은 채 5 분 만에 평결을 내리는 것은 도리에 어긋난다고 보았기 때문입니다. 그래서 동료 배심원들에게 1 시간 동안만 토의해 보자고 제의합니다. 더구나 피고는 9 세에 엄마가 세상을 떠난 후 1 년 반 동안 아버지가 위조범으로 복역하던 중 보육원에서 자란 불우한 아이였던 정상(情狀)을 참작하자고 말합니다. 이런 입장 표명은 감탄을 자아낼 만큼 도의적이긴 했지만, 무모하다고 할 만큼 어리석게 보이는 제안이기도 했습니다. 그 사건의 증인들과 증거 외에도 피고의 전력이 무죄 평결을 이끌어내기에 너무 불리했기 때문입니다. 배심원 7 번이 지적한 대로 피고는 5:0 이었습니다. 10 세에 교사에게 돌을 던져 아동법원(children's court)에서 재판받은 적이 있습니다. 15 세에는 차를 훔쳐 소년원(reform school)에서 지냈습니다. 노상강도 행위(mugging)로 체포된 적도 있고, 칼싸움(knife fighting) 때문에 두 번이나 검거되기도 했습니다. 문제가 된 사건의 증거인 칼에 능했다는 말입니다. 만일 배심원 8 번이 이런 전력에 영향을 받아 선입견을 품게 되어 다른 배심원과 뜻을 같이했다면, 그 피고는 단박에 무고한 생명을 잃었을 것입니다. 그러나 그는 피고에게 불리하게 형성된 강력한 첫인상을 극복한 후에, 다른 배심원들에게 1 시간 동안만 증인과 증거들을 다시 한번 함께 점검해 보자고 제안합니다.

배심원 8 번은 평결 토의 단계마다 결정적인 역할을 담당하지만, 무엇보다 주요한 그의 역할은 평결 토의의 방향을 제시한 데 있습니다. 그의 역할 세 가지가 특히 눈에 띄었습니다. 첫째, 배심원 2 번이 아무도 그 소년이 무죄라는 것을 밝히지 않았기에 유죄라고 생각한다고 말했을 때, 그는 사법 제도에 대한 미국 헌법 정신을 상기시킵니다. **"아무도 피고의 무죄를 증명할 필요가 없습니다, 증명 책임은 검찰에 있습니다. 피고는 입을 열 필요조차 없습니다. 헌법에 명시되어 있지요."**(Nobody has to prove otherwise. The burden of proof's on the prosecution. The defendant doesn't even have to open his mouth. That's in the Constitution.) 둘째, 자기 의견을 말할 차례가 되었을 때, 그는 변호인의 엄중한 책임을 지적합니다. 6 일간의 재판에서 아무것도 확실한 것이 없는데도 증인들의 말은 "너무 확실하게"(so positive) 들려 피고는 유죄처럼 보였지만, 변호인이 **"충분히 철저한 반대 심문"**(thorough enough cross-examination)에 임하지 않은 게 눈에 띄었기 때문입니다. 자기를 그 피고의 입장에 두고 본다면, "검찰 증인을 갈기갈기 찢어버리거나 최소한 그렇게 시도조차 하지"(I'd want my lawyer to tear the prosecution witnesses to shreds, or at least try to.) 않는 그 변호인을 선임할 이유가 없었을 것입니다. 짐작한 대로 그는 "국선"(court-appointed) 변호인이었고, 처음부터 가망이 없는 재판에 자기가 임명된 데 대해 분개할 수 있는 인물에 불과했지요. 셋째, 4 차 배심원 투표 결과를 보고 배심원 10 번이 흥분하여 큰소리를 지르며 자기 이전 선입견을 되뇔 때, 배심원 4 번이 그를 앉힙니다. 바로 이때 배심원 8 번이 다시 한번 미국 사법 제도의 본질을 아래와 같이 피력합니다.

"이런 일에서 개인적인 편견을 배제하는 것은 항상 어려운 일입니다. 어떤 상황에서든 편견은 항상 진실을 가리기 마련이지요. 저는 진실이 무엇인지 잘 모르겠어요. 아무도 진짜로 알 수 없을 거로 생각해요. (...) 하지만 우리는 **합리적인 의심**(a reasonable doubt)을 가지고 있고, 그것은 우리 시스템에서 매우 가치 있는 것입니다. (that's something that's very valuable in our system.) 어떤 배심원도 확실하지 않으면 유죄를 선고할 수 없습니다. (No jury can declare a man guilty unless it's sure.) 저희 9명은 어떻게 세 분이 여전히 그렇게 확신하는지 이해할 수 없습니다. 어쩌면 여러분들이 우리에게 말해줄 수 있을지도 모르죠."

 이런 내용이 먼 나라만의 이야기일 수 없습니다. 모든 형사 사건에서 범죄행위를 입증해야 하는 책임은 전적으로 국가가 집니다. 피의자가 자신이 살인자이거나 사기꾼이거나 간첩이 아니라는 것을 입증해야 할 의무는 없습니다. 이미 이전 글에서 언급한 '인혁당 재건위' 사건의 경우에도, 사형당한 8명 역시 사형당할 만한 죄를 범했다는 물증이 없었으며, 있다고 주장하는 게 고문에 의한 자백뿐이었지요. 그래서 재심이 필요했습니다. 이 국가적 범죄의 장본인은 박정희였지만, 아무리 정치적 상황을 핑계 삼는다 해도 사법부가 모든 역사적 책임으로부터 면죄될 수는 없습니다. 언제 어디서나 세상의 근본 이치를 생각하고 근원적 원리를 고려하는 이가 긴요합니다. 아무리 다급하고 긴박한 상황이 눈앞에 펼쳐져도, 그러한 이치와 원리에 주목하는 한 우리는 잘못되지 않을 것입니다. 우리 각자에게도 이런 역할을 해야 할 책임과 그렇게 할 수 있는 능력이 부여되어 있습니다.

-편견과 선입견이 지닌 끈질긴 영향력-

이 영화가 훌륭한 법정 드라마로 평가받은 다음 이유는 우리가 모두 품고 있는 근거 없는 편견과 선입견을 적나라하게 열어 밝혔기 때문입니다. 이 영화를 보면서 사람을 대하는 영역에서 우리가 저지른 이런 측면의 과오들이 떠오르지 않는 이가 어디 있을까요? 특히 이 영화에서 마지막까지 유죄 심증을 포기하지 않은 편견과 선입견의 끝판왕 3인방(10번과 3번과 4번)은 우리의 반면교사입니다. 배심원 10번은 처음 발언할 때부터 피고와 같은 아이들은 죄다

"타고난 거짓말쟁이"(born liars)로 단정합니다. 배심원 4 번이 언급한 슬럼 출신 소년들에 대한 의견에 동의하면서, 그 아이들은 "진짜 쓰레기"(real trash)라고 말하기도 합니다. 나중에 4 차 투표 결과가 9:3 으로 무죄 의견이 우세하게 나오자, 흥분하여 큰소리를 지르면서 이전의 선입견을 되뇌기도 하지요. 즉 그놈들은 본성상 거짓말쟁이고 이유 없이 사람을 죽이고 감정도 없으며 한 명도 제대로 된 놈이 없다고 강변합니다. 이때 배심원들이 한 사람씩 일어나 그와 대면하지 않으려고 등을 돌린 채로 서 있습니다. 마지막까지 유죄 의견을 품고 있던 3 번조차도 등을 돌리고 서 있지요. 이런 분위기에 당혹한 배심원 10 번이 자기 말을 들어달라고 계속 다그치자, 그를 바라보며 앉아서 말을 듣던 배심원 4 번이 한마디 합니다. "이제 자리에 앉으시고 다시 입을 열지 마세요."(Now sit down and don't open your mouth again.)

배심원 3 번도 그에 못지않습니다. 배심원 8 번이 피고가 5 세 때부터 아버지에게 손찌검을 당하고 자랐다고 지적하자, 배심원 7 번이 그런 아이라면 자기라도 그렇게 했을 것이라며 빈정댑니다. 그때 배심원 3 번은 "요즘 애들이 다 그렇지요, 뭐."(It's these kids, the way they are nowadays.)라면서, 한마디 덧붙입니다. 자기가 어릴 적에는 아버지를 "sir"라고 불렀다고. 그러면서 다른 배심원들에게 묻지요. 어느 애가 자기 아버지를 그렇게 부르는 걸 본 적 있냐고. 사실상 그는 자기 유일한 아들에게 당한 게 있어 쓴 뿌리가 잔뜩 나 있는 사람이었습니다. 현재 22 세 된 그 아들이 어릴 때(9 세) 싸워야 할 상황에서 도망치는 걸 보고 답답해서 붙잡아 두고 남자답게 키웠더니, 16 세에 자기 턱을 날릴 만큼 건장하게 컸다고 하면서 지난 2 년간 보지 못했다고 술회합니다. 이런 그는 다른 배심원들이 합리적인 토의를 거쳐 피고의 무죄를 표명한 상황에서도, 신사답게 승복하지 않습니다. 자기가 이 사건의 가장 중요한 사안이라던 길 건너편 여자의 증언에 문제가 있다는 사실이 확연히 드러난 상황에서도, "혼자인지 아닌지는 상관없어요! 제 권리니까요"(I don't care whether I'm alone or not! It's my right.)라고 고집을 피우지요.

그러면서 이미 논의된 사안들을 다시 죄다 들먹입니다. 그 모든 증거가 여기 있다며 자기 주머니에 있는 것들[자기와 아들이 함께 찍은 사진도]을 꺼내 테이블 위에 던집니다. 다른 배심원들이 자기만 빤히 쳐다보고 아무 말이 없자, "말 좀 해보세요!"(Say something!)라며 외칩니다. 그때 자기 아들과 찍은 사진이 눈에 띄자, "썩은 녀석들. 너희들 인생이나 제대로 해결하란 말이야!"(Rotten kids. You work your life out!)라고 외치면서, 그 사진을 갈가리 찢습니다. 그러면서 자기 머리를 왼손 등에 묻고는 괴로워하며, 흐느끼면서 "무죄예요"(Not guilty)라고 두 번 속삭입니다. 특정 세대나 특정 지역 주민들에 대해 우리가 품고 있을 편견과 선입견을 돌아보아야 합니다.

편견과 선입견에 사로잡힌 상태에 있다 보니, 이 배심원들은 자기주장을 펴다가 자가당착에 빠지는 경우도 여러 번 목격됩니다. 배심원 10번의 경우부터 살펴보겠습니다. 아래층 노인이 한 증언의 신빙성을 논의하던 중에, 배심원 8 번이 피고는 "아주 영리해서"(too bright) 다른 이웃들이 다 듣도록 자기 아버지를 죽이겠다고 소리치지는 않았을 것이라고 언급하자, 배심원 10 번이 응대합니다. "영리하다니? 그는 흔해 빠진 무식한 얼간이예요. 영어도 잘 못해요."(He don't even speak good English.) 그때 배심원 11 번이 교정해 주지요. "He doesn't even speak good English." 부지불식간에 자기 영어 실력이 탄로 나는 순간이었습니다. 절대적인 유죄 우위(11:1) 상태에서 시작된 논의가 6:6 상황으로 변한 것을 보고, 그는 한탄하면서 모두 돌았다고 단언합니다. 배심원 9 번이 이 모든 게 사실을 근거로 진행되고 있다고 지적하자 그가 이렇게 말하지요. "그러지 마세요! 난 사실에 질렸어요! 원하는 어떤 방식으로든 그것들을 왜곡할 수 있으니까요. 무슨 말인지 아시죠?"(Don't give me that! I'm sick and tired of facts! You can twist them any way you like. You know what I mean?) 그때 9 번이 일어나며 지적합니다. "이 신사분(배심원 8 번)이 말씀하신 바가 바로 그 점입니다."(That's exactly the point this gentleman has been making.)

자기를 비롯한 다른 배심원들이 애당초 그렇게 왜곡된 정보를 접했을 수 있다는 점을 고백한 것이지요.

배심원 3 번도 마찬가지입니다. 배심원 7 번이 얘기하는 중에 아래층 노인이 위층에서 소리가 나서 "문으로 달려갔다"(ran to the door)라고 한 것을 듣고, 배심원 5 번이 뇌졸중(a stroke)을 앓은 적이 있는 그 노인이 그렇게 달려갈 수는 없었을 거라고 문제를 제기합니다. 그래서 배심원 8 번이 배심원 대표(1 번)에게 그 아파트의 평면도(diagram)를 요구하지요. 15 초 만에 일어나서 자기 방문을 열고 복도를 거쳐 1 층 문을 열고 난 후 피고가 계단을 뛰어 내려가는 것을 볼 수 없기 때문이지요. 이때 3 번이 고함치면서 15 초냐, 20 초냐가 뭐 중요하냐면서 결정적인 말을 합니다. "그는 늙은이예요. 자주 그는 당황스러워했어요. 어떻게 그가 어떤 것에 대해 그렇게 자신 있었겠어요?"(He was an old man. Half the time he was confused. How could he be positive about anything?) 그 노인의 증언 능력을 부인하는 언명이지요.

이 경우뿐만이 아닙니다. 실제 아파트 평면도를 검토해 보니 아래층 노인의 증언이 신빙성이 희박하다는 점이 밝혀졌을 때의 상황입니다. 다리를 질질 끄는 노인이 침대에서 자기 방문까지 12 피트 가서, 방문을 열고 43 피트 복도를 걸어간 다음, 그 끝에 있는 문을 열고 피고가 달려 나가는 것을 보는 데 걸린 시간이 15 초였다는 말이니까요. 시연해 보니 41 초가 걸렸지요. 이 시연 후에 배심원 8 번이 자기 생각을 나눕니다. 그 노인이 아마도 살인범이 달려 나가는 것을 보고 그가 피고라고 가정했을(assumed) 것이라고. 그러자 배심원 3 번이 소리칩니다. "다들 그가 유죄라는 걸 알잖아요! 그는 죽어야 해요! 그런데 당신이 그를 우리 손에서 빠져나가게 놔두고 있잖아요."(You all know he's guilty! He's got to burn! You're letting him slip through our fingers.) 이 말에 대해 배심원 8 번이, "당신이 그의 사형집행인인가요?"(Are you his executioner?)라고 질문하면서, 배심원 3 번이 "자칭 공공의 복수자"(a self-appointed public avenger)같이 구는 것은 사실 때문이 아니고

"잔악한 일을 즐기는 사람"(a sadist)이기 때문이라고 지적합니다. 그러자 그는 "날 놔줘! 죽여버릴 거야. 죽여버릴 거야!"(Let me go! I'll kill him. I'll kill him!)라고 외칩니다. 그때 8번이 응대한 말이 기가 막힙니다. "정말 날 죽이겠다는 건 아니죠?"(You don't really mean you'll kill me, do you?) 피고가 이 말을 했다는 혐의가 있었기 때문에, 설령 그가 그렇게 말했다고 하더라도 진의는 아니었을 것이라는 점을 시사한 것이겠지요.

앞의 두 배심원과는 차원이 다르긴 하지만, 배심원 4번도 선입견에 사로잡혀 실언을 몇 번 합니다. 유죄 의견과 무죄 의견이 팽팽하게 맞선 상황(6:6)에서, 피고가 처음 형사들에게 심문당할 때 영화 제목과 영화배우를 기억하지 못한 것의 문제를 다시 논의할 때의 상황입니다. 배심원 8번이 아버지가 살해당한 그 현장에서 그 질문에 답하지 못한 피고의 상황[나중에 법정에서는 다 기억하고 얘기함]을 이해해야 하지 않겠느냐고 제안하자, 배심원 4번은 극구 반대하지요. 그 상황에서도 얼마든지 기억해 낼 수 있는데 그렇게 하지 못했고, 나중에 기억해 낸 것은 변호사가 도와주었을 것이라고 언급하지요. 그때 배심원 8번이 그에게, 어젯밤, 그저께 밤, 3일 전(화요일) 밤, 월요일 밤에 무엇 했는지를 질문합니다. 어제, 그제 일은 잘 기억했지만, 월요일 밤 아내와 함께 보러 간 영화 제목을 정확하게 기억하지 못하지요. "The Remarkable Mrs. Bainbridge" 라고 했지만, 그 영화를 본 배심원 2번이 "The Amazing Mrs. Bainbridge"라고 교정해 줍니다. 등장인물도 Barbara Long 이란 배우만 기억했을 뿐, 다른 배우는 이전에 들어본 적 없는 이들이어서 기억하지 못하고 저예산 영화이기도 했기에 기억하지 못한다고 변명합니다. 이때 8번이 급소를 찌릅니다. "감정적인 스트레스를 받은 적은 없으셨죠?"(And you weren't under an emotional stress, were you?). 그러자 없었다고 답하면서 땀을 닦지요[원래 땀을 흘리지 않는다고 말한 그가 땀 흘리는 상황]. 결국 그의 말은 자가당착이었던 셈입니다. 자기는 감정적인 스트레스를 받지도 않았는데도 영화제목과 영화배우 이름을 기억하지 못했으면서, 어떻게 극도의 감정적 스트레스에 처해 있던 피고가 급박한 상황에서 기억해 내지 못한 것을 탓한단 말입니까?

 배심원은 다양한 연령, 성격, 사회적 지위 및 문화적 배경을 가진 12 명의 남성입니다. 그들은 대부분 우리 모두에게 반면교사들입니다. 그들의 행동, 독백 및 대화를 통해 우리 각자도 자신의 세계관, 감정, 과거 경험 및 기억에 의해 다양한 편견과 선입견에 사로잡혀 있다는 점을 깨닫게 되기 때문입니다. 그들의 경우처럼 우리도 이러한 것들에서 벗어나기란 수월한 일이 아닐 것입니다. 어떻게 그 일이 가능할까요? 이 작품이 우리에게 주는 교훈은 사실에 집중하면서 다시 질문해 가되, 공동체 속에서 자유롭게 자신의 의견을 개진하고 다른 사람들의 의견을 열린 마음으로 청취함으로 가능하다는 점입니다. 영화 속에 드러난 대로 사실에 근거한 질문과 마주하기 전까지 우리는 근거 없는 잣대로 편을 가르고 특정 대상에 낙인을 찍는 공범이 될 수밖에 없습니다. 먼저 우리 각자가 제한된 지식과 경험을 갖춘 불완전한 인간이라는 한계를 겸허하게 인정하면서 마음을 열고 다른 사람들과 대화해 갈 때, 비로소 보다 온전한 진실에 근접할 수 있는 법입니다.

-집단 지성이 이룩한 사법 정의-

유죄 심증을 굳힌 동료 배심원들의 마음을 돌리는 데 혁혁한 공을 세운 배심원이 있습니다. 바로 배심원 9번과 2번입니다. 그들은 아무도 주목하지 못한 증인들과 증거의 숨겨진 면모를 찾아내어 유죄 심증을 굳힌 이들의 마음을 흔들었습니다. 먼저 배심원 9 번의 공부터 살펴보겠습니다. 우선 그는 외로운 배심원 8 번에게 힘을 실어준 첫 번째 배심원이었습니다. 다른 사람들의 조롱을 받으면서 혼자 있는 게 쉬운 일이 아니라면서, 피고가 무죄라고 말하진 않았으나 그저 "확실하지 않다"(not sure)라고 말한 8 번을 지지한 것이지요. 배심원 9 번의 결정적인 공은 아래층 노인에 대해 논의하던 중에 드러났습니다. 그가 그 노인은 거짓말한 게 아니라, "아마도 그는 그 말[노인과 범인이 다투는 말]을 들었고 피고의 얼굴을 알아봤다고 스스로 믿었을지도 모릅니다."(But perhaps he made himself believe he heard those words and recognized the boy's face.)라고 지적했기 때문입니다. 그 이유는 이러합니다. 자기가 그 노인을 오랫동안 지켜보니, "그는 찢어진 재킷을 입은 아주 늙은 남자."(He was a very old man in a torn jacket.)였기 때문입니다. 아주 천천히 자기 왼발을 질질 끌면서 증인대로 가면서 부끄러워 숨기려 했지만, 그가 입은 "재킷의 솔기가 어깨 아래에서 찢어져 있었지요."(The seams of his jacket was split, under the shoulder.) 배심원 9번은 평생 보잘것없는 존재로 평생을 살아온 그 노인의 심정을 그 방의 누구보다 더 잘 안다고 자부합니다. 인정을 받은 적도 없고 자기 이름이 신문에 난 적도 없었기에, 아무도 자기를 몰랐고 75년 동안 아무도 자기 의견을 묻지 않았던 그의 심정을 말입니다. "여러분, 보잘것없는 존재가 된다는 것은 매우 슬픈 일입니다."(Gentlemen, that's a very sad thing to be nothing.)라면서, 배심원 9번은 "단 한 번이라도 인용되는 게 그에게는 아주 중요했습니다."(To be quoted just once. Very important to him.)라고 말을 맺지요.

다음으로 배심원 9번은 끝까지 버티던 배심원 3명 중 가장 핵심이었던 4번의 입장을 무너뜨리는 데 결정적인 공을 세웁니다. 끝까지 유죄 심증을 굳히고 있는 이유를 추궁당하자, 배심원 4번은 2가지 이유를 댑니다. 길 건너편 여자 목격자의 증언과 피고가 팔을 자기 머리 위로 들어 자기 아버지의 가슴에 내리꽂았다(stab down into the father's chest)는 생생한 묘사를 지적합니다. 이때 배심원 3번이 옆에서 소리를 치며 거들어주면서 5차 투표를 제안하자, 배심원 4번에게 추궁받던 배심원 12번이 유죄라고 번복하여 무죄 우세인 8:4의 상황이 전개됩니다. 이때를 놓치지 않은 배심원 3번이 "불일치 배심"(a hung jury)을 선언하자고 제안하자 반대가 일지요. 배심원 4번이 그 대신 시간[현재 6.15이니 7.00까지 토의]을 정해서 "불일치 배심"에 대해 논의하자고 제안합니다. 그런데 4번이 이런 제안을 하면서 안경을 벗고, 눈과 눈 사이를 계속 주무르자, 배심원 9번이 그에게 괜찮냐고 질문한 후에 한마디 덧붙입니다. 배심원 4번이 안경을 쓴 탓으로 코 윗부분 양쪽에 안경 자국이 선명하게 나 있는 것을 지적하면서, 그 목격자 여자도 그 자국이 있었다고 말입니다. 자기는 "정상 시력"(twenty-twenty)이라면서, 그 여자도 배심원 4번처럼 미간을 자주 주물렀다는 점에 주목한 것이지요. 그때 배심원 5번이 자기도 그 점을 많이 목격했다고 지지해 줌으로써 주요 쟁점으로 부각되었습니다.

배심원 9번은 계속 자기 논지를 이어갑니다. 45세쯤 되어 보이는 그 여자는 "자기의 첫 공개 출연을 위해"(for her first public appearance) 35세 정도로 보이려고 애를 많이 썼다고요. 즉 화장도 짙게 하고, 머리도 염색하고, 젊은 여성이 입을 법한 새 옷을 입지만, 여자들이 대개 그렇게 하듯이 안경은 안 썼다고 말입니다. 배심원 3번이 그게 무슨 문제냐고 소리치며 항의했지만, 배심원 9번은 조금도 요동하지 않고 배심원 4번에게 도전합니다. 이 눈 옆 자국이 안경 아닌 것으로 생길 수 있느냐고. 4번이 그럴 수 없다고 솔직히 응대하지요. 그때 배심원 3번이 자기는 그 자국을 못 보았다고 소리치니, 배심원 4번이 신사답게 고백합니다. "나도 봤어요. 이상하지만, 전에는 생각하지 못했습니다." 아직도 감을 잡지 못한 배심원 3번이 그 증인이 안경을 끼지 않은 게 뭐가 문제가 되느냐고 따지자, 배심원 8번이 배심원 4번에게 묻습니다. 잘 때 안경을 쓰느냐고. 잠잘 때 안경 쓰고 자는 사람은 없다고 응대하지요. 그래도 배심원 3번이 계속 징징대자, 배심원 11번이 한마디 합니다. "그녀는 밤에 안경 없이도 60피트 떨어진 사람의 신원을 식별할 수 있어야 했다는 말이에요." 2번도 한마디 거들지요. "그런 증거를 가지고 누군가를 죽게 내보낼 수는 없어요." 배심원 8번이 배심원 3번에게 그 증인이 잘못 볼 가능성이 없느냐고 도전하자, 3번은 그럴 가능성이 없다며 우깁니다. 그때 배심원 8번이 일어나 안경을 쓰는 배심원 12번에게 다가가 그럴 가능성이 없느냐고 묻자, 그는 다시 입장을 번복합니다. 이즈음에 낙담하여 다른 테이블에 앉아 있던 배심원 10번에게 배심원 8번이 다가가 피고가 유죄라고 생각하느냐고 묻지요. 그도 고개를 가로젓습니다. 끝으로 배심원 4 번에게도 물으니, "아니요. 난 확신해요. 무죄입니다."라고 답변합니다. 배심원 3 번이 4 번에게 "어떻게 된 영문이에요?"(What's the matter with you?)라고 말하자, 배심원 4 번이 응답하지요. "이제 **합리적인 의심**을 하게 되었습니다."(I have **a reasonable doubt** now.)

다음으로 배심원 2 번의 기여에 대해 살펴보겠습니다. 그는 배심원 8 번에게 범행에 사용된 잭나이프를 좀 보자고 하더니, 칼로 찌르는 (stab) 방식에 대해 지적합니다. 피고는 5.7 피트이고 아버지는 6.2 피트인데[차이가 7 인치=18 센티미터], 피고가 아버지의 가슴에 칼을 내리꽂는다는 것은 말이 되지 않는다는 것입니다. 그러자 배심원 3 번이 시범을 보인다면서, 서 있는 배심원 8 번에게 다가가 칼날이 아래로 가도록 손잡이를 잡고 그것이 가능하다는 것을 시연합니다. 그렇지만, 배심원 5 번이 다가와서 그 칼을 쥐더니 다른 배심원들에게 "칼싸움"(a knife fight)을 본 사람이 있느냐고 묻습니다. 그러면서 잭나이프('switchblade knife')를 그렇게 쥐면 손을 바꾸는 데 너무 시간이 많이 들기 때문에, "칼날이 위로 향하도록 손잡이를 잡는 자세"(underhanded)로 사용한다는 것입니다. 배심원 2 번은 평결 회의 처음에는 아무도 그 소년이 무죄라는 것을 밝히지 않았기에 유죄라고 생각한다고 말했지만, 3 차 투표 때 마음을 바꾼 이후부터는 아직 드러나지 않은 세부 사항에 대해 주목하기 시작하면서 배심원 논의에 기여했습니다. 배심원 4 번이 영화 제목을 잘못 말했을 때 바로 잡아준 것이 바로 그였지요. 여자 증언이야말로 이 사건의 중심이라던 배심원 3 번이 그 증인의 증거 능력의 문제점이 부각된 후에도 고집을 부리면서 그 모든 증거를 어떻게 할 거냐고 소리치자, 그것 외에 "다른 증거는 다 버려도 된다고 하셨잖아요." 라고 상기시켜 주기도 하지요.

배심원 9 번과 2 번은 평결 회의 시작 시점에는 존재감이 없던 이들이었습니다. 그렇지만 토의가 이어질수록 그들의 진가는 확실히 드러났습니다. 다른 배심원들이 주목하지도 않고, 주목할 수도 없었던 측면들을 지적함으로써, 처음엔 당연시되었던 증인들과 증거의 신빙성이 하나씩 무너지게 되었습니다. 재판 과정 내내 꼼꼼하게 관찰하고 진지하게 평결 논의에 참여했던 그들의 기여로 인해 피고의 소중한 생명이 보전되었습니다. 사법 정의뿐 아니라 사회적인 공의가 모든 시민의 참여와 기여로만 구현될 수 있다는 가능성과 소망을 그들에게서 발견합니다. 배심원 9번이 여자 증인의 미간에 있던 안경 자국에 대해 지적하며 논의할 때, 코너에 몰린 배심원 3번이 왜 변호인은 그런 지적을 하지 않았느냐고 따지자, 배심원 8번이 이렇게 응대하지요. "여기에서 이 사건에 집중한 사람이 12명이 있어요. 그렇지만 우리 중 11명도 그것을 생각하지 못했어요."(There are 12 people in here concentrating on this case. Eleven of us didn't think of it, either.) 그렇습니다. 우리 각자만이 사법 정의와 사회 공의 실현에 기여할 몫이 엄존합니다. 모든 민주 시민이 적극적으로 참여하고 협력하는 집단 지성을 통해 우리 사회 속에 "공의가 물처럼 흐르게 하고, 정의가 마르지 않는 강처럼 흐르게" 하는(let justice roll down like waters / And righteousness like an ever-flowing stream, 아모스 5:24) 날이 임하길 고대하고 기도합니다.

-온 세상에 편만한 보편 원리: 공의와 공동선 실행-

정찬주 작가가 인도 여행을 하는 중에 버스를 타고 이동하다가 마이크를 잡고 한문을 가르치는 분에게 "맹자"에 대해 가르침을 청해 본 적이 있었다고 합니다. 그분은 "맹자"의 핵심을 '인'(仁)과 '의'(義)로 짚으면서, '인'은 측은지심(惻隱之心=불쌍히 여기는 마음)이고 '의'는 부정한 것을 잘라버리는 것이라고 설명했습니다. 그분의 얘기가 끝났을 때 정 작가는 마이크를 잡고 "맹자"의 '인'과 '의'는 불교의 자비(慈悲)와 동일하다는 점을 덧붙여주었습니다. 즉 '자'는 '인'과 같고, '비'는 '의'와 같다는 것입니다. '자'와 '비'를 같은 개념으로 보고 연민이나 사랑으로 이해하는 경우가 허다하지만, '비' 자를 파자하면 '비'(非)+'심'(心) 자로, '아니라고 하는 마음'이라는 점을 분명하게 지적한 것이지요("법정스님 인생응원가"). 결국 유교의 핵심 사상이 사랑을 베풀고 의를 발현하는 것이듯이, 불교의 핵심 교훈도 긍휼히 여기고 불의를 바로 잡는 것이라는 말입니다.

성경의 시각도 이와 다르지 않습니다. 성경 전체의 가르침을 요약하는 성구가 여럿 있습니다. 마태복음 22:37-40 에서는 전인적으로 하나님을 사랑하고 이웃을 자기 몸처럼 사랑하는 것이 구약 전체의 토대라고 지적합니다. 황금률로 회자하는 마태복음 7:12 은 "남에게 대접을 받고자 하는 대로 너희도 남을 대접하라"라는 것이 구약 가르침의 핵심이라고 언급합니다. 마태복음 23:23 에서는 "공의와 긍휼과 신실하심"(justice and mercy and faithfulness)이 구약 율법의 핵심을 가리키는 중요한 정신이라고 가르치지요. 미가 6:8 도 동일한 맥락에서 인간 사회에 대한 하나님의 보편적인 뜻을 명백하게 열어 밝히고 있습니다.

"너 사람아, 무엇이 착한 일인지를 주님께서 이미 말씀하셨다. 주님께서 너에게 요구하시는 것이 무엇인지도 이미 말씀하셨다. 오로지 공의를 실천하며 인자를 사랑하며 겸손히 네 하나님과 함께 행하는 것이 아니냐!" (He has told you, O man, what is good; And what does the LORD require of you But to do justice, to love kindness, And to walk humbly with your God?) (미가 6:8)

즉 하나님께서는 당신과 이스라엘 백성들과 맺은 이전의 언약(예컨대, 신명기 10:12-19) 속에서 인간 사회 속에서 '무엇이 착한 일인지'(what is good)를 보여 주셨다는 것입니다. 여기에서 '무엇이 착한 일인지'라는 표현은 다음과 같은 율법의 요구 사항을 요약하는 말입니다. 즉 "공의를 행하며 인자를 사랑하며[즉, 자발적으로 약자들을 보호하며], 겸손히[혹은 언약적인 요구의 측면에서 '사려 깊게 행하면서'] 우리 하나님과 함께 삶을 영위하는 것"입니다 ("New Bible Commentary: 21st Century Edition"). 경천애인이라는 삶의 방식이 근간을 이루는 사회 공의 구현은 온 세상 모든 이들의 양심과 정신 속에 각인된 인류 사회의 원형이자 이상향입니다.

이 보편적 원리가 우리가 사는 세상 속에 온전히 실현되도록 하는 이 고귀한 과업에 우리 각자의 생애를 겁시다.

7. 유럽 식민주의의 단면을 통해 어두운 인간 내부의 심연을 조명하는, 조지프 콘래드의 "어둠의 속"(1899)

-전 세계 국지적 분쟁의 장기화-

지난해(2022년)에 가장 많은 희생자를 낳은 전쟁은 어디에서 벌어졌을까요? 전 세계의 이목을 독차지하고 있는 우크라이나가 아닙니다. 에티오피아입니다. 2020년과 2022년 사이에 그곳에서 희생된 사망자 수는 60만 명으로 추산됩니다. 에티오피아 정부군이 티그레이 지역과 분쟁 중인 동안 에티오피아의 가장 큰 민족인 오로모족이 오래된 반란을 되살리면서 다른 민족을 고향에서 몰아내려고 애쓰고 있습니다. 이런 상황은 그 나라에 거주하는 90개 이상이나 되는 민족 집단의 지도자들이 11개 민족 기반 지역 중 한 곳을 장악하기 위해 증오를 부추기는 경향의 한 단면일 뿐입니다. 여기에다 격동을 겪고 있는 이웃 4개국(에리트레아, 소말리아, 남수단, 수단)에서 피난 온 수십만 명의 난민이 그곳에 둥지를 틀고 있는 와중에 에리트레아는 에티오피아 정부와 맞서 싸우고 있다는 점도 고려해 보세요.

에티오피아만 이런 상황에 놓인 것이 아닙니다. 전 세계적으로 2001년부터 2010년까지 매년 약 5개 국가에서 두 번 이상의 전쟁 또는 반란이 동시에 발생했지만, 현재는 15개 국가가 그런 처지에 놓여 있습니다. 더구나 이들 국가 중에는 전 세계적인 문제인 분쟁의 지속성을 보여주는 사례가 적지 않습니다. 예를 들어 보겠습니다. 아프리카에서 세 번째로 큰 수단은 현재 국가 권력을 장악하기 위해 군 최고 책임자가 민병대 두목과 격렬하게 싸우는 장으로 주목받고 있지만, 사실상 1956년 독립 이후 기간 대부분을 내전으로 고통받았습니다. 현재 이 나라에서는 동쪽, 서쪽, 남쪽에서 분쟁이 발생하고 있습니다. 특히 지난 4월 중에 일어난 전투와 혼란상은 잘 알려지지 않은 지구적인 재앙(underreported global calamity), 즉 전쟁의 장기화를 보여줍니다. 예컨대 전 세계적으로 1980년대 중반에는 평균 13년 동안 분쟁이 지속되었지만, 2021년에는 그 기간이 20년으로 증가했으니까요.

왜 이렇게 분쟁 지역의 전쟁이 장기화할까요? 시사주간지 "The Economist"는 네 가지 이유를 제시합니다. 첫째는, 복잡성(complexity)입니다. 주로 가난한 지역에서 내전의 양상을 띠고 발생하는 전쟁은 수많은 호전적인 집단이 만족해야 하는 필요조건에다 외국군까지 개입하는 현실로 인해 여간 복잡한 게 아니기 때문입니다. 둘째로, 범죄성(criminality)입니다. 거의 모든 내전이 권력을 통해 부도덕한 자들이 부를 획득하려는 부패한 국가에서 발생할 뿐 아니라, 범죄 네트워크가 세계화됨에 따라 반군 세력들이 마약이나 다이아몬드를 세탁하는 것이 더 수월해졌기 때문입니다. 셋째는 기후변화(climate change)입니다. 내전은 덥고 가난한 나라에 집중되어 있고, 가뭄이나 홍수로 인해 농부들이 이재민이 되어 다른 민족이 사는 땅으로 이주하는 경우가 많기 때문입니다. 마지막으로, 새로운 면책 분위기(a new atmosphere of impunity)입니다. 강대국들이 반인도적 범죄를 범하고도 면책받는 분위기로 인해, 군소 강대국들이 국제법을 무시해도 된다는 결론을 내리는 경우가 많기 때문입니다. 이리하여 2011년 아랍의 봄 이후 새로운 전쟁의 물결이 일기 시작되어, 전투로 인한 사망자가 증가함에 따라 그 정확한 숫자를 측정하기 어려운 정도입니다. 그 희생자 대부분이 전투 자체가 아니라 배고픔과 질병으로 인한 것이라는 점도 뼈아픈 대목이지만, 전 세계적으로 고향을 떠나야만 했던 난민의 수가 10년 만에 두 배로 증가하여 약 1억 명에 달한다는 통계는 믿기 어려울 정도입니다.

-콩고민주공화국의 경우-

이 많은 분쟁 지역 가운데 콩고민주공화국(Democratic Republic of Congo)의 사례를 한번 살펴보겠습니다. 이 나라는 세계에서 가장 현저하게 방치된 대규모 전쟁의 현장입니다. 1940 년대 이후 그 어느 분쟁보다 유혈 사태가 더 많이 발생했지만, 이것보다 더 완전히 무시된 분쟁은 거의 없었으니까요. 아프리카 8 개국이 관여된 콩고 내전(1 차: 1996-1997 년 / 2 차: 1998-2003 년)은 아프리카의 세계대전으로 불릴 정도로 제 2 차 세계대전 이후 가장 많은 사상자를 냈습니다. 2 차 분쟁으로만 약 100 만~5 백만 명이 사망했으며, 대부분 분쟁으로 인한 굶주림과 질병으로 사망한 것으로 추정됩니다. 이에 덧붙여 시리아에 이어 두 번째로 많은 약 550 만 명의 콩고 주민이 고향을 떠나야 했습니다. 집을 떠나지 않은 주민들조차도 강도, 강간, 살인을 서슴지 않는 무장 괴한들의 출현을 두려워하고 있습니다. 약 120 개의 무장 단체가 금과 다른 천연자원을 차지하기 위해 지역 주민들을 위협하고 서로 싸우며 군대와도 싸우고 있으니까요. 이 무수한 단체들은 토지, 자원 및 근접한 무장 단체에 대항하여 자신들을 보호하려는 욕구와 연관된 장기적이고 분열된 갈등을 드러내고 있습니다. 작가인 제이슨 스턴스(Jason Stearns)가 **"아프리카 전쟁의 새로운 얼굴"**(new face of African warfare)이라고 부르는 양상이지요. 국가 대 국가의 전쟁, 혹은 분리주의자나 정부를 전복하려는 반군이 개입된 전쟁도 아닌 독특한 분쟁 양상을 띤 투쟁이 진행되고 있습니다. 이에 덧붙여 현재에도 콩고의 광물 자원을 차지하기 위해 개입한 이웃 국가들의 간섭이 여전합니다. 이러한 콩고의 무법 상태는 약 3 억 명의 인구로 구성된 동아프리카 공동체의 발목을 잡고 있습니다.

콩고 분쟁을 멈출 주된 책임은 콩고 정부에 있고 그 치료책도 동아프리카 국가들을 비롯한 국제 사회의 참여에 달려 있다는 점이 분명하지만, 그 병폐의 시발점은 식민지 시대로 거슬러 올라간다는 점에 주목해야 합니다. 무엇보다도 전 세계의 숱한 유럽 식민지역 중에 콩고만큼 심한 억압을 받은 식민지는 없었기 때문입니다. "작은 옥좌에 앉은 큰손 투기꾼"으로 불리던 벨기에 왕 레오폴드 2 세 (1835-1909)는 영국인 헨리 모턴 스탠리(Henry Morton Stanley, 1841-1904)를 후원한 것을 빌미로, 콩고로 들어가 "콩고 자유국"(Congo Free State)을 설립했습니다. 그는 1885 년부터 1908 년 (사망하기 1 년 전)까지 벨기에보다 거의 80 배나 큰 콩고 분지를 자기 사유지로 통치하는 중에, 원주민들을 노예로 부리고 그들에게 엄청난 학대를 가하면서 고무와 상아를 비롯한 소중한 자원들을 수 탈해 갔습니다. 그 기간에 콩고 인구의 절반인 약 1 천만 명이 형벌 과 영양실조로 사망했습니다. 특히 온 나라를 거대한 고무 농장으 로 만들어 두고, 주민들에게 야생고무나무의 액 할당량을 정해 준 후에 그것을 달성하지 못하면 처형하거나 손, 발, 코를 잘라 처벌한 결과였습니다. 별다른 이유 없이 두들겨 맞아 죽은 사람도 부지기 수였습니다. 당시 벨기에인 감독관은 군인들이 처형과 상관없이 총 알을 낭비하지 않도록 죽인 사람 수만큼의 손을 제출하게 했다고 하지요. 결국 잘린 손을 담은 바구니가 화폐로 통용되어, 군인들은 이 화폐를 죽은 자 혹은 산 자에게서까지 마음대로 거두어갔습니다. 더욱 기가 막힌 것은 이러한 만행이 공식적인 자선 명목으로 진행 되었다는 점입니다. 소위 '콩고 자유국'을 소유한 것은 레오폴드가 설립한 "국제 아프리카 협회"라는 자선 단체였고 그 자선의 내용은 콩고 주민들의 "문명화"였습니다. (톰 필립스, "인간의 흑역사") 그곳 의 참혹한 현실과 주민들의 반항에 대한 레오폴드의 무자비한 진압 이 널리 알려지면서, 많은 유럽인이 이러한 학대에 반대하면서 레 오폴드가 자행한 인권 유린의 중단을 계속 요구했습니다. 이런 국제적 인 압력으로 인해 1908 년, 레오폴드는 그 나라를 벨기에에 넘겨주어 야 했습니다. 그때 '콩고 자유국'은 '벨기에령 콩고'(Bel-gian Congo)로 개명되었다가, 1960 년 "콩고민주공화국"으로 독립할 때까 지 식민지로 남아있었습니다.

이러한 배경지식에 주목하면서 이번엔 조지프 콘래드(Joseph Conrad, 1857-1924)의 "어둠의 속"(Heart of Darkness, 1899)을 독해하겠습니다. 이 소설은 유럽 무역회사에 고용된 한 증기선 선 장이 콩고에서 그 회사의 가장 성공적인 상아 무역상을 찾아 배를 타고 가면서 겪는 기이하고 참혹한 경험을 다루고 있습니다. 그 선 장과 함께 "어둠의 속"으로 향하는 그 여정 속에서 역설적으로 언필칭 유럽이 외친 '문명'(civilization)과 '자제력'(restraint)에 대한 관념을 뒤집는 현실과 영적 세계를 발견하게 됩니다. 프랜시스 포드 코폴라(Francis Ford Coppola) 감독이 만든 "지옥의 묵시록"(Apocalypse Now, 1979)에 영감을 준 것이 바로 이 책이었습니다. [문예출판사의 번역(이덕형 역)을 활용함]

-"어둠의 속" 줄거리-

"지상에서 가장 크고 가장 위대한 도시"(the biggest, and the greatest, town on earth)이자 "지상에서 어두운 곳 중 하나"(one of the dark places of the earth)인 런던의 템스강에 유람 요트 넬리 호(THE NELLIE, A cruising yawl)가 닻을 내려 정박해 있다. 그곳에 탑승한 승객 중 한 명인 찰리 말로(Charlie Marlow)는 친구들에게 상아 무역 회사의 강을 운항하는 증기선 선장이 된 이야기를 들려준다. 6년 동안 동양의 이곳저곳을 여행하고 돌아온 후에 빈둥거리며 지내다가 자기가 꼭 가 보고 싶었던 곳을 갈 기회를 탐색하던 때의 이야기다. 어렸을 때 말로는 지도, 특히 아프리카의 "공백의 땅"(a blank space)에 매혹되었다. 특히 지도에서 "똬리를 푼 커다란 구렁이"(an immense snake uncoiled) 같은 아프리카의 콩고강(Congo River) 이미지가 말로를 매료시켰다. 숙모의 연줄이 닿아 그곳에서 무역하던 유럽 회사(the company)와 연결이 되어, 콩고강을 운항하는 "1 페니짜리 기적이 달린 보잘것없는 하천 증기선"(a two-penny-halfpenny river steamboat with a penny whistle)을 맡게 된다. "해외에 거대한 제국을 운영하고 무역으로 끝없는 돈을 벌어들인다고들"(to run an oversea empire, and make no end of coin by trade) 하는 그 회사는 말로 선장이 살아서 유럽으로 귀환할 것을 예상하지 않는다.

말로는 프랑스 증기선을 타고 아프리카로 향한다. 항해 도중 승객 몇 명이 아무도 눈치채지 못한 채 죽고, 선원들은 정글을 향해 맹목적으로 포를 쏘는 프랑스 군함에 편지를 전달하며, 선원들은 열병으로 죽어간다는 소식을 듣는다. 바다에서 한 달을 보낸 말로는 콩고강 하구에 도착한다. 경사진 곳을 걸어 내려가다 그늘진 곳을 산책하려던 말로는 그 근처에서 진행 중인 철도 공사에서 일하다 중상을 입고 죽어가는 아프리카인들로 가득한 곳을 발견하고 경악을 금치 못한다. 말로는 폐허가 된 회사의 출장소에서 열흘을 기다려야 했다. 말로는 흠잡을 데 없이 단정하게 차려입은 회사의 회계 주임을 만나 커츠 씨에 대해 이야기를 듣게 된다. 그는 존경받는 일급 대리인으로서 매우 중요한 출장소를 책임지고 있으며 아프리카 대륙 내부에서 상아를 조달하는 데 있어 타의 추종을 불허하는 인물이라는 것이었다. 회계사는 커츠가 장차 크게 출세하리라 예측한다.

출장소에 도착한 지 열흘 후, 말로는 60명의 대상을 따라 자신이 지휘할 증기선이 있는 중앙 출장소(Central Station)로 출발한다. 2백 마일(약 320 킬로미터)을 걸어서 이동하는 힘난한 여정이 시작된 지 2 주 만에 출장소에 도착한다. 출장소에서 그는 자신의 증기선이 사고로 난파되었다는 사실을 알게 된다. 총지배인이 커츠의 출장소가 위험에 처했고 커츠 소장이 병들었다는 소문을 듣고 불안감을 느껴, 말로가 올 때까지 기다릴 수 없어 그의 배를 타고 강을 거슬러 올라가다가 출발한 지 3 시간 만에 좌초된 것이다. 말로는 강에서 배를 건져내고 배를 수리하기 시작하지만, 도구와 교체할 부품이 부족해 수리가 지연되자 말로는 그 지연 시간 때문에 좌절한다. 중앙 출장소에 머무는 3 개월 동안 말로는 그곳에서 벽돌 제조업자 행세를 하는 야심 찬 젊은 귀족을 만나게 되는데, 그는 말로가 유럽에서 자기 경력을 발전시키는 데 도움이 될 만한 인맥을 가지고 있다고 믿는다. 말로는 그의 방에서 천을 휘감고 눈을 가리고 타오르는 횃불을 들고 가는 여인을 그린 유화 한 점을 발견한다. 귀족은 커츠가 이 중앙 출장소에서 내륙 출장소로 보내지기 위해 기다리는 동안 그렸다고 설명한다. 그는 커츠가 "연민과 학문과 발전과 그 밖에 셀 수 없이 많은 여러 가지를 전파하는 사도"(an emissary of pity, and science, and progress, and devil knows what else)라고 묘사하면서, 장차 승승장구할 것이라고 예견한다. 총지배인과 그 귀족이 커츠에게 위협을 느낀다는 점이 분명해진다. 어느 날 총지배인의 삼촌이 대상을 몰고 도착한다. 자기들을 "엘도라도 탐험대"(Eldorado Exploring Expedition)라고 부르지만, 중앙 출장소의 다른 요원들과 마찬가지로 오로지 "대지의 창자에서 금은보화를 찢어내는 일이 그들 욕망의 전부였다."(To tear treasure out of the bowels of the land was their desire) 그 무리의 우두머리가 바로 그 총지배인의 삼촌이었다. 자기 증기선에 누워 있던 말로는 총지배인과 삼촌이 커츠에 대해 나누는 대화를 엿듣게 된다. 커츠의 도덕적 비전과 그가 보낸 엄청난 양의 상아가 두 사람을 괴롭히는 것이 분명했다. 그런데 지난 9 개월 동안 커츠의 소식은 없었고, 그가 아프고 완전히 회복되지 않았다는 소문만 돌았다. 삼촌과 그의 조카는 이것이 기후와 결합하여 커츠의 종말이 되기를 희망한다.

증기선 수리를 마친 말로는 커츠 출장소로 향하는 여정을 떠난다. 이 배에는 지배인과 다른 요원 몇 명, 그리고 내륙에서 온 식인종들(cannibals)이 승선하고 있었는데, 이들은 수적으로 열세인 말로와 다른 백인들을 공격하지 않는다. 말로는 유속이 느린 강에서의 위험한 항해 때문에 증기선이 고장 날까 봐 늘 두려움에 떨며 나아간다. 울창한 정글과 잔인한 정적은 배에 탄 모든 사람을 소름 끼치게 만든다. 가끔씩 보이는 원주민 마을의 모습이나 북소리는 배에 탄 사람들을 미치게 만든다. 때때로 강변에서 원주민을 만나면 말로는 그들과 '우월한' 백인들의 차이점과 유사점을 떠올리며 생각에 잠긴다. 말로와 선원들은 연료용 장작더미가 쌓여 있는 오두막에 도착해 그 장작이 자신들을 위한 것이고 조심스럽게 접근하라는 메모가 적힌 판자를 발견한다. 오두막에서 말로는 항해술에 관한 낡은 책 한 권도 발견하는데 암호로 보이는 메모가 여백을 가득 채우고 있었다. 그 책을 갖고 간다. 여정은 내륙 출장소에서 약 8 마일(약 13km) 떨어진 곳에서 하룻밤 동안 멈춘다. 아침이 되자 배는 짙은 안개에 휩싸인다. 갑자기 큰 외침이 들리자, 백인들은 총을 준비했지만, 증기선은 화살의 공격을 받고 조타수가 사망한다. 말로가 기적을 반복해서 울려 공격을 멈추게 한다. 조타수의 시신을 난

간 너머로 던진 말로는 백인들뿐 아니라 식인종들의 비난을 산다. 말로는 너무 늦게 와서 커츠를 만나지 못하게 되는 것은 아닌가 하는 두려움을 느끼면서 조심스럽게 증기선을 조종해 통로를 통과한다.

커츠의 내륙 출장소에 가까워져 오자 한 커츠의 열렬한 팬이 말로 일행을 맞이하면서 증기선에 승선한다. 그는 길을 잃은 상태에서 우연히 커츠의 출장소를 발견한 러시아 젊은이였다. 알고 보니 이전 오두막에서 말로가 발견한 항해술에 관한 책 주인이었다. 그 후로 그는 커츠의 이야기를 들어주고 그가 겪은 두 번의 병을 간호하는 데 많은 시간을 보냈다. 하지만 두 사람의 관계는 쉽지 않았다. 처음에 커츠가 자기에게 소량의 상아를 넘겨주고 떠나지 않으면 그를 쏴 죽이겠다고 협박했기 때문이다. 그는 상아를 커츠에게 넘겼지만, 그곳에 남기로 결정한다. 말로는 커츠가 매우 아프다는 사실뿐 아니라, 원주민들이 커츠를 숭배한다는 점을 알게 된다. 커츠가 협박과 무력을 사용해서 원주민들이 자기를 두려워하게 했다는 사실을 알게 되었기 때문이다. 그들은 그를 신과 같은 존재로 여긴다. 내륙 출장소에 가까워지자, 말로는 원주민의 두개골이 울타리 기둥의 장식품으로 줄지어 놓인 것을 본다. 원주민 한 무리가 덩치가 컸으나 병으로 인해 유령처럼 보이는 커츠를 들것에 실어 해안가로 다가온다. 원주민들이 자기를 증기선에 태우지 못하게 하자, 그는 자기 목소리만으로 원주민들을 막는다.

그의 측근들이 커츠를 증기선으로 옮겨 선실에 눕힌다. 원주민들은 해안에 모여들었는데, 그중에 보석과 부적으로 장식된 아름다운 여성 한 사람이 있었다. 그녀는 팔을 하늘로 들어 올린 다음 몸을 돌려 정글 속으로 사라진다. 말로는 러시아 청년을 통해 그녀가 커츠의 집을 정기적으로 방문했으며 그에게 어떤 영향을 미쳤다는 사실을 알게 된다. 또한 그는 자기가 납치될까 봐 커츠가 증기선 공격을 명령했다는 사실도 알게 된다. 러시아 청년은 커츠의 사업을 방조한 혐의로 회사가 자기를 죽이려 한다고 믿고 있다고 말했고, 말로는 그에 관해 교수형에 대한 논의가 있었다고 확인해 준다. 그래서 그 청년은 그들을 떠나기로 결심한다. 그는 말로에게 커츠의 명성을 지키기 위해서라도 출장소에서 일어난 일에 대해 조용히 해 달라고 부탁한다. 자정이 지나자, 말로는 커츠가 사라진 것을 발견한다. 말로는 원주민 캠프에서 조금 떨어진 곳에서 커츠가 기어가는 것을 발견한다. 자기가 품고 있던 "엄청난 계획"(immense plans)을 이루기 위해 돌아가고 싶다는 커츠를 말로가 설득해서 증기선으로 데리고 온다. 다음 날 말로는 다시 강을 따라 내려갈 준비를 한다. 다음날 배가 출항할 시간이 되자 원주민들이 해안에 모인다. 그 아름다운 여인이 다시 나타나 소리를 지르자 다른 원주민들도 동참한다. 그들의 말을 알아들은 커츠는 그리움과 증오의 표정을 지으며 침대에 누워 있다. 말로가 기적을 몇 번 울리자, 원주민들은 두려움에 떨며 뿔뿔이 흩어졌지만, 그 여자만 흔들림 없이 해안에 남아있었다. 돌아오는 길에 커츠는 말로에게 자신의 업적과 부의 계획을 이야기하며 몇 시간 동안 시간을 보낸다. 여행 도중 커츠의 건강이 악화한다. 증기선이 고장 나 수리를 위해 정박해 있는 동안 커츠는 말로에게 서류 뭉치와 사진 한 장을 건네며 잘 보관해 주고 관리자에게는 비밀로 하라고 부탁한다. 말로가 커츠와 대화를 나눌 때 거의 죽어가는 그가 약하게 속삭이는 소리를 듣는다. "어떤 영상, 어떤 환영을 향해 속삭임으로 외치던"(cried in a whisper at some image, at some vision) 울부짖음이었다. "무서워! 무서워!"(The horror! The horror!) 잠시 후 지배인의 아들이 승무원들에게 커츠가 죽었다고 발표한다. 다음날 말로는 커츠의 순례자들이 진흙 구덩이에 "무언가"(something)를 묻을 때 거의 관심을 기울이지 않는다.

유럽의 "무덤 같은 도시"(the sepulchral city)로 돌아온 말로는 문명화된 세상에 대해 비통함과 경멸을 느낀다. 그 무역 회사의 한 직원이 커츠가 맡긴 서류를 찾으러 왔지만, 말로는 거부하면서도 '야만적 풍습의 폐지'(the 'Suppression of Savage Customs')에 대한 커츠의 보고서를 내어준다. 유럽으로 돌아온 지 1년 후 말로가 커츠의 약혼녀를 찾아갔을 때, 그녀는 커츠가 사망한 지 1년이 넘었지만, 여전히 깊은 슬픔에 빠져 있었다. 말로는 그녀에게 커츠의 개인적인 편지와 사진 한 장을 남긴다. 그녀는 말로에게 커츠가 죽기 전 마지막으로 남긴 말에 관해 묻는다. 자기에게는 간직하고 살아갈 무엇이 필요하기 때문이라면서. 말로가 이렇게 응답한다. "그가 죽기 전에 마지막으로 한 말은-당신의 이름이었습니다."(The last word he pronounced was—your name.) 커츠는 공정함(justice)만을 원한다고 말했지만, 말로는 사실대로 말해 줄 수가 없었다. 그렇게 하는 것이 너무나 어두운(too dark) 일이 되었을 거라고 여겼기 때문이다. 말로의 이야기를 다 들은 일행 앞에는 "지구 맨 끝까지 뻗어가는 (템스강의) 수로가 잔뜩 찌푸린 하늘 아래에서 음산하게 흐르고 있었는데, 거대한 어둠의 속(the heart of an immense darkness)으로 흘러드는 것 같았다."

-방랑자 찰리 말로의 최고 경험-

찰리 말로는 "뱃사람"이었지만, "방랑자"였습니다. 뱃사람이라면 의례 정착된 삶을 영위하지만, 그는 떠돌이 신세를 자처했다는 말입니다. 이리저리 세계를 떠돌며 여행하는 것도 즐겼지만, 그 기간에 보고 듣고 배운 것을 친구들에게 나누는 재미도 쏠쏠했습니다. 6년 간 동양을 여행하고 돌아와서는 빈둥거리며 지내고 바쁜 친구들 집을 방문해서는 "그들을 계몽시킨다는 거룩한 사명이라도 가진 사람"처럼 군 것을 보세요. 이런 그가 상아 교역소 책임자인 커츠를 만나기 위해 떠난 그 여행이 자기 생애에서 최장 항해이자 절정의 경험이었다고 고백합니다. 사건 자체는 "어둡고 비참하고, 그렇다고 유별나지도 않고 분명치도 않은" 것이었지만, 자기 주위 모든 것과 **"자기 생각 속까지 빛을 던져주는 일"** 같았기 때문입니다.

　말로는 과연 어떤 빛을 맛보았을까요? 우선 지적할 수 있는 것은 콩고로 떠나기 전에 숙모와 이야기하고 헤어진 후 든 한 가지 생각이었습니다. 자기가 아프리카 대륙의 중심으로 가는 게 아니라 **지구 중심을 향해 출발한다는 느낌**"이 들었다는 말입니다. 그곳에서 전개되는 상황이 전 세계 유럽 식민지의 전모를 파악하는 실마리가 될 수 있다는 점에서 그곳은 지구 중심이나 다를 바 없었습니다. 콩고에서 소위 '**문명화**'라는 빌미로 레오폴드 2 세의 하수인들이 벌인 식민지 사업은, 정도의 차이만 존재했을 뿐 전 세계 모든 식민지에서 시행된, 끊임없는 수탈과 착취 과정의 본보기였습니다. 그래서였겠지요. 여행을 진행해 가면 갈수록 말로를 엄습한 것은 막연하지만 목을 죄는 듯한 의혹이었습니다. 마치 자기가 어렴풋한 악몽을 통과해 가는 고달픈 순례자처럼 느껴졌기 때문입니다. 아마도 **정명(正名)의 부재**, 즉 명칭['문명화']에 상응하는 실질[식민지 상황의 개선]이 존재하지 않는 데서 오는 의혹과 좌절감이 그의 순례 여정 내내 옥죄었을 것입니다. 친구들에게 이야기할 때도 똑같은 취지로 말합니다. 자기가 마치 꿈 이야기를 하는 것 같다고 하면서, 이런 처지를 인생 전체로 확대하지요. 즉 우리 인생이란 게 혼자서 꿈꾸는 것처럼 살아가는 것과 같다고.

둘째, 말로는 이 악몽의 여정 속에서 보편적인 **인간성의 진면목**을 가슴으로 새기게 됩니다. "원초의 시대적 밤 속"에서 "선사시대의 땅"을 헤매는 방랑자 신세를 겪다 보니, 자기와 동료들이 아담과 하와와 같은 인류 역사 최초의 인간들이라고 상상할 수 있게 되었습니다. 이런 상태에서 "족쇄에 채워지지 않은 괴물"이라고 여긴 원주민들을 접하게 됩니다. 그렇지만 차마 인간이라고 할 수 없는 그들이 "혹시 인간이 아닐까 하는 생각"이나 그들이 만들어내는 "야성적인 격렬한 소란이 우리와 먼 인척 관계가 있다는 생각"이 자기를 오싹하게 했습니다. 비록 자기들이 태초의 시점에서 멀리 떨어져 있긴 했지만, 그들의 소음 속에 자기들이 이해할 수 있는 의미가 깃들어 있다고 느꼈기 때문입니다. 즉 "기쁨, 두려움, 헌신, 용맹, 분노 등"이 그 소리 속에 담겨 있다는 점을 깨닫게 된 것이지요. 이것은 말로에게 "세월의 겉옷을 벗어버릴 적나라한 진실"로 다가왔습니다. 더구나 20 명이나 되는 식인종들을 자기 승무원으로 모집해서 데리고 갔지만 서로 잡아먹지도 않았고, 수적으로 우세한 그들이 배고픔이 최고조에 달했을 때도 자기들에게 덤벼들지도 않았다는 사실에 말로는 놀랍습니다. 그때 그가 절감한 것이 바로 "인간에 내재한 어떤 비밀", 즉 **"어떤 억제하는 힘"**이 그들 속에도 작용하고 있다는 점이었습니다. 그들은 야수 같은 야만인이 아니라, 고상하고 품위 있는 인간들이었습니다. 그러나 그 원주민들을 구원해서 문명화하러 왔다는 커츠와 같은 식민주의자들이 그 억제력을 잃어버린 채 급기야 "야비하고 탐욕적인 망령들"과 같은 존재로 변질된 것은 인류 역사의 크나큰 아이러니입니다.

셋째, 말로가 누린 빛은 자기 **"자신의 참모습을 발견할 기회"**였습니다. 자기가 본래 일을 좋아하지는 않지만, 일하는 것이 자기를 발견할 기회가 되기 때문에 일을 좋아한다고 고백합니다. 자기가 한 일을 다른 사람들이 볼 수 있고 그것에 대해 이러쿵저러쿵 평가할 수 있지만, 그 일 속에 담긴 자기의 참모습을 자신만 알아볼 수 있다는 측면이 자기에게 매력적이라고 지적하지요. 타인들은 자기 일을 아무리 유심히 관찰해도 그 일의 참뜻을 알 수 없지만, 자기만은 그 참뜻을 헤아릴 수 있기 때문입니다. 타인들은 "단순한 표면적 일상사"(the mere incidents of the surface)만 볼 수 있을 뿐, "실재하는 실체"(the reality), 혹은 "내적 진실"(the inner truth)을 꿰뚫어 볼 수 있는 안목이 없습니다. 그렇지만 자기는 그 내적 진실을 여전히 느낄 수 있지요. 겉으로만 보면 말로는 "저 잔악무도한 유령"(that atrocious phantom)과 같은 커츠와 그 음산한 땅에서 동업자 관계를 맺어 "양철 조각 같은 증기선"(the tin-pot steamboat) 선장 노릇을 담당했습니다. 그것은 마치 사막에서 길을 잃어버리기 쉬운 것처럼, 현세와 격리된 곳에서 자기에게 강요된 악몽을 앞뒤 가리지 않고 선택한 행위였습니다. 그렇지만 말로는 "불건전한 방법"을 사용하는 그 탐욕적인 인간 패거리 중에서 자기가 외톨이라는 것을 절감하고 나중에 그들과 분리됩니다. 자기의 참모습을 발견하고 그것에 충실했기 때문이지요. 말로의 생각에 빛의 세례를 안겨준 이런 측면들을 조금 더 깊이 각각 상고해 보겠습니다.

-문명화: 식민주의 정복자들의 수탈 과정-

콩고의 상아 교역소 책임자인 커츠가 품고 있던 미션은 어떤 것이었을까요? 그가 툭하면 내뱉은 다음 한 문장에 그 이상적인 목표가 드러나 있습니다. "각 출장소는 항상 더 나은 것을 지향하는 길을 밝히는 등대가 되어야 하고, 물론 교역도 하지만 교화하고 향상하고 교육하는 센터 역할도 해야 한다."(Each station should be like a beacon on the road towards better things, a center for trade of course, but also for humanizing, improving, instructing.) 무역은 기본이고 현지인들을 가르쳐서 그들의 삶을 인간답게 만들고 개선하는 것이 자기들의 목표라는 것입니다. 커츠와 같은 인물들을 파송한 유럽인들도 이와 유사한 생각을 품고 있었습니다. "그 몇백만 무지몽매한 인간들을 그 끔찍한 생활에서 해방하는 일"(weaning those ignorant millions from their horrid ways)이 그 식민지 사업의 목표였다는 것입니다. 그렇다면 이런 미션이나 목표가 과연 그대로 수행되었을까요?

말로가 계약한 곳은 "해외에 거대한 제국을 운영하고 무역으로 끝없는 돈을 벌어들이던"(to run an oversea empire, and make no end of coin by trade) 회사였습니다. 어떤 무역이었을까요? "제조된 상품들, 싸구려 무명, 구슬들, 놋쇠 철사 다발이 이 어둠의 오지로 들어오고 그 대가로 값진 상아가 줄줄 새 나가고 있었다." 호혜적인 무역이 아니라, **순전한 탈취**였을 뿐입니다. 원주민들에게 강제력을 가하여 값비싼 상아를 자기들에게 가져오도록 해 놓고는 그 대가로 준 것은 달랑 구슬이나 철사 다발이나 무명과 같은 싸구려 제품들뿐이었습니다. 말로도 자기 증기선 운행을 위해 계약한 흑인들에게 일주에 약 9인치 되는 철사 세 조각씩을 급료로 각각 지불해 주었습니다. 그 철사가 화폐로 활용된다는 가정하에서 지급한 것이었지만, 그 지역에는 마을도 없었고 주민들도 적개심에 불타는 자들이었기에 그 철사 화폐가 아무리 많아도 조금도 쓸모가 없었습니다. 원주민들의 필요에 걸맞은 물품을 제공해 주거나 그들의 생활 수준을 개선하는 데 도움이 되는 기술이나 지식을 전수해 주기는커녕, 아무짝에도 쓸모없는 철사 조각으로 그들의 노동력을 사서 자기들이 원하던 상아나 고무를 탈취해 갔을 뿐입니다. 중앙 출장소 지배인의 삼촌이 운영하던 '엘도라도 탐험대'(the Eldorado Exploring Expedi-tion)가 그러한 무역을 실행하는 대표 격이었지요. "대지의 창자에서 금은보화를 찢어내는 일이 그들 욕망의 전부였어. 금고를 터는 강도처럼 그 욕망의 뒤에는 도덕적 목적 같은 것은 추호도 없었어."(To tear treasure out of the bowels of the land was their desire, with no more moral purpose at the back of it than there is in burglars breaking into a safe.) 탐험대다운 배짱이나 대담성이나 용기는 없으면서도, 무모하고 탐욕스럽고 잔인하기만 한 야비한 약탈자 집단에 불과했지요.

이러한 야만스러운 약탈자들이 정작 선량한 원주민들은 식인종, 짐승, "검은 사하라 사막의 모래 알갱이 하나만도 못한 야만인"이라고 부르지만, 자기들은 마치 고귀한 목적을 위해 헌신하는 존재들로 인식하는 자기기만에 빠져 있는 모습은 실소를 자아냅니다. 그러다가 증기선장 플레슬레븐처럼 목숨을 잃기까지 하지요. 그는 "검은 암탉 두 마리" 가격을 흥정하다가 속았다고 생각했습니다. 그때 그는 본때를 보여주려고 시도합니다. 자기가 이미 그 지방에서 그들을 문명화시키는 대의명분을 위해 2년간이나 헌신했다는 자존심을 세우기 위해서였지요. 그렇지만 그 마을 추장을 몽둥이로 패기 시작하던 중에, 그 추장의 아들이 그 선장을 창으로 찔러 숨지게 합니다. '야만적 풍습의 폐지'에 대한 커츠의 보고서에는 유럽인들이 식민주의에 대해 품고 있던 자기기만의 절정이 소개됩니다. 자기들이 향유하는 고도의 문명 덕에 자기들이 "야만인들"(savages)에게 신으로 보여 그들 앞에 신으로 군림하고 있다고 서두를 연 후에, 자기들의 의지력만으로도 "무한한 선"(good practically unbounded)을 베풀 수 있다고 자부합니다. 그리하여 "어떤 거룩한 자비로운 존재가 다스리는 광대무변한 이국적인 땅덩어리(an exotic Immensity ruled by an august Benevolence)를 연상시키는 결론"으로 이어지면서, 급기야 "모든 야만인을 절멸시켜라!"(Exterminate all the brutes!)로 끝맺지요.

문명의 의미. 커츠의 이런 시각이 유럽 식민주의의 공통적인 시각이라고 할 수 있을까요? 그렇습니다. 커츠라는 이 인물이 "암흑 같은 대륙의 오지가 길러낸 망령"(This initiated wraith from the back of Nowhere)이기도 했지만, 온 유럽이 그의 탄생에 기여하기도 했기 때문입니다("All Europe contributed to the making of Kurtz."). 모친 혈통의 절반이 영국계였고 부친 혈통의 절반이 프랑스계였지요. 그렇다면 커츠가 대표하는 유럽 식민주의자들이 드러낸 문명에 관한 시각이 바람직할까요? 애당초 자기 문명(civilization)이 다른 민족의 문명보다 더 우월하다고 하는 것 자체가 오류입니다. '문명'이라는 단어는 라틴어 '시비타스'(civitas) 또는 '도시'(city)와 관련이 있습니다. '문명'이라는 단어의 가장 기본적인 정의는 '도시로 구성된 사회'(a society made up of cities)이지요. 그래서 영어 사전에도 그 의미가 우선 중립적으로 제시되어 있습니다. 즉 문명이란 "고유한 사회 조직과 문화를 갖고 있는 인간 사회"(a human society with its own social organization and culture, "콜린스 영어사전"), 혹은 "특정 기간 또는 특정 지역의 사회, 문화 및 생활 방식"(a society, its culture and its way of life during a particular period of time or in a particular part of the world, "옥스퍼드 영어사전")를 가리킵니다. 그래서 '라틴 아메리카의 고대 문명'(The ancient civilizations of Latin America)이나 '그리스, 로마 고대 문명'(the ancient civilizations of Greece and Rome)이라는 표현이 가능합니다. 이 기본적인 개념에서, 보다 진전된 사회 조직이나 보다 편안한 생활 방식을 가진 사회를 일컫는 데까지 '문명'의 의미가 진전된 것은 자연스러워 보입니다. "콜린스 영어사전"과 "옥스퍼드 영어사전"이 각각 다음과 같은 다른 정의도 소개하고 있는 이유입니다. "진전된 수준의 사회 조직과 편안한 생활 방식을 갖춘 상태"(the state of having an advanced level of social organization and a comfortable way of life)와 "매우 발달하고 조직화한 인간 사회의 상태"(a state of human society that is very developed and organized).

문명 간의 비교. 이런 사전적 정의에 의하면 문화적으로 더 우월하거나 더 열등한 문명이란 존재할 수 없습니다. 고대 문명(ancient civilization)과 현대 문명(modern civilization)이 존재하는 게 사실이지만, 어떻게 후자가 전자보다 더 우월하다고 말할 수 있습니까? 과연 현대 문명이 그리스, 로마 문명보다 더 우월하다고 할 수 있을까요? 현대의 과학기술로 인해 현대가 과거에 비해 더 편안한 생활 양식을 구가하게 된 측면은 부인할 수 없지만, 결코 사회 조직이나 문화가 과거보다 더 우월하다고 말할 수는 없습니다.

예를 한 가지 들어보겠습니다. 현대 서구 사회를 여는 데 혁혁한 기여를 한 계몽주의 사상가 장 자크 루소와 법철학자 몽테스키외가 함께 열렬히 지지한 것이 한 가지 있었습니다. **"추첨 민주주의"**였습니다. 추첨으로 국민의 대표자인 행정관, 재판관, 재정관, 전쟁 사령관 등의 공직자를 뽑자는 이야기입니다. "추첨에 의한 선거는 민주주의의 본질에 속한다."(몽테스키외, "법의 정신")라고 확신했기 때문입니다. 그런데 이 추첨 민주주의의 원형은 어디서 발견할 수 있을까요? 고대 그리스 문명의 본산이었던 아테네였습니다. 당시 그곳에서는 관직(1천 개 이상) 대부분을 추첨으로 뽑힌 시민이 맡았습니다. 임기는 1년이고 연임 불가였습니다. 이런 제도가 무려 약 3백 년 동안(BC 594-BC 322) 지속되었습니다("조국의 법고전 산책"). 우리나라의 고질적인 정치, 사회 문제 중 가장 심각한 해악을 끼치는 것은 선출되지 않는 권력이 견제받지 않고 전횡하는 현실입니다. 특히 (일부라고 믿고 싶지만) 검사와 판사들의 일탈과 부패는 이미 도를 넘었습니다. 의혹이 있는 범죄나 이미 드러난 범죄만 하더라도 중징계감인 전직 검사가 현직 대통령으로 군림하고 있는 현 상황은 참으로 우리나라 민주주의의 아이러니이지요. 과연 국민들이 검사와 판사들을 뽑지도 못하고 그들에게 책임을 묻지도 못하는 현대 우리나라 문명이 추첨으로 자기 대표자들 대부분을 뽑은 고대 그리스 문명보다 더 우월하다고 말할 수 있을까요?

C. S. 루이스는 현대의 것이 과거의 것보다 우월하다고 보는 이러한 사조를 **"연대기적 속물근성"**(chronological snobbery)이라는

표현으로 풀었습니다. "우리 시대에 흔히 볼 수 있는 지적 풍토는 비판 없이 받아들이고 시대에 뒤떨어진 것은 바로 그 이유로 모두 불신받는다는 가정"(the uncritical acceptance of the intellectual climate common to our own age and the assumption that whatever has gone out of date is on that account discredited.) 을 가리킵니다("Surprised by Joy"). 점점 더 과거와 단절된 채, 변화란 변화는 그 자체로 가치가 있는 것으로 간주하는 진보(progress)에 대한 신화에서 비롯된 오류입니다. 사정이 이러함에도 불구하고 이 '문명'이란 용어가 개발되던 초기에 인류학자와 다른 사람들은 '문명'(civilization)이나 '문명화된 사회'(civilized society)라는 용어들을 사용하여 각 지역에 있는 사회를 자민족 중심적인 방식(an ethno-centric way)으로 구분하기 시작했습니다. 즉 자신들이 속한 사회처럼 문화적으로 우월하다고 생각하는 사회와, '미개한'(savage) 또는 '야만적'(barbaric) 문화나 문화적으로 열등하다고 생각하는 사회를 구분했습니다. 그리하여 '문명사회'(civilizations)는 도덕적으로 선하고 문화적으로 진보된(progressive) 것으로 간주되지만, 다른 사회는 도덕적으로 잘못되고 '후진적'(backward)인 것으로 간주되었습니다("National Geographic").

그렇지만 이런 시각은 그릇되었습니다. 소위 문명사회와 다른 사회는 도덕적으로 차이가 없습니다. 두 사회는 동일하게 타락하고 부패합니다. 이 점에서 예외가 되는 인간 사회가 어디, 어느 시대에 존재합니까? 게다가 진보적인 것과 후진적인 것에 대한 평가는 죄다 "우리 자신의 문명이 공동으로 저지르고 있는 큰 죄, 즉 **인공물 숭배**에 기초하고 있습니다."(based upon that **idolatry of artefacts** which is a great corporate sin of our own civilisation.) 우리 손이나 기술(테크놀로지)로 만들어 우리 눈길을 끄는 물건이나 장식품에만 사로잡힌 나머지, 우리는 지금까지 발견된 가장 유용한 것들이 죄다 "우리의 선사시대 선조들"(our prehistoric ancestors)에게서 비롯되었다는 점을 잊고 있습니다. 즉 증기선, 총, 약품, 차, 텔레비전, 컴퓨터, 핸드폰과 같은 인공물에 매료된 나머지, "언어,

가족, 의복, 불의 사용, 가축 기르기, 바퀴, 배, 시(poetry), 농업"
과 같은 문명의 핵심 요소들이 고대 문명의 산물임을 망각했습니다
(C. S. Lewis, "The Problem of Pain"). 그 선조들에게 문명적인 빚
을 진 역사적 진실은 외면한 채 그들이 미개하고 야만적이라니요!

문명이라는 우상. 결국 현대 문명 속에는 그 자체가 현대인이 손
과 기술(테크놀로지)로 생산한 인공물과 재화를 우상으로 섬기는 사
회 조직과 문화로 전락할 가능성이 상존합니다. 소설 속에 등장하
는 흥미로운 인물 중에는 중앙 출장소 지배인이 있습니다. 그는 외
부인들이 적응하고 살아가기에 온갖 측면에서 열악한 식민지 환경
속에서 건강 하나로 지배인이 된 인물입니다. 선원이었지만 뭍으
로 올라가서 출장소를 맡게 된 그는 학식도 없고 지능도 없었지
만, 약품도 필요 없을 만큼 한 번도 앓지 않았습니다. 3 년 임기를
세 번이나 채울 수 있었으니까요. 그에게는 "건강 자체가 일종의 권
력"이었던 셈입니다. 이런 지배인의 사정은 식민주의가 판치던 시
대에 소수의 유럽인이 다수의 아프리카인을 장악할 수 있었던 이유
두 가지 중 한 가지와 연관됩니다. 그 두 가지가 바로 1850 년부터
공급된 말라리아 예방 약품인 키니네의 발명과 1884 년에 등장한
기관총과 같은 새로운 무기들의 개발이었으니까요(루즈 판 다이
크, "처음 읽는 아프리카의 역사"). 즉 당시 유럽인들은 키니네(건강
보장 약품)와 기관총(혹은 대포)이라는 인공물로 아프리카 원주민들
에게 초자연적인 존재로 군림하여 온갖 착취와 수탈을 일삼았던 것
입니다. 그 인공물 우상을 숭배하고 널리 활용하던 중에 문명인이
라고 자부하던 그들은 야수들로 변신해 버렸습니다.

폴 마샬이 언급한 대로 우리의 창의력과 과학기술 자체는 선한
것입니다. 이것들은 유용할 수 있으며, 유용하게 활용되어야 합니다.
그렇지만 "테크놀로지가 바로 문제를 해결할 수 있는 열쇠"라는 시
각(The "technology-is-the-key" view)은 과학만능주의적 견해에
불과합니다. 죄성을 지닌 인간의 처지, 인간 자유의 현실 및 인간의
책임이라는 중대 고려 사항들을 무시하는 교만한 태도입니다. 다른
한편으로 "테크놀로지가 바로 문제"라는 견해(The "technology-

is-the-problem" view)는 테크놀로지의 본질과 기능을 경시하는 시각입니다. 테크놀로지를 섬김의 도구로 보지 않고 지배와 군림의 수단으로만 보는 비이성적인 태도입니다. 성경은 테크놀로지의 선한 점과 악한 점에 대해 각각 말하고 있습니다. 인간의 창조성을 하나님 형상의 일부로 볼 뿐 아니라, 성경 곳곳에서 그 창조성이 발휘된 악기와 벽돌과 목축의 발전에 대해 언급하고 있습니다. "자연적인 것"(what is natural)과 "인위적인 것"(what is artificial)을 구분하지 않고 그 둘 모두를 '창조적인'(creative) 것으로 봅니다. 그렇지만 창의성과 과학기술을 자기 한계를 넘어서려는 인간 욕망의 도구로 활용하는 것은 정죄합니다. 그 대표적인 사례가 바로 바벨탑이었지요. 구약의 선지자들은 인간의 문화적, 기술적, 예술적 업적들에 대해 항상 그것들을 이룬 방식과 연결 지어 평가했습니다. 불의와 압제와 교만의 소산물들은 결코 아름다운 것들로 인정하지 않았습니다. 도리어 그것들의 엄중한 종말을 경고했습니다. 하박국 2:12-13을 참조해 보세요(폴 마샬, "Heaven Is Not My Home").

"그들이 너를 보고 '**피**로 마을을 세우며, **불의로 성읍을 건축하는 자**야, 너는 망한다!' 할 것이다. 네가 백성들을 잡아다가 부렸지만, 그들이 애써 한 일이 다 헛수고가 되고, 그들이 세운 것이 다 불타 없어질 것이니, 이것이 바로 나 만군의 주가 하는 일이 아니겠느냐?"(새번역)

이 구절 첫 부분의 '그들'과 '너'는 누구일까요? '너'는 자기 나라를 부유하게 하려고 부당한 이득을 탐내고 많은 민족을 꾀어 망하게 한(9-10절) 바벨론이고, '그들'은 담의 벽돌들(11절)로서 바벨론이 다른 나라의 건물에서 약탈했거나 약탈한 물건으로 산 것들을 가리킵니다. 그 벽돌들이 12절에서 바벨론의 악행을 증언하고 있지요. '피'와 '불의'는 영원히 영토를 점령할 의도로 바벨론이 자행한 습관적인 잔인함을 상징합니다. 그러나 바벨론뿐 아니라 이런 무도한 방식으로 민족주의적인 자기 확장을 꾀하는 나라들을 하나님께서 당신의 정의로 심판하시는 날이 반드시 임할 것입니다. 바벨론은 이미 B.C. 539년에 페르시아의 침략으로 멸망했지요. 이 구절들을 읽으며 벨기에[레오폴드 2세가 대표한]를 비롯한 유럽 식민주의 국가들과 일본의 숱한 악행들이 떠올랐습니다. 공의의 하나님께서는 반드시 그 국가들의 무자비한 악행에 대한 책임을 묻고 심판하실 것입니다. 인간의 문명과 과학기술도 결국 영적인 문제입니다.

-인간성 상실: 본능에 굴복하여 인간 한계 넘기-

이 작품 속에는 제목인 "어둠의 속"(heart of darkness)이란 표현도 나오지만, "속의 어둠"(darkness of the heart)이라는 어구도 등장합니다. 물론 그 은유적 표현들이 사용된 문맥에서는 각각 미지의 세계, 야만 세계의 중심을 가리키고, 그 중심이야말로 참으로 미개하고 야만적이라는 뜻으로 풀립니다. [예: "우리는 어둠의 심장부 속으로 점점 더 깊이 파고들었어." / "어둠의 심장부에서 빠른 속도로 달려 나온 갈색 강물은 상류로 올라올 때의 두 배의 속도로 우리를 바다 쪽으로 들고 가더군.] 그렇지만 그 어둠이 또 다른 은유 역할을 함으로써 인간의 어두운 죄성과 긴밀하게 연관되어 있다는 점을 부인할 수 없습니다. 즉 이 세상의 어둠의 중심부에는 인간의 검디검은 죄성이 자리 잡고 있고, 그 죄성은 어둡기 그지없다는 것이지요. [예: "표현의 재능이란 (...) 반면에 꿰뚫을 수 없는 어둠의 심장부에서 나오는 기만적인 흐름이기도 한 것이야." / "그 환영은 나와 함께 그 집으로 들어오는 것 같았어. (...) 정복을 일삼는 어둠의 심장도 같이 들어서는 것 같았어.] 아프리카 대지의 심장부에 있는 심오한 어둠은 그저 지리적으로 알려지지 않아 어두운 곳일 뿐입니다. 그렇지만 인간 내부에 있는 심오한 어둠은 하나님의 신성한 빛 대신 인간의 욕심이 득세하여 영적으로 어두워진 곳입니다.

그렇다면 이 지리적인 '어둠의 속'으로 들어간 자들이 어떤 과정을 거쳐 자신들의 어두운 죄성을 드러내게 되었을까요? 말로가 만난 사람 중 어둠의 식민지를 경영해 가는 자들에 주목해 보세요. 남다른 건강을 구가하던 중앙출장소 지배인은 "이곳으로 오는 자들은 오장육부가 없어야 해."(Men who come out here should have no entrails.)라고 언급합니다. 이 말을 봉인이라도 하듯이 미소를 짓는 그의 모습을 보면서, 말로는 그가 자기 말이 "어둠으로 통하는 문"으로 여긴다고 생각합니다. 사실상 "아프리카에 나오면 외적인 견제가 없으니까"(out there there were no external checks.), 그의 말은 자기에게는 "안팎으로 견제가 없다"는 말이 되지요. 그렇습니다. 보편적 원리나 숭고한 신조에 비추어 자신을 절제하기를 포기한 삶은 오장육부가 없는 삶입니다. 사랑하거나 긴장할 때 두 근거리는 '심장'도 없고, 너무 근심스럽고 안타까워 타들어 갈 '간'도 없고, 몹시 슬퍼서 끊어지는 듯한 '창자'도 없는 비인간의 상태와 같다는 말입니다. 이런 태도야말로 "그만이 간직해 온 어둠으로 통하는 문"(a door opening into a darkness he had in his keeping)이었겠지요. 그의 인간성이 부패해진 것은 어느 날 갑자기 이루어진 일이 아닙니다.

이에 덧붙여 "빈민가의 푸줏간 주인" 같은 외모에다 "교활한 표정"을 짓던 그의 삼촌은 기묘한 손동작을 취하면서, "잠복한 죽음과 숨어 있는 악과 그 대지 심장부의 심오한 어둠"(the lurking death, to the hidden evil, to the profound darkness of its heart)을 자기편으로 끌어들이려고 시도합니다. 자기 사업을 도와줄 악의 세력을 규합할 뿐 아니라, 밀림이 자기들의 범죄를 가려줄 것을 기대하는 동작이었지요. 그가 주도한 무리가 바로 엘도라도 탐험대였습니다. 그들은 "금고를 터는 강도처럼 그 욕망의 뒤에는 도덕적 목적 같은 것은 추호도 없었습니다." 그들이 정글로 들어갔을 때, "그 정글은 바다가 뛰어든 잠수부를 집어삼키듯 원정대를 집어삼켜 버렸습니다." 말로는 그들을 "당나귀만도 못한 짐승들"로 표현합니다. 자기들이 갈망하는 금은보화를 탈취하는 것을 위해서라면, 기꺼이 악한 세력의 도움까지도 받을 태세를 취한 이런 인물들도 인간이기를 포기한 자들이지요. 자기들의 범죄를 가려줄 것을 기대한 '어둠의 속'은 허망하게도 그 비인간들 모두를 삼켜 버렸습니다.

다음으로 "암흑 같은 대륙의 오지가 길러낸 이 망령"으로 묘사된 커츠는 "원시인들을 매료시키거나 공포에 몰아넣어 자신을 숭배케

하는" 힘을 가지고 있었습니다. 고작 "엽총 두 자루와 대형 라이플 총 한 자루와 연발식 카빈 총 한 자루"로 그 원주민들의 주피터[혹은 제우스]로 군림했습니다. 추장들도 매일 그를 보러 와서는 기어서 접견했으니까요. 그가 명령을 내리지 않으면 원주민들은 꼼짝도 하지 않았습니다. 그의 입에서는 "사랑이니 정의니 인간의 행위니 하는 것들에 대한 멋진 독백"이 나왔지만, 살인과 억압과 공포로 원주민들을 통치하면서 그들의 노고의 산물인 상아를 탈취해 갔습니다. 평화롭게 살던 그 지역을 온전히 망쳐놓은 것이지요. 이런 그가 나중에 유럽으로 귀국할 때는 왕들이 기차역까지 나와 위대한 업적을 이룬 자기를 마중하기를 열망하고 있었습니다. 이런 블랙코미디가 없지요. 말로가 그의 시체를 옮기던 "들것 위에서 모든 인류와 지구 전체를 집어삼킬 듯이 욕심 사납게 입을 벌린 커츠의 환영을 보았어."라고 언급한 게 무리가 아닙니다.

그의 마음을 덮은 어둠은 "꿰뚫을 수 없는 어둠"이었습니다. 자신을 신의 위치로까지 격상시키는 타락상("his own exalted and incredible degradation")을 연출했기 때문입니다. 세상과 완전히 인연을 끊은 채, 자기 위나 밑에 아무것도 아무도 두지 않았지요. 야생의 정글에 살다 보니 그의 영혼은 자기 밖 대신 자기 속만을 보았습니다. 그 내면만을 보던 중 미쳐 버린 것이지요. 이런 상황을 꿰뚫어 본 말로는 죽어가는 커츠를 원주민들 몰래 데려오면서 그가 완전하게 패배할 것이라고 그에게 경고해 줍니다. 이런 그의 심적 상태 역시 어느 날 갑자기 이루어진 것이 아닙니다. 말로는 커츠의 영적 문제의 실상을 이렇게 지적합니다.

"**잊어버리고 있던 동물적 본능을 일깨움**(the awakening of for-gotten and brutal instincts)으로써, 한편으로 **악한 욕정을 충족시켰던 기억을 되살려줌**(the memory of gratified and monstrous passions)으로써 커츠를 무자비한 야성의 품으로 끌어당겼던 것처럼 보이는 그 마력, 그 무겁고 말 없는 야생의 마력을 나는 부수려고 노력했어. 내가 확신한 것은 그 야성의 마력만이 커츠를 숲의 가장자리로, 덤불 속으로, 번뜩이는 모닥불로, 진동하는 북소리로, 괴상한 주문의 응얼거림으로 끌어들였던 거야. **이것만이 법을 무시한 그의 영혼을 유혹하여 인간에게 허용되는 열망의 한계를 넘도록 한 것이었어.** (this alone had beguiled his unlawful soul beyond the bounds of permitted aspirations.)"

바로 이 본문에서 인간 본성에 대한 말로(혹은 조지프 콘래드)의 영적 혜안을 접합니다. 우리 성정이 타락하는 것은, 내재하는 잊힌 동물적 본능이 격발 되는 것, 즉 괴물 같은 욕정이 충족된 기억이 되살아나면서 진척된다는 것입니다. 이것이 바로 야성의 마력입니다. 엄중하고 말이 없으면서도 무자비한 성격을 띠고 있지요. 커츠의 경우에는 이 마력을 거듭 제어하지 못하여 인간에게 허용된 욕망의 범위를 넘음으로써 자기 영혼을 파괴하는 단계까지 나아갔습니다. 돌이켜 보면 우리가 일상에서 직면하는 온갖 유혹의 실체도 바로 이런 것이 아닐까요? 그렇다면 이 본능의 격발 혹은 욕정이 충족된 기억을 제어하는 것이 인간성 회복의 길이자 인격 성숙의 관건이겠지요. 그런데 이 자기 절제(temperance)의 힘은 본능과 욕정이 요동치는 우리 내면에서 비롯될 수 없습니다. 이 측면은 성경도 강력하게 증거합니다.

(창세기 6:5) 여호와께서 <u>사람의 죄악이 세상에 가득함과 그의 마음으로 생각하는 모든 계획이 항상 악할 뿐임</u>을 보시고
(예레미야 7:9-10) 만물보다 거짓되고 심히 부패한 것은 마음이라 누가 능히 이를 알리요마는 나 여호와는 심장을 살피며 폐부를 시험하고 각각 그의 행위와 그의 행실대로 보응하나니
(마가복음 7:21-23) 나쁜 생각은 사람의 마음에서 나오는데, 곧 음행과 도둑질과 살인과 간음과 탐욕과 악의와 사기와 방탕과 악한 시선과 모독과 교만과 어리석음이다. <u>이런 악한 것이 모두 속에서 나와서 사람을 더럽힌다</u>[예수님의 증언].

인간을 창조하신 하나님께서 당신 대신 돈, 힘, 쾌락, 인기를 우상으로 삼고 사는 우리들의 모습에 대해 내리신 총평입니다. 그야말로 "암흑의 권세"(the domain of darkness, 골로새서 1:13)하에 처한 상황이지요. 그렇다면 우리가 살길은 무엇일까요? 먼저 커츠의 영혼과 다를 바 없이 '불법적인'(unlawful) 우리 영혼은 하늘의 별들처럼 찬란하게 빛나는 **보편적 도덕법의 실존**을 마주해야 합니다. 그리고 그 **도덕법의 원천인 하나님의 도우심**을 힘입어야 합니다. 그러기 위해선 인간의 경계를 벗어난 자신의 현실을 직시하고 돌이킨후, **예수 그리스도**를 통해 하나님과 새로운 관계를 맺어야 합니다. 오직 예수 그리스도만이 우리가 범한 죄악과 흑암의 세력하에 있는 우리의 죄성의 문제를 해결해 주신 분이니까요(로마서 7:24-8:2). 이 예수 그리스도를 믿을 때 **성령**, 즉 하나님의 영께서 우리 안에 사시기 시작하여 **생명력이 넘치는 샘물**처럼 우리 안에서 솟아나 일하십니다. "'목마른 사람은 다 나[예수 그리스도]에게로 와서 마셔라. 나를 믿는 사람은, 성경이 말한 바와 같이, 그의 배에서 생수가 강물처럼 흘러나올 것이다.' 이것은, 예수를 믿은 사람이 받게될 성령을 가리켜서 하신 말씀이다."(요한복음 7:37-39) 그래서 우리가 할 일은 늘 샘솟는 샘물과 같은 성령의 인도를 따라 사는 것이지요. "내[사도 바울]가 또 말합니다. 여러분은 성령께서 인도하여주시는 대로 살아가십시오. 그러면 육체의 욕망을 채우려 하지 않을 것입니다."(갈라디아서 5:16)

그러나 인류 역사는 우리가 내내 흑암과 같은 야성의 마력에 사로잡힌 종이었다는 것을 확연히 열어 밝힙니다. 숱한 개인들과 조직들의 일탈과 부패, 더 많은 재화와 권력에 대한 탐욕과 경쟁, 끊임없는 국가 간 혹은 국가 내 침탈과 분쟁으로 흥건히 물들어 있으니까요. 조지프 콘래드가 다른 책에서 언급한 대로입니다. 아랫글 속에 '최후의 지구'와 '최후의 날'이라는 그의 표현 속에 담긴 소설가의 자절에 주목해 보세요. 이 '최후의 날'에 임하신 예수 그리스도 외에 다른 소망은 없다는 게 성서의 한결같은 언명입니다(히브리서 1:1-3).

"인간의 이중적인 본성과 경쟁 구도를 보면, **최후의 지구**는 끊임없는 전쟁의 역사가 될 것이 분명하다. **최후의 날**이 되면 신들도, 열정도, 심지어 인간 자신도 인간을 가만 놔두지 않을 것이다. 그런 협력자이자 적들 때문에 인간은 위태로운 지배를 이어 나가고 덧없는 것을 소유하게 될 것이다. 소설가가 언급하고 해설할 이야기는 그런 것들이 전부일 것이다."("유럽, 이성의 몰락")

-자기 발견: 집단적인 자아 대 개인적인 자아-

이 소설의 서사 구조는 3 겹의 동심원으로 이루어집니다. 소설의 중심에는 커츠라는 콩고 지역 상아 내륙 출장소장이 있습니다. 그다음 동심원은 그를 구하러 간 증기선 선장인 말로입니다. 세 번째 동심원은 말로의 탐험 이야기를 듣는 '나'를 포함한 4 인[이사, 변호사, 회계사, 나]입니다. 이 인물들은 소설의 처음과 마지막에 주로 등장하고 말로의 이야기 중에는 거의 드러나지 않습니다. 말로의 이야기가 끝도 없이 길어지다 보니 '나'와 다른 한 사람 외에는 모두 유람 요트 넬리 호에서 잠든 상태였기 때문입니다. 이미 언급한 대로 말로도 그 탐험 중에 자기가 어떠한 존재인지 깨닫게 되었으니, 그의 이야기를 들은 이들, 특히 '나'도 이 심오한 이야기를 들으며 자기 발견을 할 수 있었을 것입니다. 그의 자기 발견은 '개인적인 자아'(Individual self)뿐만 아니라 '집단적인 자아'(Collective self)도 포함됩니다. 문명화란 이름으로 자기를 포함한 서구인들이 아프리카의 많은 지역을 식민지로 삼아 탈취하고 억압한 역사를 회고하면서 그 실상을 파악하는 게 '나'의 집단적인 자아입니다. 커츠의 기이한 삶의 역정을 복기하면서 한 사업가가 사악한 망령으로 전락하는 과정을 성찰하는 게 '나'의 개인적인 자아입니다.

'집단적인 자아' 발견. 말로가 콩고 탐험 이야기를 시작하기 전에 친구 4 명에게 나눈 얘기 중에는 영국을 '지구상에서 어두운 변방의 하나'로 묘사하는 장면이 나옵니다. 한때 영국이 "어둠에 맞설 만큼 남자다웠던" 로마군에게 점령당했기 때문입니다. 이 말은 영국도 옛날 로마 시대에는 암흑이 잔뜩 깃든 어둠의 세계, "극단적인 야만

성"이 가득 찬 세계에 불과했으며, 그곳을 점령한 인물들이 그 땅의 어둠을 극복하고 빛을 가져다준 점을 시사하고 있습니다. 영국과 거의 비슷한 시기에 로마군에게 점령당한 벨기에도 사정은 마찬가지였을 것입니다. 당시 영국이나 벨기에에 거주했던 이들은 둘 다 켈트족에게 속하지요. 그 후 세월이 한참 흘러 이 어둠의 세계에 속한 국가들이 자기들 빛을 전수해 주겠다며 식민지 쟁탈전에 나섰습니다. 아프리카를 비롯한 전 세계 곳곳이 그 대상이었지요. 그러나 정작 그들이 한 일은 "폭력을 동원한 강도질(robbery with violence)이고 질이 나쁜 대규모 학살(aggravated murder on a great scale)"에 불과했습니다. "남이 약하다는 데서 기인하는 우연에 불과한" 자기 힘을 가지고 그 연약한 사람들을 대상으로 착취(a squeeze)만 감행했을 뿐입니다. '어둠의 세계'였던 곳이 또 다른 '어둠의 세계'로 전락해 버렸다는 것이 말로와 '내'가 발견한 '집단적인 자아'인 셈입니다. 이런 자아 인식이 있었기에 말로는 벨기에의 브뤼셀이라고 추정되는 도시를 "죽음의 도시"나 "늘 회로 하얗게 칠한 무덤을 연상시키는 어떤 도시"로 명명했을 것입니다. 겉으로는 번지르르했지만, 그 도시는 이미 죽음의 도시에 불과했습니다. "인류 양심의 역사를 더럽힌 가장 사악한 전리품 쟁탈전"(the vilest scramble for loot that ever disfigured the history of human conscience)에 앞장선 도시였기 때문입니다(조지프 콘래드).

이 대목에서 레오폴드 2세나 커츠의 후손들이 어떻게 '집단적 자아' 발견을 이루었는지가 궁금했습니다. 지난 2020년 한겨레신문 최현준 기자의 글에 보면, 자기 조상들의 식민지 역사에 대한 벨기에 국민들의 인식이 소개되어 있습니다. 그 한 해 전에 벨기에의 인종차별 문제를 조사한 '아프리카계에 대한 유엔 전문가 실무단'이 밝힌 바에 의하면, "벨기에 고교 졸업생 중 4분의 1이 콩고가 벨기에 식민지였다는 사실을 모르고 있다."고 합니다. 그들의 잘못일 리가 없지요. 그곳 교사들과 교과 과정 탓입니다. 그 잔인했던 자국 통치 역사는 비중 있게 다루지 않은 채, 그저 자국 식민 통치로 인해 아프리카 경제 발전이 성취되었다는 사실무근의 주장만 제시하는 교과 과정 말입니다. 여기에다 레오폴드 2 세가 통치하던 1885 년부터 1908 년까지 1 천만 명이나 되는 콩고인이 학살된 역사적 사실은 간과한 채, 그를 '건축왕'에다 흑인 노예제를 반대한 영웅으로 각색하는 데 온 사회가 앞장섰으니, 청소년들이 무슨 역사관을 가질 수 있겠습니까? 그야말로 '식민지 근대화론'에다 선택적인 역사만을 기억하는 일본의 유럽판 쌍둥이라 하겠습니다. 이런 벨기에에 여전히 인종차별주의가 만연하고 그 나라가 "식민지화의 진정한 범위와 부당함을 인식하지 못하고 있다."라고 비판받고 있다고 하지요.

더욱 개탄스러운 것은 이런 오도된 역사관을 벨기에 왕실이 주도했다는 점입니다. 아직도 그 왕실은 레오폴드 2 세가 저지른 '인류에 대한 범죄'(Crimes Against Humanity)를 공식적으로 인정하고 사죄하기는커녕, 도리어 그를 감싸면서 문명화를 이끈 위대한 인물로 추앙하기에 분주합니다. 이런 후안무치한 집단에 대해 일찍이 C. S. 루이스가 일갈한 바 있습니다.

"나는 관료들보다 박쥐들을 훨씬 더 좋아한다. 나는 경영의 시대이자 '행정'의 세계에 살고 있다. 이제 **가장 큰 악**(The greatest evil)은 디킨스가 즐겨 그렸듯이 지저분한 '범죄의 소굴'에서 행해지지 않는다. 그렇다고 강제수용소나 노동수용소에서 행해지는 것도 아니다. 그런 장소에서 우리가 보게 되는 것은 **악의 최종적인 결과**(its final result)이다. 가장 큰 악은 카펫이 깔려 있으며 불이 환하게 밝혀져 있는 따뜻하고 깔끔한 사무실에서, 흰 셔츠를 차려입고 손톱과 수염을 말쑥하게 깎은, 굳이 목소리를 높일 필요가 없는 점잖은 사람들이 고안하고 명령(제안하고 제청받고 통과시키고 의사록에 기록)하는 것이다."("The Screwtape Letters", 1961)

그렇습니다. 콩고에서 그 숱한 원주민들이 살해당하거나 신체 절단당하면서 억압받은 것은 이 세상에서 '가장 큰 악'이 아니라 그 악의 결과물이었습니다. 사실상 이 세상에서 '가장 큰 악'이 자행된 곳은 어둡고 더러운 도둑의 소굴이 아니라, 환하고 깔끔하기 이를 데 없는 벨기에 왕실이나 일본 왕실과 같은 곳이었습니다. 그곳에서 말끔하게 차려입고 고상하게 말하던 레오폴드 2세나 히로히토 같은 왕들과 그 각료들이 문명화를 빙자하여 자국 이익의 극대화 방안을 고안해서 지시했습니다. 그 크나큰 악의 산물이 '인류에 대한 범죄 행위'였지요. 물론 그 책임은 그 왕들이 져야 합니다. 그들은 알기나 했을까요? 장차 만왕의 왕 예수 그리스도 앞에서 자기들의 범죄 사실을 낱낱이 고해야 할 날이 속히 오리라는 것을요(요한계시록 17:14, 고린도후서 5:10). 사정이 이러한데도 그 범죄자들 후손들의 입에서는 사죄의 고백 대신 그들을 찬양하는 소리가 드높습니다. 언제 어떤 처지에 놓여 봐야 이 나라들이 정신을 차리고, 제대로 된 '집단적 자아'를 형성할 수 있을까요?

'개인적 자아' 발견. 우리는 언제 진정한 자신의 모습을 볼 수 있을까요? 말로가 커츠에 대해 언급하는 내용을 통해 이 질문에 대한 힌트를 얻을 수 있습니다. 그가 커츠를 만나기 위해 내륙 출장소로 가던 도중에 커츠의 숙소 울타리 기둥에 원주민들의 머리통이 장식품으로 줄지어 선 것을 보면서 커츠에 대해 한마디 합니다. 그 인물은 "자신의 다양한 욕망을 충족시키는 데 자제력(restraint in the gratification of his various lusts)"이 없고, "무언가 모자란 것(something wanting)"이 있다고 말하지요. 말로는 커츠가 그 결핍된 것을 인식했는지는 알 수 없지만, 그가 죽기 전 마지막 순간에는 깨달았을 것으로 추정합니다. 야생의 세계(the wilderness), 즉 "이 엄청나게 외로운 장소"(this great solitude)가 이미 그에게 이 사실을 속삭여주었고, 이 속삭임은 "속이 텅 빈"(hollow at the core) 커츠의 내부에서 요란하게 메아리쳤을 것이기 때문입니다. 정리해 보자면, 홀로 자연 세계 속으로 들어와 외로움에 몸부림칠 때 커츠는 자신의 참모습을 발견할 수 있게 되었다는 말입니다. 그렇지만 그는 자기에 대한 이 지식에 등 돌리고 있다가 죽을 때에야 비로소 그 진실을 깨닫게 되었겠지요.

그렇다면 커츠의 자아는 어떤 면모를 띠고 있었을까요? 커츠의
심령 속에는 온갖 욕정이 넘쳤고 그는 조금도 절제하지 않고 그것
들을 충족시켰습니다. 그 욕망을 빼버리면 그의 속은 텅 비어 있었
습니다. 그의 목소리가 아무리 우렁차도 그의 마음에는 황량한 어
둠이 깔려 있었습니다("the barren darkness of his heart"). 아무
리 고상하고 고매한 표현을 내뱉을 수는 있어도, 그의 마음을 사로
잡고 있던 것은 부귀와 명성(wealth and fame)을 갈망하는 그림자
같은 환상(shadowy images)뿐이었습니다. 더구나 죽기 얼마 전에
그의 입에서 연이어 튀어나온 말을 보면 그의 인생 주제가 바로
'나'였다는 점이 드러납니다. "나의 약혼녀, 나의 출장소, 나의 경력, 나
의 사상."(My Intended, my station, my career, my ideas) 결국 죽
음을 기다리던 상아 같은 그의 얼굴(that ivory face)에 "강렬하면
서도 절망적인 표정"(an intense and hopeless despair)이 엿보이
더니, 그가 마지막으로 어떤 환영(some vision)을 향해 단숨에 속
삭이며 외치지요. "무서워! 무서워!"(The horror! The horror!) 이것
은 "자신의 삶을 요약한 영원한 유죄판결의 속삭임"(the
summing-up whisper of his eternal condemnation)이었습니다.
한마디로 커츠의 인생은 허망한 환상을 좇고 각양각색의 욕망을 누
리며 '나'로 똘똘 뭉친 삶이었습니다. 아마도 일찌감치 이 인물의
진면목을 간파한 야생 세계가 그에게 읊조린 속삭임은 결국, "야,
커츠, 네겐 부족한 게 있어! 네겐 너 외에는 아무것도 없어! 제발
정신 좀 차려!"였을 것입니다.
  말로는 커츠라는 반면교사를 통해 진지한 자아 성찰의 시간을 통
과할 수 있었을 것입니다. 한편으로 말로는 커츠를 "이 지상에서의
자기 영혼의 모험에 판결을 내린 비범한 남자"(the remarkable
man who had pronounced a judgment upon the adventures of
his soul on this earth)로 존중합니다. '두려워!'라는 그 한마디 유
언 속에 자기 인생에 대한 커츠의 솔직한 신념과 떨면서 반항하는
면모와 섬뜩한 진리의 모습이 담겼다고 보았기 때문입니다. 그래서
였겠지요. 커츠가 죽은 후에 말로가 가장 생생하게 기억하는 것은

자기가 "몸소 체험한 것처럼 느껴지는 커츠의 극한상황"(his ex-tremity that I seem to have lived through)이었다고 고백했습니다. 그렇지만 다른 한편으로 말로는 커츠의 인생을 복기하면서, 자기도 '나' 외에는 어떤 것도 없는 허망한 존재가 아닌지 자문했을 것입니다. 자기가 추구해 온 것이 "거짓된 명예(lying fame)와 허위의 명성(sham distinction)과 겉치레에 불과한 성공과 권력(all the appearances of success and power)"이 아니었는지 냉철하게 성찰해 보았겠지요. 그는 이미 우리 인생살이에서 자기 발견이 "너무 때늦게 이루어지는 경우가 많아 지울 수 없는 한 줌 실망만 안겨다 준다는 점"(that comes too late—a crop of unextinguishable regrets.)을 절감했기 때문입니다.

커츠에게 '모자란 것'(something wanting)'이 무엇인지 소설은 밝히고 있지 않습니다. 그렇지만 성경은 그것이 바로 하나님과 이웃들과 올바른 관계 정립과 실천적 사랑이라고 증거합니다. 앞에서 이미 말씀드린 대로 예수 그리스도를 통해 하나님과 올바른 관계를 재정립하고, 당신을 전인적으로 사랑하면서 이웃들을 자기처럼 섬기는 길입니다. 온갖 욕심과 우상으로부터 해방되어 진정한 자유를 누리며, 나날이 새로워지고 성숙해 가는 풍성한 삶의 요체가 여기에 있습니다. 그렇게 일생을 보낸 사람의 마지막 말은 'The horror!'(두려워!)라는 속삭임 대신 'Hallelujah!'[할렐루야(=하나님을 찬양하라!)]라는 외침이 될 것입니다.

8. 혐오, 배제, 폭력의 문화를 돌파한 '습지 소녀'의 송가, 델리아 오언스의 "가재가 노래하는 곳"(2018)

-급격히 쇠퇴하는 생태계-

지난 2018 년 이스라엘의 론 밀로(Ron Milo) 교수가 주도한 국제 공동 연구진은 역사상 처음으로 지구상 모든 생물군 생체량(bio-mass)을 종합 분석한 연구 결과를 발표했습니다("PNAS", 국립과학원회보). 한마디로 하자면, 지구상 모든 생명체 생체량[5,500 억 톤,

생명체 내 탄소량 계산]의 0.01%[6,000 만 톤]에 불과한 인간이 지난 세월 동안 야생 포유동물의 83%와 식물의 50%를 죽이고 파괴했다는 것입니다. 그 대신 자기들의 생존을 위해 개체 보전해 준소, 돼지, 말 같은 가축이 전 세계 포유류의 60%를 차지하고, 닭, 오리 같은 가금류가 조류의 70%에 달하는 기형적 생태계를 낳았습니다. 현재 인간의 생체량이 전 세계 포유류의 36%에 해당하니, 야생에서 서식하는 포유류는 겨우 4%에 불과하다는 말이 됩니다. 밀로 교수의 지적대로, **"이번 연구 결과 지구상에서 인간이 얼마나 불균형적인 상황을 초래했는지 분명하게 드러났습니다."**

이 연구가 밝힌 특이한 내용 중에는 지구상에서 가장 압도적인 생물체가 식물이라는 점이 포함되어 있습니다. 그 생체량이 4,500억 톤으로 지구상 모든 생명체의 82%를 차지합니다. 그리고 지구 표면적의 70%를 차지하는 바다에서 서식하는 생물의 생체량 비중이 1%밖에 되지 않는다는 점도 부각되었습니다. 결국 식물을 포함한 대다수 생명체는 육지에 기반을 두고 있다는 말이 됩니다. 그런데 남극의 크릴새우나 흰개미 수준의 생체량을 지닌 인간이 자기보다 무려 7,500 배나 많은 식물 절반을 끝장냈다는 말이지요. 인류 문명을 낳은 농업 혁명과 자본주의 발전의 시발점이 된 산업 혁명이 대규모 동식물의 멸종을 견인했다는 게 역사의 아이러니입니다. 농지 확보를 위한 개간, 건축, 가구 생산 및 경제성 작물 재배를 위한 벌목, 경제 발전을 위한 온갖 난개발로 촉발된 자연 파괴 행위로 인해 이제 인류는 대멸종의 위기 앞에 서 있습니다.

시시각각으로 우리의 일상적 삶을 옥죄는 기후변화를 통해 이 위기를 절감합니다. 지난 40 억 년 동안 이 세상의 모든 생명체에 적합한 상태를 유지해 온 기후가 본격적으로 변화하기 시작한 것입니다. 경희사이버대학 조천호 교수의 설명에 의하면, 산업화 이전까지 탄소 순환이 평형을 이뤄 280ppm 정도의 이산화탄소 농도를 유지해 왔습니다. 이 평형 상태는 탄소와 물순환을 통해 이루어지는데, 생명체가 탄산칼슘 형성, 광합성과 호흡으로 이 과정에 참여합니다. 그런데 인간이 이 탄소 순환 과정에 개입하게 되면서 이산화탄소 농도가 410ppm에 도달하게 되었습니다. 이것은 지난 100년 동안 자연이 탄소를 땅속에 묻는 속도보다 100만 배 빠른 속도로 탄소를 대기 중으로 날려 보낸 격입니다. 수백만 년에 걸쳐 서서히 일어났던 탄소 순환이 이제는 단 한 사람의 생애 중에 일어난다는 말이지요. 자연적인 탄소 순환이 인간의 탄소 배출을 도무지 감당할 수 없는 지경에 도달하게 되었습니다.

그 결과 지구 가열속도가 빨라져 지구촌 곳곳에서 생태계가 신속하게 망가지는 소식을 접하게 됩니다. 이상 고온과 폭염, 기록적 폭우, 거세지고 잦아지는 산불이 발생하고, 그린란드 빙하[벌써 반 이상 녹음]뿐 아니라 북극 영구 동토가 빠른 속도로 사라지고 있습니다. 그리하여 1992년 이래로 해마다 해수면 높이가 2.9밀리미터씩 높아지고 있지요. 이 과정에서 사람들만 피해를 보는 게 아니라, 다양한 동식물들이 더욱 심각한 생사의 기로에 서게 됩니다. 노르웨이에서 기후변화로 인해 먹는 식물에 접근하지 못해 굶어 죽은 순록 200마리나, 지구온난화로 해빙이 얇아진 탓에 먹이를 찾으러 내륙 깊숙이까지 진출하여 마을의 작은 작업장을 점령한 52마리의 북극곰의 사례는 빙산의 일각일 것입니다. 조 교수의 비유와 같이 "마치 **젠가 게임의 벽돌 빼내기**처럼 생태계에서 약한 생명체가 빠져나가고 있습니다." 이 비유의 의미는 분명합니다. 지금 당장에는 생태계가 유지되는 것처럼 보이겠지만, 그것은 위태위태하게 쌓여 있는 젠가와도 같은 것입니다. "**어느 벽돌 하나를 빼내는 순간 젠가 기둥 전체가 무너지는 것과 마찬가지로 언젠가 어느 생명체가 멸종되는 순간 전체 생태계가 망가질 수 있습니다.**"

최근에 읽은 소설 중에 이렇게 급격히 쇠퇴하고 있는 생태계의 문제를 시의적절하고도 예술적으로 재구성한 작품이 한 편 있습니다. 평생 야생동물을 연구한 생태학자 델리아 오언스(Delia Owens)의 2018년 데뷔 소설인 "가재가 노래하는 곳"(Where the Crawdads Sing)입니다. 출간 후 2년 동안 베스트셀러 목록에 올랐던 이 섬세한 교양 소설[*Bildungsroman*, 주인공의 정신적·정서적 성장을 다룬 소설]은 작년(2022)에 영화로 각색되기도 했습니다.

이 이야기는 노스캐롤라이나의 외딴 습지에서 가족과 마을 사람들, 그리고 자신을 사랑한다고 주장하는 두 남자에게 버림받은 후 습지 하늘을 떠다니는 갈매기에서 위안을 얻는 "습지 소녀"(the Marsh Girl) 카야(Kya)를 중심으로 전개됩니다. 그녀에게는 그 습지가 "자기 어머니가 되었습니다(became her mother)."

혹시 그동안 우리 주변의 습지에 주목하신 적이 있나요? 습지는 말 그대로 축축한 땅으로서 물을 담고 있는 토지를 가리킵니다. 습지 보전법에 따르면 습지란 수심이 6m 를 넘지 않는 해역을 비롯해, 강이나 시냇물 등의 '담수'가 흐르는 곳, 바닷물과 담수가 만나는 곳 등입니다. 즉 갯벌, 호수, 하천, 양식장, 해안은 물론 논도 습지에 포함되지요. 그런데 이 습지가 "생태계의 보물창고", 혹은 "지구의 콩팥"으로 불립니다. 특히 담수 습지(Freshwater wetlands)는 아름다운 경관을 제공하면서 모든 생물종(all species)의 약 40%가 살 수 있도록 지원해 주기 때문입니다. 이런 생태계는 지구상에서 가장 효율적인 탄소 포집 장치(carbon-capture devices) 중 하나로서 기후변화를 완화하는 데에도 뛰어난 능력을 발휘하고 있지요. 예컨대 맹그로브 숲(mangroves)과 같은 연안 습지(coastal wet-lands)는 열대 우림(tropical rainforests)보다 최대 55 배나 더 빠르게 탄소를 격리합니다. 습지는 또한 홍수, 가뭄 등의 자연재해를 줄여 주고, 취약한 해안선을 폭풍으로부터 보호해 주기도 합니다. 그렇지만 안타깝게도 무분별한 개발로 습지가 점점 사라지고 있습니다.

영국 시사주간지 "이코노미스트"(The Economist)에 의하면, 17 세기 미국에는 텍사스주와 루이지애나주를 합친 면적보다 더 큰 894,000 킬로미터(한반도 면적의 4 배) 이상의 습지가 있었다고 합니다. 그렇지만 1990 년까지 그 절반 이상이 투기(dumping), 배수(draining), 매립(filling) 및 기타 형태의 개발로 인해 사라졌습니다. 한 연구에 따르면 1970 년부터 2015 년 사이에 습지의 3 분의 1 이상이 훼손되거나 파괴된 것으로 나타났습니다. 미국 Pew Charitable Trusts 에서 해안 보호에 힘쓰고 있는 조지프 고든

(Joseph Gordon)은 이렇게 지적합니다. "맹그로브 숲의 생태학은 많이 숨겨져 있지만 (...) 생명이 넘칩니다." 그래서 "그것들은 지금 우리가 취하는 행동에 따라 번성할 수도 있고 죽을 수도 있습니다." "가재가 노래하는 곳"을 통해 이 습지가 품고 있는 연약한 아름다움과 끈기 있는 생명력을 묵상해 봅시다. [살림출판사의 번역(김선형 역)을 참조함]

-"가재가 노래하는 곳" 줄거리-

1969년 10월 30일 습지대에 버려진 소방망루(fire tower) 아래에서 두 소년이 체이스 앤드루스(Chase Andrews)의 시신을 발견한다. [이 프롤로그 이후부터 이야기는 1952년부터 진행된 플래시백 에피소드(과거사 이야기)들과 이 살인 사건 수사 및 재판 과정을 번갈아 제시하며 전개된다. 여기에서는 1952년부터 시간 순서상으로 이야기 줄거리를 소개한다.]

1952년, 5남매 중 막내인 6살 소녀 카야(Kya)는 엄마가 습지대에 있는 판잣집을 떠나는 모습을 지켜본다. 그 후 몇 주에 걸쳐 사랑하는 13살짜리 오빠 조디(Jodie)를 비롯한 형제자매들도 떠나고, 카야는 술에 취해 폭력적인 성향을 보이는 2차 세계대전 참전 상이군인(왼쪽 허벅다리 중상) 아빠와 단둘이 남게 된다. 매주 받는 상이군인 연금이 유일한 수입인 아빠는 카야에게 일주일에 1달러를 식비로 준다. 카야가 물건을 사러 바클리코브(Barkley Cove) 마을에 갔을 때, 장차 스타 쿼터백이자 마을 공식 미남으로 등극할 체이스 앤드루스를 비롯한 나이 많은 남자아이들이 자전거를 타고 카야를 지나친다. 카야는 대부분의 시간을 갈매기와 함께 습지에서 보낸다.

무단결석 학생 감독관(a truant officer)인 컬페퍼 부인(Mrs. Culpepper)은 카야를 학교에 데려가지만, 카야는 첫날부터 굴욕을 당한 후 다시는 돌아오지 않는다. 수년 동안 마을 사람들은 카야를 "더럽다"(dirty), "습지 소녀"(the Marsh Girl), "유인원"(Missing Link), "습지 쓰레기"(marsh trash)라고 부른다. 카야는 아빠의 어선을 타고 탐험을 떠난다. 길을 잃었을 때 오빠 조디의 친구 중 한 명인 테이트 워커(Tate Walker)가 그녀를 다시 자기 습지로 안내해 준다. 테이트는 새우잡이 어부인 아빠 스커퍼(Scupper)와 함께 마을에서 혼자 살고 있다.

한동안 카야와 아빠는 함께 낚시하며 서로의 곁에서 즐겁게 보낸다. 아빠는 카야에게 기름과 생필품을 파는 나이 든 흑인 남성 점핑(Jumpin')을 소개한다. 카야의 엄마가 아이들을 뉴올리언스(New Orleans)로 데리고 와서 자기와 함께 살 수 있도록 허락해 달라는 파란색 봉투의 편지를 보내지만, 아빠는 그 편지를 불태워 버린다. 그렇지만 카야가 그 태워진 일부와 재를 간직해 둔다. 카야가 10살이 되자 아빠는 마침내 사라진다. 식비 제공원이 사라진 카야는 점핑에게 홍합(mussels)을 팔아 생계를 유지하고, 그의 아내 메이블(Mabel)은 유색인종 마을에서 카야를 위해 옷을 수집해 전달해 준다. 카야는 체이스와 그의 친구들뿐만 아니라 테이트도 계속 지켜본다.

14살이 되던 해, 카야는 습지의 나무 그루터기에 남겨진 특별한 깃털을 발견한다. 왜가리과인 그레이트 블루 헤론의 "눈썹"(eye-brow)이라는 깃털이었다. 연이어 다른 소중한 깃털들에다 스파크 플러그와 씨앗까지도 선물로 받던 어느 날, 그녀는 그 그루터기에 어린 흰머리수리의 꼬리 깃털을 남기고 떠난다. 그 후 테이트가 그루터기에 나타나 글을 가르쳐 주겠다고 제안한다. 테이트와 카야는 습지의 비밀 오두막에서 만나기 시작하고 테이트는 카야에게 글과 산수를 가르친다. 카야는 성경 속에 적혀 있던 캐서린 대니엘 클라크(1945년 10월 10일생)라는 자기 이름과 가족들의 이름도 알게 되고, 스물아홉 다음에 나오는 숫자도 깨닫게 된다. 테이트의 도움으로 계속 공부한 카야는 시를 쓸 수 있는 단계까지 진전한다. 카야가 성숙해지자 테이트는 카야에게 생물학 교과서를 선물하고 메이블은 브래지어를 선물한다. 어느 날 테이트는 포인트 해변에서 속이 아프다고 호소하는 카야를 발견한다. 그는 당황하는 카야에게 생리 중이라고 설명해 준다. 카야와 테이트는 수업을 계속하고, 카야는 자기 판잣집으로 그를 초대해 자연물 수집품을 보여 준다. 어느 날 테이트는 카야에게 키스하고 둘은 로맨틱한 관계를 시작한다. 둘의 욕망은 커지지만, 테이트는 너무 어린 카야(15 세)와의 섹스를 피한다. 테이트는 습지를 연구하는 생물학자가 되기 위해 채플 힐(Chapel Hill) 대학으로 일찍 떠나면서 자기가 돌아올 때까지 습지를 잘 보살펴 달라고 한다. 카야에게 독립기념일(7 월 4 일)에 방문하겠다던 그는 돌아오지 않는다. 큰 충격을 받은 카야는 다시 자연을 공부하기 위해 습지로 돌아간다. 보트를 타고 다니며 조개와 깃털과 나비를 채집하여 세부적으로 분류하고 그림을 그리며 외로움을 달랜다. 그렇지만 카야의 가슴속에 살던 "심장 크기만 한 아픔"(a pain as large as her heart)은 그 무엇도 덜어주지 못한다.

카야가 19 살이 되었을 때 체이스는 포인트비치에서 외로움에 지친 그녀의 눈을 사로잡는다. 그는 자신감 넘치는 고등학교 쿼터백이었고 "마을에서 독보적으로 잘난 청년이자 최고의 인기남"(a standout in town, the tom turkey)이다. 카야가 체이스를 만나고 싶은 마음에 일주에 두 번씩이나 찾은 점핑의 부두에서 체이스를 만나게 된다. 그는 카야에게 다가가 해변 피크닉에 초대한다. 자기가 체이스에게는 그저 손으로 만져보다가 모래밭에 던져 버릴 호기심 어린 "해변의 예술작품"(a piece of beach art) 같은 존재가 될지 모른다는 걱정이 들었으나, 사랑으로 인해 텅 빈 마음의 공간을 채우고 싶은 욕망이 앞선다. 고독을 물리치는 대가로 치러야 할 값을 모르고 있었기 때문이다. 피크닉에서 체이스는 희귀하고 화려한 조가비 껍질(scallop shell) 하나를 주워 카야에게 선물한다. 그렇지만 그녀는 성적으로 공격해 대는 그를 피해 도망친다. 열흘 후 카야와 체이스가 다시 만났을 때 체이스는 이전 행위에 대해 사과하고 버려진 소방망루를 보자며 그녀를 데려간다. 그 꼭대기에서 카야는 체이스에게 조가비 껍질로 만든 목걸이(a necklace made from the scallop shell)를 선물한다. 카야는 체이스와 가까워진다. 대학에서 돌아온 테이트는 카야에게 사과하고 싶어하지만 카야가 체이스와 키스하는 모습을 보고 돌아선다. 체이스는 결혼에 관해 이야기하기 시작하고, 카야를 하룻밤 여행에 초대한 후 그녀를 호그마운틴로드(Hog Mountain Road) 외곽의 싸구려 모텔로 데리고 가서 자기 성적 욕망을 채운다. 결혼이 거론되고 있던 터라 카야도 그 상황을 받아들이고 둘의 관계는 계속된다. 하지만 체이스는 부모님이나 친구들에게 카야를 소개해 주지 않은 채 크리스마스 휴가 기간 중 일주일 동안이나 사라져 버린다.

테이트는 카야에게 체이스가 다른 여자를 만나고 있다고 경고하기 위해 석호에 왔지만, 카야는 그에게 돌을 던진다. 그녀를 진정시키면서 사과한 테이트는 그다음 번에 찾아와서는 카야의 판잣집 안으로 들어가 이제 "습지의 자연사박물관"(a natural history museum of the marsh)으로 자라난 카야의 수집품을 감상한다. 수천 개에 달하는 표본들이 삽화들과 함께 질서정연하게 정리된 것을 본 테이트는 카야에게 그것들로 책을 출판해 줄 출판사를 찾아주겠다고 제안한다. 카야가 체이스 생일 축하를 위한 음식을 마련하기 위해 마을에 들렀다가 산 지역 신문에서 체이스와 포인트비치에서 본 소녀 펄(Pearl)의 약혼 발표를 보게 된다. 그녀는 지역 신문에 연재하는 어맨다 해밀턴(Amanda Hamilton)의 시를 낭송하며 자신을 달래본다. 그녀는 혼자만의 삶을 살기로 결심한다.

그로부터 1년 후 22살이 되던 해, 카야는 자기 이름이 저자로 찍힌 첫 번째 책, "동부 연안의 바닷조개"(The Sea Shells of the Eastern Seaboard) 한 권을 받게 된다. 습지에 대한 자기 사랑이 일생의 작품으로 승화될 수 있도록 도와준 테이트에게 감사의 편지를 보낸다. 그녀는 그 책 출판의 선인세(the advance money)로 받은 5천 불 중 일부를 자기 거처인 판잣집을 개선하고 현대화된 시설을 설치하는 데 사용한다. 그리고 그 지역 늪의 물을 빼고 호텔을 지을 거물 개발업자들이 올 것이라는 말을 점핑에게 듣고, 자기가 살고 있는 땅에 대해 적법한 소유권을 확보하기 위해 행동을 취한다. 바클리코브 법원으로 가서 자기 할아버지가 1897년에 매입한 습지와 숲과 해변 38만 평에 대한 소유권을 밀린 세금 8백 불을 지불한 후 깔끔하게 확보한 것이다. 그녀는 테이트와 점핑에게 자신의 책 한 권씩을 건네준다. 어느 날 출판된 카야의 책을 보고 오빠 조디가 판잣집을 방문한다. 베트남에 두 번이나 파병된 후에 제대를 앞둔 상태였고 그동안 조지아공대에서 기계공학을 전공하기도 했다. 그는 엄마가 친정으로 돌아가 지냈지만, 아이들을 버리고 온 것 때문에 심신에 병이 들어 2년 전에 돌아가셨다고 전해준다. 그런 와중에도 엄마가 밤낮으로 계속 그림을 그렸다며 그것들을 카야에게 전달해 준 후 계속 연락하겠다고 약속한다. 엄마의 그림 속에는 카야가 3살쯤 되었을 때 테이트의 손에 이끌려 함께 황제나비를 보고 있는 장면을 그린 유화도 있었다. 조디는 그녀에게 테이트와 화해하라고 권유한다.

1969년 8월, 체이스는 외딴 해변에서 카야에게 몰래 다가와 완력을 써서 그녀를 꼼짝 못 하게 하고 오른손 주먹으로 얼굴을 때리면서 강간하려 한다. 그녀가 그의 급소를 차서 물리치고 떠나려 할 때 낚시꾼 두 명이 자기들 배에서 자기를 지켜보는 것을 바라본다. 왼쪽 눈은 퉁퉁 부어 감겨버리고 윗입술은 한쪽이 엽기적으로 뒤틀린 채, 얼굴, 팔, 다리가 찢어져 피 묻은 흙투성이가 된 상태로 카야는 오두막으로 가서 몸을 추스른다. 그런 고통 중에 카야는 왜 엄마가 집을 떠나서 다시 돌아오지 못했는지를 비로소 깨닫고 오열한다. 그렇지만 자기는 "언제 어디서 주먹이 날아올지 걱정하면서 사는 삶"(a life wondering when and where the next fist will fall)을 살지 않을 거라고 다짐한다. 일주 후에 만나게 된 테이트가 그녀 얼굴에 남은 타박상 자국을 보지만, 카야는 밤중에 문짝에 부딪혔다며 둘러댄다. 체이스가 또다시 그녀의 판잣집으로 찾아오고 이곳저곳 뒤지고 다니지만, 그녀는 그를 피해 숨는다. 카야는 출판사 수석 편집자인 로버트 포스터(Robert Foster)로부터 그린빌(Greenville)에서 만나자는 편지를 받는다. 그녀는 테이트에게 버스표를 사는 방법을 알아내어 10월 28일 그를 만나러 갔다가, 체이스의 시신이 발견된 날인 10월 30일에 돌아온다.

보안관 에드 잭슨(Sheriff Ed Jackson)과 그의 부 보안관 조 퍼듀(deputy Joe Perdue)는 체이스의 죽음을 조사한다. 습지의 소방망루 현장에서는 발자국이나 지문이 발견되지 않는다. 그들은 체이스가 열린 꼭대기 탑 문을 통해 떨어졌고 살인범이 현장을 은폐했다고 생각한다. 즉시 마을의 모든 사람들이 "습지 소녀"를 의심한다. 시간이 지나면서 조와 에드의 주요 단서는 체이스의 재킷에 있던 붉은 양모 섬유(red wool fibers)로 밝혀진다. 또한 체이스의 어머니 패티 러브(Patti Love)가 지적한 조개 목걸이도 고려 사항이었다. 체이스가 그날 밤 집을 나설 때는 조개 목걸이를 차고 있었지만, 현장에서는 발견되지 않았기 때문이다. 새우잡이 할 밀러(A shrimper, Hal Miller)는 체이스가 죽은 날 밤 소방망루로 향하는 카야의 보트를 봤다고 말한다. 하지만 카야가 그린빌로 가는 버스를 타고 내리는 것을 본 테이트와 점핑, 마을 사람들은 카야의 알리바이를 제시한다. 어부 로드니 혼(A fisherman, Rodney Horn)은 체이스가 사망 전에 카야를 만났을 때 카야가 고함을 지르는 소리를 들었다고 말한다. 체이스가 카야를 공격한 후 그녀가 그 상황을 모면하고 떠나는 것을 목격하고, 그녀가 체이스에게 다시 자신을 괴롭히면 죽이겠다고 말하는 것을 들었다는 것이다. 조와 에드는 카야의 판잣집에서 테이트가 준 빨간 털모자(a red wool hat)를 발견하고 체이스의 코트에 있던 섬유와 일치하는 것을 발견한다. 이 정보를 바탕으로 카야를 일급 살인[first-degree murder=premeditated murder, 미리 계획된 살인] 혐의로 체포한다. 노스캐롤라이나주(North Carolina)에서는 사형 선고(the death penalty)를 허락하는 중범죄다.

카야는 재판을 기다리며 두 달 동안 감옥에 갇힌다. 71세의 변호사 톰 밀턴(A lawyer, Tom Milton)이 그녀를 무료로 변호해 주기 위해 자원한다. 교도소의 친절한 간수 제이콥(Jacob)은 고양이 선데이 저스티스(the cat, Sunday Justice)를 감방에 들여보내 카야의 말동무가 되게 해준다. 테이트, 점핑, 메이블은 법정에서 카야의 뒤에 앉아 그녀를 응원한다. 나중에 조디, 로버트 포스터, 스커퍼가 합류한다. 에릭 채스테인 검사(Prosecutor Eric Chastain)가 증인을 부르고 심문한 후, 변호사 톰 밀턴이 그들의 증언에 반박한다. 7

명의 여성과 5명의 남성으로 구성된 배심원단(The jury)은 카야가 사건 당일 밤 그린빌에서 버스를 타고 왔다 갔다 할 수 있겠지만, 시간이 매우 촉박하다는 사실을 알게 된다. 톰은 로버트 포스터를 포함한 변호인 측 증인을 부른다. 최후 진술이 끝나고 모두가 배심 원들의 평결을 기다린다. 카야가 일급살인 혐의를 받고도 무죄만을 주장했기 때문에 유죄가 확정되면 사형 혹은 종신형을 받을 수밖에 없는 상황이었으나, 무죄 판결을 받는다. 조디는 카야를 집으로 데려가고 그녀는 습지를 다시 보게 되어 기뻐한다.

카야는 보트를 타고 있는 테이트의 모습을 보고 그에게 다가가려 하지만, 보안관과 두 명의 부 보안관이 도착해 테이트를 함께 데려 간다. 그녀는 스커퍼가 뇌졸중으로 쓰러져 죽었다는 사실을 알게 된다. 스커퍼의 장례식이 끝난 다음 날, 테이트는 카야가 보낸 깃털을 보트에서 발견한다. 카야의 판잣집에서 두 사람은 서로에 대한 사랑을 표현하고, 테이트는 그녀와 함께 살게 된다. 몇 년이 지나 점핑은 죽고 조디와 그의 아내와 아이들이 1년에 몇 번씩이나 카야의 판잣집을 찾아온다. 테이트는 근처 연구소에서 일하고 카야는 유수의 상을 휩쓴 일곱 권의 책을 더 집필한다. 가족을 원한 두 사람 사이에 아이는 생기지 않았지만, 그들은 더욱더 단단하게 연합하게 된다.

어느덧 64세가 된 카야는 그 검고 긴 머리가 모래처럼 하얗게 센다. 어느 날 테이트는 심장마비로 숨진 카야의 시신을 보트에서 발견한다. 그는 그녀의 묘비에 "카야, 습지 소녀"(KYA, THE MARSH GIRL)라고 새긴다. 마을 사람들 모두가 카야의 장례식을 위해 그녀의 땅을 찾아온다. 야생에서 오랜 세월 살아남은 카야에게 존경심을 표하기 위해 온 것이다. 그날 오후에 테이트는 부엌에서 옥수수죽을 휘젓다가 리놀륨이 깔려 있지 않은 바닥 밑을 주목하게 된다. 그곳에 비밀 문이 있는 것을 확인하고 그 문을 열자, 수납공간이 있었고, 거기에 낡은 마분지 상자 하나가 놓여 있었다. 그 상자 안에는 수십 장의 마닐라지 봉투와 작은 상자가 하나 들어 있었다. 그 봉투들 속에는 카야가 가명(*nom de plume*=pseudonym)

으로 사용했던 어맨다 해밀턴(Amanda Hamilton)의 시가 적혀 있는 수백 장의 종이가 담겨 있었다. 그것 중 따로 접혀 봉투에 들어 있던 시 한 편이 테이트의 눈에 들어온다. 그것은 체이스 앤드루스의 죽음을 강력하게 암시하는 시였다. 그리고 그 작은 상자 속에서 카야가 체이스에게 선물한 조개 목걸이도 발견된다. 테이트는 시들과 생가죽 끈(rawhide cord)을 불태우고, 조개껍데기는 황혼 녘 해변에 떨어뜨려 파도에 떠밀려가게 한다. 카야를 낳은 그 땅과 물이 그녀의 비밀을 깊이 묻어 줄 것을 믿으며. 밤이 되어 테이트가 판잣집 근처 호소에 다다랐을 때, 짙게 우거진 나뭇가지 밑에서 발길을 멈추고 보니 수백 마리의 반딧불이 자기를 손짓해 부르고 있었다. 습지의 후미진 머나먼 곳, 훨씬 저 멀리에 있는 그곳, "가재들이 노래하는 곳"(where the crawdads sing)으로 오라고.

-끈질긴 혐오와 고질적인 차별-

카야가 드나들던 바클리코브 마을은 1751년부터 정착이 시작된 곳입니다. 그 마을 자체가 습지와 바다로 인해 세상과 격리되어 있습니다. 무려 2백 년이 지났지만, "바깥세상과 이어주는 유일한 끈은 금이 간 시멘트에 구멍이 뿡뿡 뚫린 일 차선 도로뿐이었습니다." 이런 마을 안에 특정 사람들에 대해 근거 없는 혐오와 맹렬한 차별과 배제가 존재합니다. 그것들의 내용과 원인을 살펴보면 이 마을은 하나의 소세계(小世界, microcosm), 즉 우리가 살고 있는 세계의 축도(縮圖) 역할을 하는 사회입니다. 예컨대 그 마을 안에는 백인 동네와 흑인 동네가 따로 있고, 백인 교회가 4곳, 흑인 교회가 3곳 존재합니다. 도그곤 비어홀에는 유색인이라면 정문 출입도 되지 않지만, 포장 판매 창밖에서 음식을 살 수도 없습니다. 카야는 흑인이 아닌데도 어릴 때부터 마을 주민들이 혐오하는 대상이 되어 온갖 모욕적인 별명을 들으며 철저하게 그 마을 공동체에서 배제됩니다. 그녀를 혐오하고 차별하는 사람들은 어른들만이 아닙니다. 어린아이들이 더 못되게 굴었습니다. 그렇다면 소설 속에 드러난 맹렬한 혐오와 배제의 원인은 무엇이었을까요? 특히 3 가지가 눈에 띄었습니다.

(1) *다르다.* 점핑과 그의 가족, 그리고 그 마을의 흑인들이 다른 백인들에게 차별 대우를 받은 것은 그들의 피부색 차이 때문입니다. 카야가 어릴 때부터 그토록 수모를 당하고 그 마을로부터 배제된 것은 그녀의 가족이 다른 마을 사람들과는 달리 습지라는 특이한 지역에서 살고 있었기 때문입니다. 습지라는 환경이 품고 있는 함의가 유별난 게 사실입니다. 그 지역의 습지는 "대서양의 공동묘지"(Graveyard of the Atlantic)라고 불릴 만큼 살인적이고도 척박한 해안선을 항해하는 동안 살아남은 이들이 정착한 곳이었습니다. 특히 "반란 선원, 조난자, 빚쟁이, 전쟁이나 세금이나 법을 피해 다니는 도망자들이 뒤범벅으로"(a mishmash of mutinous sailors, castaways, debtors, and fugitives dodging wars, taxes, or laws) 생계의 터전으로 자리 잡은 곳으로 악명 높았습니다("infamous marsh"). 카야가 어른과 아이들에게 '늪지 쓰레기'(swamp trash), '습지 암탉'(marsh hen), '습지 계집애'(Marsh Girl)로 불린 것은 이런 배경과 연관된 것입니다. 카야의 변호사인 톰 밀턴이 재판 중에 지적한 것도 같은 맥락입니다. 마을 사람들이 카야를 혐오하고 거부한 것은 자기들과 다르다고 생각했기 때문이라고 지적한 것입니다. 뭔가 법적으로나, 사회적으로 문제가 있어 습지라는 외딴곳에서 정착해 사는 가족의 아이라고 여겼다는 말입니다.

카야를 혐오하던 이들 마을 사람은 급기야 그녀를 그들 공동체에서 배제해 버렸습니다. 혐오감이 밟는 자연스러운 수순입니다. 온 가족이 버려두고 간 6 세 아이가 혼자 습지에서 배고픔과 외로움과 싸우며 생존해 가고 있었지만, 그 마을 공동체는 그녀에게 도움의 손길을 내밀지 않았습니다. 카야가 엄마와 출석한 적이 있는 교회 공동체도 마찬가지였습니다. 톰 밀턴이 언급한 대로, 그녀의 하나뿐인 친구 점핑 내외를 제외하면 어떤 집단도 그녀에게 음식이나 옷가지로 돕지 않았습니다. 그러면서 의미 있는 질문을 한 가지 던집니다. "우리와 다르기 때문에 캐서린 클라크를 소외시켰던 건가요,

아니면 우리가 소외시켰기 때문에 그녀와 우리가 달라진 건가요?"(did we exclude Miss Clark because she was different, or was she different because we excluded her?) 그녀를 수용하고 먹이고 사랑해 줄 뿐 아니라 교회와 집에 초대했다면, 그녀에 대한 편견도 없었을 것이라는 말이지요.

(2) **없다**. 그 차별과 배제의 근거가 피부색이나 거주 지역 차이라면 백인 마을 주민들이 카야를 대하는 행태를 제대로 설명할 수 없습니다. 카야를 가리키는 별명에 피부색과 연관된 것은 전혀 없고, 거주 지역을 드러내는 것들만 두세 개 정도 있기 때문입니다. "습지 계집애"(the Marsh Girl), "습지 암탉"(marsh hen) 같은 것들이지요. 그렇지만 어른들은 그녀를 '작은 상거지 암탉'(little beggar-hen), '늪지 쓰레기'(swamp trash), '반인 반 늑대'(part wolf) 및 '미친 년'(Crazy 'nough for the loony bin)으로도 부릅니다. 아이들은 심지어 '유인원 계집애'(Miss Missin' Link), '늑대 아이'(the Wolf Child) 및 'dog 의 철자도 못 쓰는 소녀'(the girl who couldn't spell dog)와 같이 비열한 명칭을 사용하기도 하지요. 이 모든 별명 속에는 주로 카야가 처한 경제적 빈곤 상황과 그녀의 지적 수준에 대한 경멸이 담겨 있습니다. 즉 돈이 없고 지적 능력이 부족하다는 말이지요. 무엇보다도 카야 가족의 빈곤이 경멸의 대상이었습니다. 사람들이 그렇게 자기나 가족들을 대하니 카야도 자기를 "가난한 백인 쓰레기"(po' white trash)로 인식합니다. 테이트가 이런 자기에게 어여쁜 깃털을 가져다주고 글을 가르쳐 주는 게 이해가 되지 않았기 때문이지요.

그 마을의 남녀노소 가릴 것 없이 모두가, 심지어는 보안관이나 목사 부인까지도 합세해서 빈곤에 찌들어 사는 그 늪지 가족과 버림받은 막내 카야를 혐오하고 조롱하는 데 동참했습니다. 그 결정판은 '유인원 계집애'(Miss Missin' Link)라는 표현입니다. 카야가 유인원과 인간 사이의 잃어버린 사슬이라는 뜻이지요. 어릴 때부터 그 가족과 함께 관계를 트고 살던 테이트와 흑인인 점핑과 메이블을 제외하면, 그 누구도 카야를 존중받아야 할 인간으로 대우해 주기는커녕 온갖 상스러운 말과 행동으로 그녀의 영혼을 짓밟았습니다. 글을 익히고 지력을 갖추기 위해 학교에 간 첫날 다른 아이들의 조롱과 비웃음을 접한 카야는 평생 학교 문턱을 넘지 않았습니다. 자기를 혐오하고 배척하는 그들을 눈앞에 접하면서, 스스로 자기를 고립시킨 것이지요.

(3) *더럽다.* 감리교 목사 부인인 테리사 화이트는 어린 카야를 보고, '더럽다'(dirty), '불결하다'(filthy), '순전히 고약하다'(plumb nasty)라는 표현을 스스럼없이 내뱉기도 합니다. 4살 난 자기 딸 메릴 린이 먼저 카야(7살 혹은 8살)에게 인사하며 손을 내밀자, 카야가 자기 오른손을 내밀어 반응을 보이려고 했기 때문입니다. 그 장면만 본 그녀는 달려와서 난리를 피웁니다. 자기 딸에게는 저런 더러운 여자애 근처에는 가지 말라고 주의를 주면서, 카야가 메릴 린을 괴롭혔냐며 허겁지겁 다가온 한 여자에게는 저런 사람들은 마을 출입을 못 하게 하면 좋겠다며 한술 더 뜹니다. 작년에 저런 사람들이 홍역(measles)을 옮겼으니, 올해는 장염(stomach flu)을 옮길지 모른다는 것입니다. 그 목사 부인이 카야를 더럽고 불결하다고 본 것은 그녀의 외모 때문이었습니다. 전기도 수도도 화장실도 없이 1920년대를 살고 있던 카야 가족의 아이들은 제대로 된 옷이나 신발이나 모자를 갖추고 다니지도 못했습니다. 카야가 학교에 간 첫날이자 마지막 날, 신발도 신지 않고 모자도 쓰지 않은 채로 등교했다가 아이들에게 '늪 시궁쥐'(swamp rat)라는 별명을 들어야 했지요.

마을 주민들에게는 물질적 풍요와 외면적인 과시가 주된 관심사였습니다. 경제적으로 잘 사는 것뿐 아니라, 그 부를 외면적으로 과시하는 것을 통해 사회적인 지위를 누리는 게 그들의 일상사였으니까요. 예컨대 카야를 보고 '늪지 쓰레기'라고 부르던 팬지 프라이스는 자기 집안 형편이 악화하여 자기네 땅을 다 판 상태였지만, 여전히 점잖은 지주인 양 행사하기 위해 실크 터번처럼 생긴 모자를 쓴 채 진한 화장을 하고 다닙니다. 방금 언급한 목사 사모는 금발에다 "파스텔톤 치마와 하얀 블라우스에 색깔을 맞춘 펌프스"를 신고 백을 들고 마을을 돌아다니며 점잔을 뺍니다. 그녀는 그 마을에서 옷을 늘 잘 차려입고 다니며 깨나 대접받던 목사, 선교사, 그 부인들을 대표하는 인물이지요. 망나니짓하고 다니던 체이스 앤드루스를 보세요. "발정 난 수사슴의 잔뜩 힘준 목이나 거대한 뿔"에 해당하는 멋진 스키 보트를 타고 다니며 온갖 여자들을 섭렵하고 다니지요. 그 어머니 패티 러브는 이 분야의 끝판왕입니다. 재판에서 증인으로 나설 때에도 "최고급 검은색 실크"로 옷을 맞춰 입고 "반짝이는 핸드백"을 갖추고 "빈틈없이 머리칼을 뒤로 묶어 올리고 정확한 각도로 기울여 쓴 모자에 극적인 검은 망사를 늘어뜨려 눈을 가리면서" "오로지 자기 외모와 지위"에만 온 정신을 쏟고 있지요. 이들 모두 카야에게 악담을 퍼부으며 무시하던 대표적인 인물들입니다. 이들에게 카야는 각각 '늪지 쓰레기', '더럽고 불결한' 아이, '습지의 암캐'(marsh minx), '맨발의 습지 주민'(barefoot marsh dweller)에 불과했던 것입니다.

혐오나 차별이 시사하는 엄중한 영적 현실. 이상에서 살펴본 것과 같이 카야에 대한 마을 주민들의 혐오와 배제의 주된 원인은 피부색이나 사는 지역 혹은 환경이 다르다는 것과, 돈이 없고 지력이 떨어진다는 것과, 불결하고 지저분하다는 데 있었습니다. 우리가 사는 현대 사회도 조금도 다를 바가 없습니다. 우선 성, 연령, 피부색, 종교는 말할 것도 없고, 출신/거주 지역이나 출신 학교, 주택, 자가용에 이르기까지 서로 '다르기' 때문에 상대방을 혐오하고, 배제하거나 차별하는 경우가 허다합니다. 이 소설 속에는 그저 피부색의 차이와 거주 지역의 차이가 빚어낸 혐오와 차별이 주로 드러나 있지요. 그렇지만 우리나라에서는 아직도 자신의 출신 고등학교나 대학교에 따라 직장 내 진급에서 제외되거나 조기 은퇴의 쓴잔을 마셔야 하는 경우가 허다합니다. 최고급 아파트 단지에 사는 주민들이 다른 단지에 사는 주민들을 폄하하고 차별하는 사례들은 수도권이나 지방이나 한결같이 넘쳐납니다. 심지어 최고급 자가용을 굴리는 사람들이 '승차감'이 아니라 '하차감'[차에서 내릴 때 사람들이 자기를 주목하고 존중해 준다는 감정] 때문에 그 차를 산다는 말을 말레이시아에서도 심심찮게 들었지만, 우리나라에서도 이렇게 자주 듣게 될 줄은 몰랐습니다.

　다름으로 인해 빚어진 혐오와 배제의 사례 중에도 상대적인 경제적 수준의 차이에 의한 것들이 있었지만, 그것들은 절대적인 경제적 빈곤에 처한 이들이 당하는 혐오와 차별의 사례와는 비교가 되지 않습니다. 철학자 마사 누스바움이 지적한 대로입니다. "전 사회를 통틀어 가장 낙인으로 가득 찬 생활 조건 가운데 하나는 빈곤이다. 가난한 사람들은 나태하고 부도덕하며, 가치가 낮은 존재로 여겨지면서 일상적으로 기피당하는 존재가 되고 수치심을 겪는다."(One of the most stigmatized life-conditions, in all societies, is poverty. The poor are routinely shunned and shamed, treated as idle, vicious, of low worth.) [마사 누스바움, "혐오와 수치심"(Hiding from Humanity: Disgust, Shame, and the Law), 2015] 어린 카야가 성장하면서 내내 들어야 했던 별명들과 거듭 겪어야 했던 수치스러운 상황들이 이런 극심한 빈곤의 측면과 직결됩니다. 그리고 더러움이나 지저분함은 빈곤과 밀접한 상관관계에 있습니다. 일반적으로 볼 때 경제적으로 빈곤한 지역의 사회 환경이 불결한 경우가 많습니다. 그 분위기를 깨끗하고 깔끔하게 유지하고 지속할 만한 자원이나 여유가 부족한 경우가 허다하기 때문입니다. 하루하루 살아가기에 급급한 마당에 자기와 가족들의 단정한 외양이나, 자기 집의 개보수나 단장에 신경 쓸 여력이 없는 것이지요. 그 반대도 마찬가지입니다. 경제적으로 부유한 지역의 사회 환경이 불결하거나 지저분한 경우는 거의 없는 법이지요.

　그런데 더 심각한 문제는 더러움에 대한 이런 혐오감이 "본질적으로 죽음과 부패, 혹은 죽음과 부패의 악취(the stench of death and decay)를 떠올리게 만드는 것"과 깊은 관련이 있다는 점입니다. 인류 사회에 있어 혐오감(disgust)과 수치심(shame)이 품고 있는 함의를 깊이 천착한 마사 누스바움은 인간의 삶에 중대한 영향을 미치는 혐오감이 배설물이나, 체액들(피, 콧물, 정액, 콧물, 귀지) 및 시체 등에 대한 즉각적인 거부감에서 비롯된다고 지적합니다.

이러한 거부감은 학습 이전에는 발견되지 않지만 발현되는 데 시간이 걸리는 감정으로서 "원초적 혐오"(primary disgust)로 불립니다. 이 혐오감은 비인지적인 단순한 감각 반응이 아니라, 대상이 '오염' 되었다는 생각, 혹은 오염으로 이어질 수도 있는 접촉에 대한 극도의 증오가 반드시 동반되는 감정입니다. 결국 문화의 영향을 받으면서 형성된 더러움에 대한 이런 원초적인 혐오감이 오염으로 촉발된 부패와 죽음을 상기시킨다는 것입니다. 그리하여 이 혐오감은 죽음에 대한 두려움과 직결됩니다. 한편으로 누스바움은 이러한 혐오감이 사회적 지위와 특권을 지닌 다수자들에 의해 가장 취약한 집단에 투사된다는 점에도 주목합니다. 이 "투사적 혐오"(projective disgust)로 인해 지난 오랜 역사에 걸쳐 여성, 불가촉천민, 유대인, 하층 계급 사람들, 동성애자들이 "육신의 오물로 더럽혀진 존재"(tainted by the dirt of the body)로 상상되면서 혐오와 차별의 대상이 되었던 것이지요[마사 누스바움, "타인에 대한 연민"(The Monarchy of Fear: A Philosopher Looks at Our Political Crisis), 2020].

'투사적 혐오'에 '투사적'이라는 단어가 붙은 이유는 '그들은 냄새가 나고 짐승 같다"(smelly and bestial)라는 혐오스러운 특성을 타인에게 돌리기 때문입니다. 그렇지만 우리가 혐오스러워하면서 배제하려는 대상이 우리와 동일하다는 사실을 인식하게 되면, 우리가 취하는 행동이 지성적인 **문제 해결**(to solve the problem)이 아니라 그저 비이성적인 **회피**(to flee)에 불과하다는 점을 깨닫게 됩니다. 예컨대 과거 인도의 지배 계급은 대변과 시체를 처리하고 바닥 닦는 일을 도맡아 했던 불가촉천민 계급과의 신체적 접촉을 피함으로써, '더러움'과의 접촉을 피하고 있다고 믿었습니다. 그렇지만 그들이 치우는 대변과 시체는 누구의 것이었을까요? 바로 자기들의 것이었지요. 현대 문화를 구가하는 도시인들은 주름진 몸과 절뚝거리는 신체와 거리를 둠으로써, 그런 혐오스러운 신체 조건에서 벗어나 있다는 환상을 가지고 있습니다. 그렇지만 그들이 나이 들거나 사고를 당하게 되면 어떻게 될까요? 인간이라면 누구나 반드시 노화하는 몸과 사고를 통해 손상당할 수 있는 연약한 육신을 가지고 있지요. 여기에다 우리의 혐오감이 얼마나 모순적이며 비인간적인 것인지도 주목해 보세요. 과거 미국 남부에서는 "짐 크로우 법"(Jim Crow Laws, 1876-1965)에 의해 흑인이 식수대, 간이 식당, 수영장, 호텔 침대와 같은 것들을 백인과 공유할 수 없었습니다. 지성인이라고 자부하는 백인들이 흑인의 몸에서 강력한 오염 물질이 나온다고 믿었기 때문입니다. 개가 음식을 먹은 접시는 씻어서 다시 사용하면서도, 흑인이 음식을 먹은 접시는 오염된다고 여겨 깨트려 버렸습니다. 하지만 백인들은 흑인이 자기 가정을 위해 요리해서 차려 놓은 음식은 맛있게 먹는 모순에 찬 행위를 연출했습니다. 1867 년부터 1974 년까지 미국의 많은 주에서, "어글리 로"(Ugly Laws)를 실행했다는 사실을 알고 계시는지요. 예를 들자면, "어떤 식으로든 질병, 불구, 절단 또는 변형되어 보기 흉하거나(unsightly) 혐오스러운(disgusting) 대상이 되는 사람이 공공장소에 자신을 노출하는 것"이 불법으로 간주되었던 것입니다. 도대체 언제쯤에야 우리가 이 비이성적이고 모순적이며 비인간적인 혐오 시스템에서 벗어날 수 있을까요?

다름, **없음**, **더러움**이 혐오와 차별이나 배제를 낳는 사회적 상황이 어찌 지금부터 70 년 전의 미국 남부 외딴 시골에만 국한되었겠습니까? 그곳 상황은 당시 다른 모든 미국 사회의 축소판에 불과했겠지요. 그 미국 사회를 흠모하며 지금까지 숨 가쁘게 좇아온 우리나라 사정이나, 전 세계 대부분 나라의 사정도 조금도 다르지 않습니다. 자본주의가 본격화된 이래, 아니 인간이 사회를 형성하여 그 속에서 삶을 영위해 온 이래로, 물질과 외모를 좇는 '**걸인의 철학**'과 '**외모지상주의**'가 전 세계를 평정했기 때문입니다. 특히 '걸인의 철학'이란 표현은 문학평론가 백낙청과 사회학자인 정수복과 오찬호가 활용한 것으로서, "현재의 물질적 행복을 인생 최고로 여기는 가치관, 즉 현세적 물질주의", 혹은 황금만능주의를 가리킵니다(오찬호, "나는 태어나자마자 속기 시작했다", 2018). 먹고사는 문제가 해결된 상태가 어찌 인간다운 가치 있는 삶을 영위하게 된다는 보장

이 되겠습니까? 그렇지만 이 생계 문제만 해결되면 모든 게 해결된다고 믿는 이들이 우리나라엔 허다합니다. 그런데 정작 그들은 먹고살 만하게 되면, "'더' 잘 먹고 잘살겠다는 욕망"을 극대화하는 것 외엔 다른 가치 있는 것들에 주목하지 않습니다. 그 욕망은 끝이 없으므로, 그 욕망을 좇는 이들은 그것의 종에 불과합니다. 모쪼록 경천애인의 가치와 공동선의 가치를 진작하고 그것들이 사회 각 방면, 세계 곳곳에서 구현될 수 있도록 돕는 구체적인 활동들을 이웃들과 함께 더불어 도모함으로써, 혐오와 차별을 지속적으로 낳는 그 "'더' 잘 먹고 잘살겠다는 욕망"을 떨쳐 버립시다.

-혐오와 배제가 낳는 필연적인 폭력-

다름과 결핍과 누추함에서 비롯된 혐오와 배제는 그 대상들에 대한 폭력 사태로 이어집니다. 혐오와 차별의 대상은 사회적으로 취약한 위치에 놓일 수밖에 없기 때문에 그들을 이용하고 착취하려는 세력이 상존하기 마련입니다. 이 소설 속에는 이러한 폭력의 대상이 되는 취약한 대상 4가지가 드러나 있습니다.

(1) *유색인*. 흑인 점핑이 대표하는 유색인입니다. 고기 낚시를 하고 돌아오던 백인 소년 둘이 자기 집으로 돌아오던 점핑을 보고 이렇게 말합니다. "참 나, 재수 째지네. 깜둥이가 깜둥이 마을로 가고 있잖아."(Ain't we lucky. Here comes a nigger walkin' to Nigger Town.) 그 말을 듣고 나이 든 점핑이 취한 행동이 어떠했을까요? 그저 고개를 푹 숙이고 소년들이 지나갈 수 있도록 숲 쪽으로 비켜서 있다가 발걸음을 재촉해 황급히 지나쳤습니다. 그 모습을 보고 그 두 놈이 더 지껄입니다. "깜둥이 노인네가 마을로 가네. 조심해라, 깜둥아. 그러다가 넘어지지 말고."(Jest an ol' nigger walkin' to town. Watch out, niggerboy, don't fall down.) 그 후에는 돌멩이를 집어 들더니 점핑의 등에 돌을 던집니다. 어깨뼈 바로 밑을 명중당한 점핑은 약간 비틀거리더니 계속 걸어갔지요. 이런 상황을 지켜보고 있던 카야가 급기야 동작을 취합니다. 돌멩이를 더 많이 주워 들고 그의 뒤를 따라가던 그놈들을 카야 방식으로 처단한 것

이지요. 잼이 든 천 가방을 싸서 비틀어 묶어 쥔 채 그 묵직한 가방을 휘둘러 가까운 녀석의 뒤통수를 가격했습니다. 그 후에 다른 놈의 머리를 강타하려고 하니 그냥 뺑소니치고 말았지요. 오랫동안 같은 마을에서 일하고 있는 점핑이란 흑인 노인에게 어떻게 이렇게 어린 녀석들이 험한 욕설을 지껄여 대며 폭력을 행사할 수 있을까요? 취약한 사람들에게 가하는 폭력이 이렇게 빨리 전수되다니요. 우리 속에 있는 폭력의 뿌리가 깊습니다.

(2) *카야*: 카야가 상징하는 경제적이고 사회적인 약자입니다. 카야는 어느 날 야생 칠면조가 동료들에게 비참하게 죽임당하는 것을 목격합니다. 상처 당한 동료 칠면조가 맹금의 미끼가 되어 자기들에게 위해를 줄지 두려워 미리 죽여버린 것이지요. 바로 그날 밤에 동네 사내 녀석들이 카야의 판잣집으로 쳐들어옵니다. 입으로는, "우리가 왔다, 습지 계집애(Marsh Girl)!", "어이, 그 안에 있냐? 미개한 유인원 계집애(Miss Missin' Link)!"라고 호기롭게 소리쳐댔지만, 그놈들은 계단을 내려가더니 나무 사이로 사라져 버렸습니다. 습지 계집애, 늑대 아이한테 덤비고도 무탈했다는 안도감에 환호성을 지르며 달아났던 것이지요. 그 이후로도 동네 사내놈은 어둠을 틈타 카야의 판잣집을 자주 찾습니다. 그 판잣집을 터치하고 돌아가는 게 그들끼리의 성인식(an initiation for boys becoming men)이 되었기 때문입니다. 그놈들 중에는 카야의 순결을 누가 처음 훔치게 될지를 두고 내기를 거는 녀석들도 있었습니다. 체이스도 그런 비열하고 비겁한 사내놈 중 한 명에 불과했지요. 결혼을 빙자하여 카야를 침대로 끌어들인 것도 모자라, 그녀를 헌신짝처럼 버리고 다른 여자와 결혼한 후에도 찾아와 폭력을 행사하면서 강간하려는 그의 면모를 보세요. 카야의 '왼쪽 눈은 퉁퉁 부어 감겨버리고 윗입술은 한쪽이 엽기적으로 뒤틀린 채, 얼굴, 팔, 다리가 찢어져 피 묻은 흙투성이'가 되도록 폭력을 가하며 강간하려던 것도 모자라, 계속해서 곳곳을 뒤지며 카야를 찾아다녔습니다, 카야 앞에서 온갖 달콤한 말로 유혹하던 그 입으로 다른 사람들 앞에서는 카야를 "덫에 걸린 암 여우"(she-fox in a snare), "습지의 암캐"라고 칭

하며 모욕하던 그는 비인간입니다. 이런 체이스 같은 망나니, '음흉한 바람둥이 섹스 도둑들'(leapfrogging sneaky fuckers)에게 떨어질 형벌은 과연 어떤 것이어야 할까요?

(3) 가족. 폭군 남성 가장의 피해자인 가족입니다. 마을 주민들로부터 혐오를 받는 가족들의 울타리가 되어주기는커녕, 카야 아버지(제이크)는 그 소외된 가정 속에서 폭군 노릇을 자처했습니다. 그의 가족 학대는 소름 끼칩니다. 술에 취하기만 하면 고함치고 난동을 피우면서 가족 모두에게 손찌검을 해댔으니까요. 언젠가 아버지한테 밀쳐져 부엌 벽에 심하게 부딪힌 엄마가 쓰러지자, 카야가 그의 소매를 붙잡고 울면서 빌던 적이 있습니다. 그가 어떤 반응을 보였을까요? 카야 어깨를 움켜쥐고 청바지와 팬티를 내리라고 하더니, 자기 벨트를 끌러 그 어린 카야를 매질했습니다. 이 아버지의 학대는 카야에게서 하나님에 대한 믿음을 빼앗아 가 버렸습니다. 엄마가 떠나기 직전 부활절 예배는 카야가 마지막으로 교회에 갔던 때였습니다. 그 "부활절은 비명과 유혈, 누군가 쓰러지고 엄마와 함께 도망쳤던 기억으로 얼룩져 있었습니다." 그래서 카야는 아예 부활절을 머리에서 지워버렸습니다. 그 후에 엄마와 함께 간 교회에서 배운 찬송 중 일부["저 장미꽃 위에 이슬 아직 맺혀 있는 그때에 주가 나와 동행을 하셨네", "새찬송가" 422 장]가 기억나 부르다가 잡초만 뒤덮인 텃밭을 보면서, 카야가 고백하지요. "됐어, 집어치워. 이런 정원에 주님이 찾아올 리 없잖아."(Just forget it. No god's gonna come to this garden.) 홀로 유기된 카야의 집에 교회에서 누군가 단 한 사람도 찾아온 적이 없었습니다. 목사 사모라는 여자가 카야를 대한 것을 보세요. 도대체 그들이 믿는다는 그리스도는 과연 누구일까요?

카야 아빠의 지속적인 폭력 행위는 결코 간과할 수 없습니다. 그의 폭력에 견디다 못한 엄마가 집을 떠난 것뿐 아니라, 폭언과 폭력을 상습적으로 당한 자녀들도 카야를 제외하고 다 떠날 정도였기 때문입니다. 특히 마지막까지 카야와 함께 있다가 집을 떠난 조디의 경우는 최악입니다. 제이크가 불쏘시개로 엄마 가슴을 쳐서 부활절 축하용으로 입은 "꽃무늬 선드레스에 붉은 피가 풀카도트 무늬처럼 흩뿌려졌"을 때, 조디가 그에게 달려들다 그 불쏘시개로 얼굴을 맞아 턱이 흉측하게 일그러지면서 피가 뿜어져 나왔습니다. 죽은 줄 알았던 그를 엄마가 일으켜 바느질하는 바늘로 그의 얼굴을 꿰맨 덕에 평생 그 자국이 선명하게 남아 있을 정도였습니다. 조디는 나중에 카야를 만나, "그 괴물하고 살게 널 두고 떠나는 게 아니었어. 두고두고 마음이 아팠어. 끔찍하게 괴로웠어. 내가 겁쟁이였어. 멍청한 겁쟁이였어. 이 빌어먹을 훈장들은 아무 의미도 없어."라고 후회하지요. 자기 고향으로 돌아간 엄마가 히스테리 발작을 일으키던 중에 이모 도움을 받아 제이크에게 아이들을 데려와 함께 살게 해 달라고 편지를 보냈을 때, 제이크가 뭐라고 답변했을까요? 감히 돌아오거나 누구에게라도 연락하려고 하면, 아이들을 형체도 못 알아보게 팰 거라고 답장했습니다. 제이크가 얼마든지 그런 짓을 할 수 있는 인간이라는 걸 안 엄마는 희망을 접었다고 하지요. 이런 야만적인 남성 가장들의 폭력의 원천은 도대체 어디일까요? 자기들 생명의 근원인 하나님께 불경하고 자기들이 섬기고 보살펴야 할 가족들을 타자화하고 도구화하는 뿌리 깊은 이기심입니다. "도둑질하고 죽이고 멸망시키"는 것이 본업인 사탄의 꾐도 그 이기심에 불을 지폈겠지요(요한복음 10:10). 이런 제이크 같은 '괴물'(monster)에게 떨어질 형벌은 과연 어떤 것이어야 할까요?

(4) **생태계**. 탐욕에 찬 인류가 착취하고 파괴해 온 자연 세계입니다. 카야를 놀리는 별명들을 다시 한번 주목해 보면 그것들 속에 자연 세계와 연관된 것들이 다수 등장합니다. '상거지 암탉'(little beggar-hen), '반인 반 늑대'(part wolf), '습지 암탉'(marsh hen), '늪 시궁쥐'(swamp rat), '유인원 계집애'(Miss Missin' Link) 및 '늑대 아이'(the Wolf Child)로 부르면서 더럽다고 하지요. 자연 그대로의 세계는 누추하거나 더럽고, 그 속에 사는 동물들은 미개하고 미발달되어 지능도 낮다고 본 것입니다. 이런 측면에서도 이 바클리코브 주민들은 현대인들의 대표입니다. 자연으로부터 생활에 필요한 대부분을 공급받아 살아가면서도, 자연을 철저하게 도구화하

여 개발하거나 착취하는 데 몰두해 있을 뿐 자연을 존중하면서 돌보아 줄 생각은 염두에 두지 않는 현대인 같은 사람들 말입니다.

예컨대 테이트가 말한 대로, 사람들은 낚시할 때를 제외하고는 습지를 제대로 보지도 않고 그저 "매립해서 개발해야 할 황무지"(wasteland that should be drained and developed)로만 생각합니다. 바다 생물을 낚시해서 먹고살면서도 그것들에 습지가 필요하다는 것도 모르는 것이지요. 개발 명목으로 습지의 물을 빼면 그 물길 따라 살아가는 동식물들이 죄다 죽어버립니다. 이런 기본적인 사실에 주목할 리가 없는 현대인들이 그 개발 결과, 습지 너머 수십 킬로미터에 걸친 땅이 메마르게 되어 그 흙 속에 있는 씨앗들이 흙을 뚫고 나올 수 없다는 것에 관심을 둘까요? 비록 토양이 생명으로 응축되어 있어 가장 소중한 지구 자산 중 한 가지이긴 하지만, 물이 없이는 그저 생명력 잃은 메마른 땅일 뿐입니다.

사실상 이 소설의 악당인 체이스는 이 영역에서도 현대인의 대표입니다. 그도 다른 일반인들처럼 습지를 "착취할 대상"(a thing to be used)으로만 보았습니다. 그저 보트 타고 낚시하는 대상이거나, 매립해서 농사지을 대상으로만 여겼던 것이지요. 그런 인물이 카야를 이해할 리 없지요. 습지 생물이나 하천에 대해 그녀가 품고 있는 지식이 흥미롭기는 했지만, 사슴 곁을 지날 때 소리를 내지 않거나 새 둥지 근처에서 목소리를 낮춰 속삭이는 그녀의 배려에 대해서는 비웃지요. 조개껍데기나 깃털에 대해 배우고 싶은 마음도 전혀 없었을 뿐 아니라, 습지에 대해 배우고 싶어서 카야가 일기장에 메모하거나 표본을 채집하는 것에 대해서도 코웃음을 칩니다. 이런 인물이 조개껍데기 속에 살아 있는 생물이 산다는 걸 알고 있거나, 그것에 관심을 가질까요? 주위의 자연 세계에 대해서는 그렇게도 세밀하게 주목하던 카야가 체이스의 이런 인물 됨됨이를 간과한 게 그렇게 아쉬운 대목이 아닐 수 없습니다. 외로움을 해소하고 싶어 시작한 체이스와의 연애 감정이 그녀의 판단력을 흐린 것이겠지요.

카야가 체이스의 차를 타고 애슈빌로 가는 동안 관찰한 황량한 주위 환경은 그녀가 이내 직면할 황폐한 인간관계의 서곡에 불과했습니다. 한 시간 동안은 그녀에게 낯익은 풍광, 즉 억새와 물길들을 지나쳤지만, 갑자기 습지의 평원이 불쑥 끝나고 먼지 덮인 경작지가 눈앞에 펼쳐졌습니다. "숲들을 싹 베어버린 벌판에 불구가 된 등걸들만 남아 있었습니다." 여기에다 전선이 늘어진 전봇대들이 길가에 쭉 이어진 것을 보고 카야는 "사람들이 땅에다 무슨 짓을 한 걸까?"라며 경악합니다. 자연은 사라지고 온통 인공적인 것들만 눈에 들어왔습니다. 구두 상자 모양 같은 집들, 잘 깎은 잔디밭, 분홍색 칠한 플라스틱 홍학 한 마리, 시멘트로 만들어진 사슴, 우체통에 그려진 날아다니는 오리들. 결국 체이스의 꾐에 빠진 그녀는 "야자나무 모양의 네온사인이 빛나는" 호그마운틴로드 외곽의 허름한 모텔에서 그의 성욕을 충족시키는 대상으로 전락하게 되지요.

나중에 카야는 자기 첫 번째 책의 선인세 중 일부를 떼어 급히 자기 가족이 살던 땅에 대한 소유권을 확보하는 데 씁니다. 어느 날 점핑에게 들은 소식 때문이었습니다. 거물 개발업자들이 컴컴한 늪의 물을 빼고 호텔을 지을 거창한 계획을 하고 있다는 소식이었습니다. 그것이 무엇을 의미하는지 카야는 잘 알고 있었습니다. 그 이전 해에 중장비들이 동원되어 참나무 숲 전체를 베어버리고 물길을 내어 습지를 마른 땅으로 바꾸는 광경을 본 적이 있었기 때문입니다. 그렇게 하는 데 단 일주일밖에 걸리지 않았습니다. "개간을 마친 후에는 갈증에 허덕이는 땅과 그 아래 딱딱한 불투과성 점토층(hardpan)만 남겨두고 새로운 장소로 이동했습니다." 이 점토층은 배수도 잘되지 않고 식물의 뿌리 성장에도 불리한 기반이지요. 인간들에게 온갖 착취와 훼손을 당해도 아무 말 없이 자기의 풍요로운 산물들을 은혜롭게 나누기만 하는 자연계에 대해 거듭 파괴적인 폭력을 가해 온 인간들에게 어떠한 형벌이 적당할까요?

-습지에서의 인간 승리-

가족의 버림과 지역 사회의 혐오와 배제를 극복하고 '습지 전문가'로 거듭난 카야는 비범한 인물입니다. 어릴 때 자기를 '꼬마 돼지'(little piggy)나 심지어 '닭똥'(chicken shits)이나 '닭똥 덩어리'(a bunch of chicken shits) 같다고 생각하고, 아버지는 '똥돼지 젖꼭지만큼도 쓸모없는 것'(useless as tits on a boar hog)이라고 힐뜯기도 했지만, 카야는 자기 길을 개척하여 자기 은사를 찬란하게 꽃피웠습니다. 지극히 열악한 환경을 돌파하고 자신의 세계를 확립한 카야의 삶 속에서 3가지를 주목하게 됩니다.

곁을 지켜 준 습지 생태계. 습지는 카야의 엄마이자 가족이었습니다. 격리가 자기 인생이었던 카야를 "자연이 기르고 가르치고 보호해 주었습니다."(Nature had nurtured, tutored, and protected her.) 학교 간 첫날 버스 안에서 친구들이 던진 모욕적인 말을 듣고 버스에서 내린 카야는 집까지(5 킬로미터) 걸어갔다가 바다로 나가 자기 절친이던 갈매기들을 부릅니다. 그러고는 학교에서 먹지 않고 싸 온 파이 껍질과 롤빵을 던져주며 같이 놉니다. 그것들이 다 떨어지자, 갈매기들마저 자기를 버리고 떠날까 봐 격심한 무서움을 느낍니다. "하지만 갈매기들은 그녀 주위에 쪼그리고 앉아 회색 날개를 쫙 펼치고 몸단장했습니다." 갈매기는 이야기할 상대가 없는 카야에게 유일한 말동무가 되어주었습니다. 카야는 단 하루만 학교 문턱을 넘었고, 다시는 그리로 돌아가지 않았습니다. 조가비를 모으고 왜가리를 관찰하는 생활만으로 배움이 충분하다고 느꼈기 때문입니다. 카야가 아는 것은 대부분 야생에서 배웠고, 그녀가 "비틀거리면 언제나 습지의 땅이 붙잡아주었습니다."(whenever she stumbled, it was the land that caught her.) 카야에게만 습지와 같은 자연 생태계가 필요한 것은 아닙니다. 몸이라는 요소를 자연과 공유하는 인간에겐 자연 생태계와 벗하며 살아가는 게 당연하고 필수적입니다. 그렇지만 마을 주민들과 격리된 카야와는 정반대로 자연과 격리된 채 살아가는 현대인들이 얼마나 많습니까? 카야의 격리는 주민들의 혐오와 배제에 의한 불가피한 상황이지만, 현대인들의 격리는 자연에 대한 무관심과 인공적인 것들에 대한 자발적인

탐닉이나 중독에 의한 것입니다. **이 탐닉과 중독의 삶을 돌파하고 자연과 벗하며 살아야 합니다.**

접속된 인간관계. 자기를 실망하게 하고 떠난 이들로 인해 가슴 아파하는 카야에게 조디가 가르쳐 준 교훈이 한 가지 있습니다. 남자만 여자를 떠나는 게 아니라 그 역도 사실이기에 사랑은 실패로 끝나는 경우가 많지만, 그 실패한 사랑을 통해 얻는 *인간관계(the connections)*는 소중히 간직해야 한다는 것이었습니다. 가정 폭군인 아버지도 결국엔 카야를 떠났지만, 그가 카야에게 연결해 주고 간 사람이 있었습니다. 바로 흑인 점핑입니다. 카야가 점핑이 죽은 후에 그 아내 메이블에게 고백한 대로, 카야의 진정한 아버지는 점핑이었습니다. 돈을 마련할 길이 없던 어린 카야에게 먹을 것과 입을 것과 생활에 필요한 자원들을 지혜롭게 공급해 준 카야의 은인이었기 때문입니다. 카야가 체이스에게 폭행당한 것을 고백한 사람은 점핑밖에 없었습니다. 아버지의 폭행을 더 이상 참지 못하고 떠나버린 엄마와 오빠 조디가 일찌감치 카야에게 연결해 준 사람이 있었습니다. 바로 카야의 남편이 된 테이트입니다. 자원해서 카야에게 글과 산수를 가르쳐주고 그녀가 독학할 수 있도록 단계별로 필요한 교과서와 참고서적들을 부지런히 공급해 준 친구이자 동료의 역할을 탁월하게 감당했습니다. 그가 없었다면 습지 전문가, 작가 카야는 존재할 수가 없었습니다. 71세의 변호사 톰 밀턴이 자원해서 카야를 변호해 주겠다고 나선 것은 이 세상에는 이해되지 않는 신비로운 연결 고리도 얼마든지 존재한다는 점을 일깨워줍니다. 그 변호사 한 사람이 그야말로 영화 "12인의 성난 사람들" 속의 배심원 12명의 역할을 톡톡히 해냄으로써 카야는 살인자의 굴레에서 벗어났습니다. 아무리 많은 사람들이 카야를 버렸어도, 결국 카야를 구원해 준 것은 이런저런 방식으로 접속된 '사람'들이었습니다. **우리를 버린 사람들은 잊어버리고 우리와 연결된 사람들에게 감사하면서 그 관계를 소중히 발전시켜 가야 합니다.**

"가재가 노래하는 곳"에 대한 갈망. 카야가 어학 교재로 처음 읽은 책인 알도 레오폴드(Aldo Leopold)의 "모래 군의 열두 달"(A

Sand County Almanac)에서 그녀의 눈길을 끈 문장이 하나 있었습니다. "야생의 존재 없이 살 수 있는 사람도 있지만 그렇지 못한 사람도 있다."("There are some who can live without wild things, and some who cannot.") 당연히 카야는 후자에 속하겠지요. 모두가 자기를 떠나버린 상황 속에서 자기 곁을 지켜준 습지와 동물들이 없었다면 그녀는 도무지 살아갈 길이 없었을 것입니다. 그래서였겠지요. 테이트에게서 단어 읽는 법을 배울 때, 카야에게는 그 단어들이 살아 움직이는 기러기(geese)와 학들(cranes)을 노래하고 있다는 감흥을 느꼈습니다. "기러기의 노래가 더 이상 들리지 않는다면 어떻게 될 것인가?"(What if there be no more goose music?) 카야가 느낀 이런 감흥들이 나중에 어맨다 해밀턴의 시로 승화되었을 것입니다. 외로움이 엄습할 때마다, 그리고 삶의 위기를 접할 때마다 읊조리던 어맨다 해밀턴의 시라는 영적 독백이 없었다면, 카야의 영혼은 일찌감치 쇠락했을 것입니다. 현실을 직시한 상태에서 나아갈 길을 분별하여 발걸음을 내딛는 데 시적 언어로 조탁한 싱그러운 상상력이 카야에게 크낙한 위로가 되었습니다. 이 책 제목도 카야 엄마가 카야에게 항상 습지를 탐험해 보라고 독려할 때 들려준 시적 표현이었지요. "갈 수 있는 한 멀리까지 가봐. 저 멀리 가재가 노래하는 곳까지."(Go as far as you can—way out yonder where the crawdads sing.) 이 표현의 의미를 묻는 카야에게 테이트가 던진 답은, "그냥 저 숲속 깊은 곳, 야생동물이 야생동물답게 살고 있는 곳을 말하는 거야."(Just means far in the bush where critters are wild, still behaving like critters.)였습니다. 그렇지만 소설 마지막 문단은 그 이상의 의미를 말하고 있습니다. 테이트가 체이스의 조가비 목걸이를 해변의 파도에 실려 보낸 후 판잣집 근처 호소에서 수백 마리의 반딧불이 자기를 손짓해 부르는 것을 목격하지요. 습지의 후미진 머나먼 곳, "가재들이 노래하는 곳"으로 오라고. 카야가 그곳에 이미 당도해 있다는 것을 시사하지요. 그곳은 이 세상 세계가 아닙니다. 인간과 자연이 함께 어우러져 노래하며 즐기는 우리 모두의 참된 본향, '새 하늘과 새 땅'입니다. **이 참**

혹한 현실을 돌파하려면 우리 가슴 속에 살아 숨 쉬는 이 영원한 본향에 대한 갈망을 붙들고 지속해 가야 합니다.

혐오와 배제가 판치는 열악한 현실을 돌파하면서 찬란한 삶을 꽃 피우는 카야를 보면서 떠오른 시 한 편이 있습니다. 이성복 시인의 "아주 흐린 날의 기억"입니다. 단 두 줄로 형성된 이 시는 카야의 현실이자, 우리의 현실을 열어 밝히면서 우리의 반응을 촉구합니다. 이 땅은 죽음이 예견되어 있습니다. 아무리 주위를 둘러봐도 죽음은 피할 길이 없지요. 땅만 바라보는 이의 운명입니다. 이 죽음의 현실을 망각하거나 거부하려고 특정 대상을 속죄양 삼아 그토록 혐오하고 배제하다가 폭력까지 행사하며 살아갑니다. 죽음 가까이 있는 자들을 피해 아무리 멀리 가서 살아도 그곳 역시 땅입니다. 이 땅의 숙명에서 벗어나려고 아무리 높이 쌓아 올려도 그곳 역시 땅입니다. 그렇게 발버둥을 치는 시도들이 이 땅을 더욱 무덤으로 만듭니다. 한두 명이 하는 짓이 아닙니다. 돈이나 권력이나 인기를 많이 가진 진회색('아주 흐린') 인간 무리의 전매특허이지요. 하나같이 하는 일이라곤 이 땅을 무덤으로 덮는 일뿐입니다. 가만히 있으면 나도 무덤 행입니다. 내 위에 혐오와 배제와 폭력으로 짠 관 뚜껑을 덮더라도, 그 뚜껑을 거부하고 밀어내야 합니다. 이 '관 뚜껑을 미는 힘으로' 카야도 '가재가 노래하는 곳'을 바라보았습니다. 그 힘을 기반으로 주위의 안전지대를 찾고 구하는 대신 우리의 영원한 본향인 '하늘나라'를 추구해야 합니다. 진회색 인간들의 건물 꼭대기를 선망하는 대신 그 너머에 있는 '새 하늘과 새 땅'을 갈망해야 합니다.

-카야의 살인에 대한 이해-

카야는 모살(謀殺, first-degree murder), 즉 미리 계획된 살인 혐의로 기소되어 재판받았습니다. 유죄가 확정되면 사형 아니면 종신형을 받게 되는 상황이었습니다. 유죄 평결이 날 가능성이 농후해서 카야의 변호인이 카야에게 양형 거래(plea bargain) 가능성을 타진해 보지요. 10년 정도 선고를 받고 난 후에, 7년 정도 후에 석

방되는 거래라는 것입니다. 그렇지만 카야의 입장은 확고했습니다. 그런 것을 시도할 의향이 없으며, 오로지 자기는 무죄라고 주장한 다고 밝힌 것입니다. 조마조마한 논의 과정을 거쳐 배심원단은 카야의 무죄를 선언합니다. 증거 불충분으로 카야의 살인 행위 혐의에 합리적인 의심이 발생하여 배심원의 무죄 평결을 받은 셈이지요. 과연 카야는 무죄일까요?

모살 대 정당방위(Self-defense). 독자인 우리는 카야가 체이스를 살인했다는 것을 압니다. 카야의 분신인 어맨다 해밀턴의 시가 체이스의 죽음을 암시하고 있고, 그의 목에 걸려 있던 조가비 목걸이를 카야가 숨겨 두고 있었기 때문입니다. 그렇다면 모살 행위가 발생했지만, 배심원의 평결로 무죄로 된 경우일까요? 재판 과정에서 드러난 것처럼 카야는 자신의 알리바이를 성립하기 위해서 주도면밀하게 계획했을 뿐 아니라, 살인 현장을 용의주도하게 처리하여 증거도 거의 남기지 않았습니다. 실정법상으로 모살이라고 지적할 수 있는 정황입니다. 그렇지만 성욕을 채우기 위해 폭력을 행사하면서까지 물불을 가리지 않고 덤벼드는 체이스라는 치한에 대한 정당방위였다고 볼 여지도 얼마든지 많습니다. 영미법상으로 정당방위가 적용되려면, 자신의 "생명의 위협(또는 심각한 신체적 상해의 위협)이 닥쳤을 때"라는 전제가 필요합니다. 그렇지만 이 정당방위 권리는 "불가피한 경우에만 시작되고 불가피한 지점까지만 연장됩니다."(The right begins only when the necessity is present, and extends only as far as the necessity.) 즉 그러한 심각한 위협이 불법적(unlawful)이고 바로 당면한(immediate) 것일 뿐 아니라, 피고가 자신이 절박한 위험(imminent peril)에 처해 있기에 자기 반응이 그것으로부터 자기를 구하기 위해 불가피한(necessary) 것이었다고 여겨야 한다는 것입니다. 이 불가피성 때문에 예방적 방위(preventive defence)를 목적으로 가해자를 공격할 권리(a right for attacking)는 인정되지 않습니다. 다만 "법의 도움을 기다리다가는 분명하고 즉각적인 고통(certain and immediate suffering)을 겪을 수 있는 예기치 못한 폭력적인 사건(sudden and violent cases)"은 예외로 합니다. (마사 누스바움, "혐오와 수치심")

　카야와 체이스의 관계를 복기하면서, 카야가 정당방위의 권리를 행사한 것으로 볼 수 있는 몇 가지 단서에 주목해 보세요. 원래 바람둥이로 자자했던 체이스는 혼인을 빙자하여 카야를 설복시켜 침대로 끌어들인 치한이었습니다. 온갖 달콤한 거짓말과 허망한 약속으로 카야를 현혹하여 자기 성적 욕망을 다 채우면서도, 다른 사람들 앞에서는 서슴없이 카야에 대해 인격적으로 모독이 되는 발언들을 내뱉던 불한당이었지요. 결혼한 후 카야를 다시 만난 체이스는 강간을 시도했을 뿐 아니라, 그녀 얼굴과 신체 여러 부위에 심각한 폭행을 자행했습니다.

"그러자 체이스가 오른손 주먹으로 카야의 얼굴을 강타했다. 메스껍게 뭔가 펑, 터지는 소리가 카야의 머릿속에서 울렸다. 목이 뒤로 꺾이고 몸이 그대로 뒤로 나자빠져 쓰러졌다. 엄마를 때리던 아버지와 똑같아. (...) 쿵쿵 울리는 카야의 얼굴을 흙바닥에 처박고 카야의 배 밑으로 손을 넣어 골반을 치켜들면서 무릎을 꿇고 앉았다. '이번에는 절대 안 놔줘. 좋든 싫든 넌 내 거야.'"

　이때 당한 폭행의 결과로 카야는 이전에 엄마가 아버지에게 당했던 때과 같이 "괴물과 같은 몰골"(monstrous)이 됩니다. 더구나 카야를 대변해 주고 돌봐줄 사람이 없다는 것을 누구보다 잘 알고 있던 체이스는 그 이후에도 그녀를 찾아 "최후의 한 방을 날려"(to have the last punch) "버르장머리를 고쳐놓기"(be taught a lesson) 위해 "흉측하게 인상을 쓴 채"(face in an ugly scowl) 습지를 뒤집고 다닙니다. "체이스가 이대로 포기할 사람이 아니라는 것"(Chase would not let this go)을 익히 알고 있었기에, 카야는 어디를 가나 '당장이라도'(at any second) 체이스가 덮쳐올 수 있을 거라는 불안감에 사로잡혀 미칠 것 같았습니다. "언제 어디서 주먹이 날아올지 걱정하며 사는 삶"(a life wondering when and where the next fist will fall)은 생각조차 할 수 없었습니다. "혼자 외톨이로 사는 것과 두려움에 떨며 사는 건 별개의 문제였기 때문입니다."(Being isolated was one thing; living in fear, quite another.) 그러면서 카야는 휘몰아치는 바다로 걸어 들어가 파도 아래 깊이 가라앉는 자살을 상상합니다. 그때 어맨다 해밀턴의 시구 하나를 떠올리지요. "죽을 때를 누가 결정한단 말인가?"

체이스가 카야에게 가한 심각한 신체적 상해는 불법적이고 바로 당면한 현실이었습니다. 그러한 공격이 일회성으로 그친 것도 아닙니다. 그 이후에도 어느 시점에라도 보호자 없는 무력한 카야를 덮쳐 최후의 한 방을 날릴 기세로 온 습지를 휘젓고 다니고 있었으니까요. 어떤 형태로든 카야가 반응을 취하지 않으면 어떤 변을 당할지 몰라 불안에 떠는 상황이었습니다. 이때 카야가 법의 도움을 청해서 실제적인 도움을 받을 수 있었을까요? 보안관에게 신고한들 "그가 체이스 말 대신 습지 계집애의 말을 믿어줄 리가 없었습니다"(the law would never believe the Marsh Girl over Chase Andrews.). 그는 카야 외할아버지에게서 자기 손자/손녀들이 무사한지 알아봐달라는 요청을 받자, 습지 사람들은 추적할 생각을 하면 안 된다고 퇴짜를 놓기도 한 인물이었으니까요. 그는 습지 사람들을 죄다 쓰레기(trash)로 취급했습니다. 이런 정황은 '예방적 방위(preventive defence)를 목적으로 가해자를 공격할 권리(a right for attacking)'가 예외적으로 허용되는 상황에 해당하지요. 불법적이고 절박한 위험에 대한 법의 도움을 도무지 기대할 수 없는 상황이었으니까요. 자기가 당하는 것을 현장에서 목격한 두 낚시꾼도 그녀 편을 들어줄 리가 만무했습니다. 카야가 체이스에게 수년간 치근댔을 테고 "창녀처럼 몸을 함부로 굴리다"(Actin' the ho) 자초한 일이라고 손가락질할 것이니까요. 이런 진실들이 카야의 정당방위 권리를 지지해 주는 단서들입니다. 만일 이런 모든 상황이 법정에서 정당한 절차를 거쳐 증거로 채택되어 타당한 것들로 인정되었다면, 카야의 살인은 정당방위로 인정받을 가능성이 높았을 것입니다.

음흉한 폭군들에 대한 경고. 현실은 모살 혐의에 대한 재판에서 카야가 무죄 방면되는 것으로 끝이 났습니다. 그 재판 현장에서는 체이스의 진면목은 문제가 되지 않았습니다. 카야를 비열하게 저버리고 결혼한 지 2년이 지난 후에도 그녀가 선물해 준 조가비 목걸이를 걸고 다니면서 그녀를 자기 거라고 부르며 폭력을 가해서라도 자기 소유권을 행사하려고 덤벼드는 이 '음흉한 바람둥이 섹스 도둑'의 면모 말입니다. 바로 여기에서 소설의 기능 혹은 역할을 상기하게 됩니다. 우리가 사실이라고 인식하는 것만으로는 진실을 파악하기가 힘듭니다. 문제의 법정에서는 마을 주민들이 혐오하는 습지 소녀가 마을의 유명인 청년을 모살했다는 혐의가 사실로 제시되어 있습니다. 그렇지만 배심원단에 의해 무죄 평결이 내려집니다. 진실은 카야가 망나니 같은 불한당에게 성폭행을 당하고 지속적인 위협에 몰리다 살인을 감행했고, 그것은 법적으로 타당성을 인정받을 수 있는 정당방위였다는 것입니다. 소설이라는 문학적 도구를 통해서 사실 배후에 있는 진실이 밝혀진 것이지요.

그 살인의 정당성을 자연 생태계 속에서 발견되는 동물들의 생존본능이나 윤리와는 무관한 동물적인 수학에 의존할 필요가 없습니다. 소설 서두에서 작가는 습지 사람들에게는 오래되고 자연스러운 법이라는 게 그들의 유전자에 새겨졌다면서, 이렇게 언급합니다. "목숨이 걸린 궁지에 몰리면 사람은 무조건 <u>생존본능(instincts)</u>에 의존한다. 생존본능은 빠르고 공정하다. 온유한 유전자보다 훨씬 강력하게 후세대로 물려 내려가는 생존본능은 언제나 필승의 패다. 윤리(morality)가 아니라 <u>단순한 수학(simple math)</u>이다. 비둘기들도 자기네들끼리 싸울 때는 매와 다를 바 없다." 게다가 암컷 반딧불이 그 수컷을 먹어 버리는 사례가 소개된 다음 이런 논평이 등장하기도 합니다. "여기에는 윤리적 심판이 끼어들 자리가 없다. 악의 희롱이 끼어들 자리가 없다. 다른 참가자의 목숨을 희생시켜 그 대가로 힘차게 지속되는 <u>생명이</u> 있을 뿐이다. <u>생물학에서는 옳고 그름을 다른 불빛 속에서 같은 것으로 비치는 색채로 본다.</u> (Biology sees right and wrong as the same color in different light.)" 이런 언급들로 인해 마치 카야가 체이스를 처단한 것이 습지 사람으로서 생존본능에 의존하여 모살을 결행한 것으로 오해될 소지가 큽니다. 혹시라도 작가의 의도가 이런 범주에 속한 것이었다면, 결코 그것에 동의할 수 없습니다. 체이스 처단은 반딧불이나 사마귀 암 컷이 각각의 수컷을 처치해서 자기 먹이로 삼는 것과는 차원이 다 른 문제입니다. 동물 세계에서는 생존본능과 수학이 작동되겠지만, 인간 세계에서는 윤리와 법률이 적용됩니다. 카야는 합법적인 정당 방위를 수행한 것입니다. 그렇다고 해서 자연 세계에 대해 작가가 이렇게 언급한 것이 무의미하다는 것은 아닙니다. 인간 대 인간의 상황에서는 적용되지 않겠지만, 다음 항목에서 논의하는 대로 자연 대 인간의 관계 속에서는 얼마든지 적용될 수 있을 거라고 예상되 기 때문입니다.

그런 의미에서 카야의 정당방위는 그녀와 같은 피해자의 처지에 놓인 여성들의 심리를 대변하고 위무한 것으로 볼 수 있습니다. 한 발 더 나아가 여성에게 폭력을 행사하는 자가 쥐도 새도 없이 사라 질 수 있다는 "운명에 대한 교육"을 선사한 셈이기도 합니다. 캐나 다 작가 마거릿 애트우드가 언급한 대로, "남자는 여자들이 비웃을 까 봐 두려워합니다. 여자들은 남자들이 죽일까 봐 두려워합니다." 전 세계 여성들이 남자들과는 차원이 다른 두려움 가운데 살아가고 있다는 말입니다. 이 21세기 대명천지에서도 여전히 여성에 대한 폭력은 소름 끼칠 정도로 흔합니다. 너무나 납득하기 힘들지만, 여 성들은 낯선 사람들에게 공격당하는 경우보다 그들을 사랑해야 마 땅한 사람들의 주먹에 의해 고통받는 경우가 훨씬 더 많습니다. 2021년에 세계보건기구(WHO)가 150여 개국에서 실시한 조사 가 이를 입증하고 있습니다. 여성 4명 중 1명 이상이 일생 자기 파 트너로부터 구타 또는 성적 학대를 당하는 것으로 예상되었으니까 요("The Economist"). 카야와 그녀의 엄마를 보세요. 카야는 체이 스라는 바람둥이의 꾐에 빠져 농락당하다가 폭행과 강간의 표적이 되어 전전긍긍하는 시기를 보내야 했고, 그녀의 엄마는 결혼 생활 내내 제이크라는 폭군의 폭력과 폭언에 시달리다 가출했으나 백혈 병이 걸린 채 생을 마감해야 했습니다. 수치심과 자녀들에게 미칠 지 모를 불이익으로 인해 무력하게 된 피해 여성들이 실정법에 호소하지 않는 사례가 많기 때문에, 그것을 악용하여 더욱 과감하게 폭행을 지속하는 비인간들이 세계 방방곡곡에 수두룩합니다. 카야의 사례에서 보듯이, 그런 지속적인 폭행은 정당방위가 행사되어 죽어 마땅한 범죄입니다. 보다 많은 여성이 용기를 내어 그 음흉한 폭군들을 고발해서 법의 처벌을 받도록 해야 합니다. 그리고 부득이하게 정당방위가 행사된 경우를 다루는 관련 법을 보다 정치하게 다듬어 가면서도, 현재 살인이나 상해 혐의를 받는 피해 여성이 불이익을 당하는 일이 없도록 공정한 판결이 이루어져야 합니다.

-자연 생태계의 응징에 대한 예언-

이 소설은 죽음으로 시작해서 죽음으로 끝납니다. 인간도 자연도 이용하고 착취할 대상으로만 여기다 비참하게 단명한 체이스의 죽음이 등장한 후, 사람들의 혐오와 배제를 당하면서도 땅과 그 속에 사는 생명체들과 끈끈한 유대와 결속을 다지던 카야의 품위 있는 죽음이 끝을 맺습니다. 소설 속에서 카야는 "이 땅에 단단히 뿌리를 내리고, 대지의 어머니에게서 태어난"(Rooted solid in this earth. Born of this mother.) 존재로 묘사되어 있습니다. "습지 소녀"로 태어나 자연에서 모든 것들을 배우고 익히면서, 검고 긴 머리가 모래처럼 하얗게 세도록 열정적으로 자연을 탐구하던 카야는 64세 되던 해 채집 여행을 하던 중에 쓰러집니다. 체이스를 처단한 지 40년을 더 살면서, "흰머리수리가 돌아오는 것"도 목격한(to see the bald eagles make a comeback) 후 "가재가 노래하는 곳"으로 돌아갔습니다. 자기만 자연을 누리고 즐긴 게 아니라, 책을 통해 "습지가 어떻게 서로가 서로에게 필요한 육지와 바다를 이어주는지"(how the marsh links the land to the sea, both needing the other) 사람들과 나누었습니다. 마침내 카야의 몸은 바다가 보이는 참나무 아래에 묻혔습니다.

한편으로 카야를 폭행하고 강간하려는 체이스의 모습에서 카야가 대표하는 습지 자연 생태계에 물리적인 폭력을 가하여 파괴하고 훼손한 지난 우리 인류의 폭압적이고 황폐한 모습이 겹칩니다. 체이스는 카야를 하나님의 형상대로 피조된 고귀한 존재, 존중받아 마땅한 연약하고 아름다운 여성으로 대우하지 않았습니다. 사람들 앞에서 카야를 '덫에 걸린 암 여우', '습지의 암캐'라고 부르며 조롱했을 뿐 아니라, 카야 앞에서도 그녀를 '내 살쾡이'(my lynx)로 칭하면서 그녀에 대한 소유권을 주장하는 망동을 저질렀습니다. 이런 조롱과 망동은 카야에 대한 모독이자 자연 생태계에 대한 모독입니다. 덫에 걸려 있거나, 습지에 살고 있거나, 자기가 먼저 찜했다고 생각되는 동물은 죄다 자기 마음대로 처분하고 착취해도 된다는 발상에서 비롯된 것이니까요. 이런 그가 습지를 그저 보트 타고 낚시하는 대상이거나, 매립해서 농사지을 '착취할 대상'으로만 본 것은 조금도 이상하지 않습니다.

돌이켜 보면 현대 인류 사회가 환경 보호하겠다, 난개발 자제하겠다, 중립 탄소 시대를 열겠다, 약속은 찬란했지만, 그것은 '체이스의 허망한 약속'에 불과했습니다. 이제는 자연 생태계가 그 숱한 약속 번복을 응징할 차례입니다. 너그럽게 자기 환경과 과실들을 베풀어 주기만 하던 자연 생태계를 탐욕의 대상으로 삼고 착취만을 일삼은 현대 인류에게 어떠한 응징이 적합할까요? 어떤 형태로든 우리 인류가 그토록 혐오해서 벗어나기를 원하던 '죽음'이라는 응징이 기다리고 있을 뿐입니다. 자연 생태계가 반격을 가할 때 윤리적인 고려가 작동될 거라고 기대할 수 없기 때문입니다. 이 소설의 작가가 지적한 대로, 빠르고 공정한 '생존본능이라는 필승의 패'로 응징할 뿐, 인명의 고귀함이나 사회적 상황이나 그 파장을 고려하지 않을 것입니다. '다른 참가자의 목숨을 희생시켜 그 대가로 힘차게 지속되는 생명이 있을 뿐'이니까요. 순식간에 그 작업을 해치우고 아무런 자국도 남기지 않을 것입니다. 조천호 교수가 경고한 대로입니다. 이제는 "오히려 지구가 인류 문명에 예측할 수 없는 파괴적인 행위자가 될 수 있다. 우리가 지구를 걱정할 처지가 아니다. 문제는 우리가 지구를 구하는 것이 아니라 우리 자신을 구해야 한다."

당장 이 세상이 끝나고 심판의 때가 닥쳐도 우리는 모두 유구무언일 뿐입니다. 이미 악이 가득 차서 흘러넘치고 있기 때문입니다. 구약성경의 전도서에서 언급한 대로입니다. "사람들은 왜 서슴지 않고 죄를 짓는가? 악한 일을 하는데도 바로 벌이 내리지 않기 때문이다."(8:11, Because the sentence against an evil deed is not executed quickly, therefore the hearts of the sons of men among them are given fully to do evil.) 함께 조화롭게 공존하여 살아가야 할 자연을 착취하고 훼손하는 것뿐 아니라, 동일한 운명을 지닌 인간까지도 혐오하고 차별하는 선을 넘어 자기 욕심을 채우기 위해 폭력을 가하고 살인을 마다하지 않은 것이 인류 역사의 주류가 아니었던가요? 지금도 정글의 법칙, 적자생존의 법칙이 온 세상을 뒤덮고 있지 않습니까? 때가 더 늦기 전에 이 인류 파멸의 길에서 돌이킵시다! '습지 소녀' 카야를 통해 인간과 자연이 아름답고 조화롭게 공존하는 세계를 기리는 송가의 독해를 마감하면서 끝으로 환경 전문가인 홍석환 교수의 글 한 자락을 소개합니다.

"인류가 산업사회로 나아가면서 얻은 가장 큰 이익은 경제성장이다. 반대급부로 가장 크게 잃은 것은 환경문제다. 새가 좌우의 날개로 날 듯, 인류가 안정적으로 살아가기 위해서는 반드시 두 축은 공존해야 하지만, 선진국 중 유독 우리나라에서만큼은 한 축으로만 극단적으로 기울어진 상황을 벗어나지 못하고 있다. (...) '환경이 조금 더 나빠져도 죽지는 않는다'는 성장주의 주장을 '돈을 조금 더 벌어도 내 삶은 나아지지 않는다'는 말로 대체해 보면 어떨까? (...) 조금 더 넓은 시각으로 균형을 맞출 때이다. 경제성장만이 우리를 잘 살게 할 것이라는 환상에서 벗어나야만 한다. 그리고 반대로 환경 가치의 향상이 우리를 잘살게 할 것이라는 변화된 생각을 실천할 때이다."(홍석환, "환경에 대한 갑질을 멈출 시간", 2021)

맺는말

배우고 글 쓰는 제 마음에 사랑이 흘러넘치게 하소서

앞에 말씀드린 대로 이 책은 "하늘과 땅이 만나는 성서인문학" 블로그에 연재한 글 중 일부를 편집한 것입니다. 첫 글을 집필할 때 블로그가 이렇게 다양한 내용을 담은 장으로 전개될 줄은 몰랐습니다. 무엇보다 인문학과 성경이 서로 길항(拮抗)하는 관계에 놓인 것이 아니라, 상보(相補)하는 관계 속에 있다는 점을 다각도로 모색한 것이 보람 있었습니다. 그 구체적 실례로 지금까지 서양 고전 소설(및 희곡) 작가 24 명의 작품을 성서인문학적 시각으로 독해한 것은 앞의 보람이 더욱 영그는 과정이었습니다. 38 편의 영문 설교가 담기게 될 줄도 꿈꾸지 못했습니다. 그리스도교를 겨냥하여 맹공을 퍼부은 버트런드 러셀의 유명한 연설문에 대해 5 편의 평론을 제시한 것도 뜻하지 않은 수확이었습니다. 잠언 16:9 말씀 그대로입니다. "사람이 마음으로 자기의 앞길을 계획하지만, 그 발걸음을 인도하시는 분은 주님이시다."(The mind of man plans his way, But the LORD directs his steps.)

-소명 누리기-

저는 21 년간 말레이시아인들을 섬기는 소명을 누렸습니다. 말레이시아의 한 국립 대학에서 가르친 기간은 13 년이었지만, 그 나머지 시간도 대학의 장 속에서 공부하며 젊은이들을 만나 교제했습니다. 말레이인들에게 초점을 맞추었지만, 중국계와 인도계 젊은이들과도 깊은 우정을 나눌 수 있었습니다. 이 생활을 마감하고 귀국할 때 든 생각이 있습니다. 인문학과 성서를 통합하는 공부와 글쓰기에 시간을 들여야겠다는 소망이었습니다. 이 소망이 "하늘과 땅이 만나는 성서인문학"의 장으로 구현되었습니다. 제게는 이것이 인생 3 막의 소명입니다.

플라톤의 "소크라테스의 변론"에 보면 감동적인 소크라테스의 고백 한 가지가 나옵니다. 그의 인생관 요체가 드러나 있는 설득력 있는 언명입니다. 요는 누구든지 자기가 생각해서든 지휘관이 명령해서든 어느 한 곳에 자리를 잡게 되면 어떤 상황이 전개되더라도 그 자리를 지키는 것입니다. 목숨을 위협하는 일이 발생하더라도 그 자리를 고수해야 합니다. 그 자리를 떠나는 것처럼 치욕스러운 일이 없기 때문입니다. 그러면서 그는 자기가 고수한 두 자리를 언급합니다. 첫째는 자기의 지휘관들이 포테이다이아와 암피폴리스와 델리온에서 자기에게 자리를 정해준 경우입니다. 당시에 그는 죽음을 불사하면서 자기 자리를 지켰습니다. 둘째는 신께서 **"나 자신과 남들을 탐구하며 철학자의 삶을 살라."**라는 자리를 정해주신 경우입니다. 당시에 그는 그 자리를 지키다가 아테네 법정에 서게 되었습니다. 신께서 자기에게 그 자리를 주신 것을 확신하기에 그는 "죽음이나 그 밖의 다른 것이 두려워서 내 자리를 뜬다면, 나는 심한 자기모순에 빠질 것입니다."라고 고백합니다. 결국 그 자리와 자기 목숨과 바꾸지 않겠다는 결연한 자세를 천명한 것이지요. 여기에서 사생관두에 선 그의 사생관이 드러납니다. "죽음을 두려워한다는 것은 지혜롭지도 않으면서 스스로 지혜롭다고 생각하는 것 이외에 아무것도 아닙니다." 죽음이 최대의 축복이 될지 모르는데도, 죽음이 최대의 불행이라는 점을 다 아는 양 죽음을 두려워하는 어리석음을 지적한 것이지요.

소크라테스가 철학자의 자리를 받은 것이 제가 **"하늘과 땅을 잇는 성서인문학자"**의 자리를 받은 것과 비교되었습니다. 이 자리를 지키는 것으로 인해 목숨의 위협을 받을 일이 생길지는 알 수 없으나, 이 자리를 누리다가 주님께 돌아가게 된다면 이것보다 더 큰 행복은 없을 것입니다. 제가 이 자리를 하나님의 소명으로 받드는 주된 이유는 제가 공부하기와 글쓰기와 가르치기를 즐기고 잘 하기 때문입니다. 하나님께서 저를 그렇게 빚으셨다고 믿습니다. 미국 소설가인 플래너리 오코너가 학교에서 가르칠 때 한번은 어느 학생이 "오코너 선생님, 왜 글을 쓰시나요?"(Miss O'Connor, why do you write?)라고 질문한 적이 있습니다. 그때 그녀가 어떻게 응답했을까요? "제가 잘하는 일이니까요."(Because I'm good at it.)였습니다. 그녀가 이런 고백을 한 것은 자신이 누구이고 무엇을 잘하는지를 깨닫기 위해 늘 기도한 결과였습니다. 그녀의 기도가 제 여생의 기도가 되길 원하는 마음 간절합니다.

"그러나 사랑하는 하나님, 부디 제게 자리를 하나 주소서. 아무리 작더라도 상관없사오니 제가 그 자리를 알아보게 하시고 그곳을 지키게 하소서. 제가 두 번째 계단을 매일 닦아야 한다면, 제가 그 사실을 알게 하시고 그것을 닦게 하시고 그 일을 하는 제 마음에 사랑이 흘러넘치게 하소서."(But dear God please give me some place, no matter how small, but let me know it and keep it. If I am the one to wash the second step everyday, let me know it and let me wash it and let my heart overflow with love washing it.)

-심금 울리기-

"하늘과 땅이 만나는 성서인문학"의 기조는 '**이성과 감성이 통합된 신앙**'입니다. 그 신앙을 진작하기 위해서 근거가 희박하고 현실과 동떨어진 공허한 주장 대신 **논증과 예증으로 심금을 울리는 글쓰기**가 그 방향입니다. 인문학은 이성과 감성이 어우러진 한마당이고, 성경은 창조주 하나님께서 만대의 비밀인 예수 그리스도를 열어 밝혀 주신 계시의 세계이기 때문입니다. 이 두 세계가 진리로 이루어져 있다면 서로 상충할 리가 없습니다. 성경이 인문학을 조명해 줄 수 있는 것과 마찬가지로, 인문학은 성경의 진리를 상보해 줄 수 있을 것입니다.

그동안 제가 소개한 서양 고전 소설 중에는 무신론자나 그리스도교에 대해 배타적인 이들의 작품들이 적지 않습니다. 그렇지만 그들의 작품 속에서 성경의 진리를 논증하고 예증하는 사례들을 발견할 수 있다는 점이 흥미로웠습니다. 그 소설들 곳곳에서 인간 죄성의 깊이, 인간의 좌절감, 그리고 인간의 절절한 갈망을 찾아볼 수 있었기 때문입니다. 이렇게 제시된 현실적인 인물들의 삶은 작가들의 의도와는 달리 성경의 핵심적인 진리를 설득력 있게 밝혀 주었습니다. 예컨대 "모든 사람이 죄를 지었습니다. 그래서 사람은 하나님의 영광에 못 미치는 처지에 놓여 있습니다."(로마서 3:23)라는 보편적이고도 뿌리 깊은 인간의 죄성을 확연하게 드러내 준 것이지요. 한편으로 소설 속에는 심각한 문제가 존재합니다. 인간의 죄성과 인간의 절망에 대한 증언과 사례는 넘치지만, 장래의 소망에 대한 인간의 갈망을 채워 줄 근거는 항상 결여되어 있다는 문제입니다. 그래서였겠지요. 아름답고 도전적인 인생의 기록도 넘친 만큼, 참혹한 인생 여정의 절망이 적나라하게 드러난 작품이 많았습니다. 땅만 바라보고 탐색했을 뿐, 하늘에서 비롯된 계시를 무시했기 때문입니다. 영성가인 토마스 머튼(Thomas Merton)이 지적한 대로입니다. "절망은 극도의 교만이 진전된 상태여서 하나님이 우리보다 더 창조적이라는 것을 인정하기보다는 자신의 주관적 확신을 선택한다."(Despair is a development of pride so great that it chooses one's certitude rather than admit God is more creative than we are.) 땅을 무시하고 하늘만 바라보자는 말이 아닙니다. 파도 파도 절망뿐인 땅 대신 영원히 창의적인 하나님께서 계시해 주신 '새 땅과 새 하늘'을 탐색하고 소망하는 게 지혜라는 말입니다. 인문학과 성서는 각각 서로를 비추어 주고 빛내 주는 거울이 됩니다.

-샘물 나누기-

그동안 성서와 인문학의 통합 과정을 통해 거듭 깨닫게 된 교훈이 한 가지 있습니다. 물질과 힘을 우상으로 섬기는 우리나라, 아니 이 세상에서 하나님 나라 백성으로 사는 길이 명확하다는 것입니다. 그것은 전인적으로 하나님을 사랑하고 경외하며 당신의 뜻과 경륜을 좇아 이웃을 섬기는 일입니다. 하나님께서 허락해 주신 각자의 은사로 그 일을 감당하는 게 당신의 경륜이기에, 공부하고 깨달은 내용을 글로 작성하여 이웃에게 나누는 게 제 몫이겠지요. 덕을 세우는 것은 유념하되 누구의 눈치를 보거나 자기검열은 삼갈 일입니다. 오로지 복음의 문과 말씀의 문을 열어 주실 하나님의 인도만 바라보며 기도하겠습니다. 그리고 주님으로만 기뻐하며 이미 허락해 주신 복으로 풍성한 삶을 누리기를 원합니다. 언젠가 "박명수의 라디오쇼"를 듣던 중에 그의 혜안 한 가지를 배울 수 있었습니다. "SNL"에서 주 기자 역으로 열연 중인 주현영 씨와 인터뷰하던 중이었습니다. 그녀가 손흥민 선수와의 인터뷰에서 많이 떨었다고 했을 때 박명수 씨가 이렇게 말을 던집니다.

"그렇게 이제 월드와이드 스타들과 만나서 해 봐야 어깨를 나란히 할 수 있는 게 아니겠습니까? 떨지 마시고. 현영 양이 최고니까, 편안한 맘으로 앞으로 하시면 돼요. 그게 다 경험이에요. 저도 웬만한 사람 다 만나는데 떨리지도 않아요. 내가 그 사람한테 뭘 바라니까 떨리는 거예요. 일대일로 만나 얘기하는데 떨릴 게 뭐 있어요. 내가 벌어서 내가 먹고 사는데. 그런 생각 가질 필요 없어요. 저한테도 떨지 마시고. 편안하게 자기가 하고 싶은 거 얘기하시면 됩니다."

그렇습니다. 제게 도움을 베풀어 줄 만한 사람이나 단체나 회사를 기웃거리지도 않을 양이면, 누구를 의식할 필요가 있으며 누구 앞에서 떨 이유가 있겠습니까? 더구나 제가 하는 일은 대가를 받지 않고 나누는 일입니다. 하늘과 땅의 신비로운 보물을 거저 베풀면서 수령자의 반응이나 그 숫자에 연연할 이유가 어디 있겠습니까? 언젠가 써 본 표현처럼, '**깊은 산 속 옹달샘**'은 누군가의 관심을 요구하거나 바라지 않습니다. 목마른 사람이면 누구나 와서 마시면 됩니다. 값없이 자유롭게. [끝]